SCALE:
THE UNIVERSAL
LAWS OF GROWTH,
INNOVATION,
SUSTAINABILITY,
AND
THE PACE
OF LIFE IN
ORGANISMS,
CITIES, ECONOMIES,
AND COMPANIES
Geoffrey West

スケール　㊦

生命、都市、経済をめぐる普遍的法則

ジョフリー・ウェスト
訳＝山形浩生・森本正史

早川書房

スケール〔下〕

——生命、都市、経済をめぐる普遍的法則

SCALE

The Universal Laws of Growth, Innovation, Sustainability, and the Pace of Life in Organisms, Cities, Economies, and Companies

by

Geoffrey West

Translated by

Hiroo Yamagata and Masafumi Morimoto

First published 2020 in Japan by

Hayakawa Publishing, Inc.

This book is published in Japan by

direct arrangement with

Brockman, Inc.

下巻目次

第8章 結論と予測：流動性とライフ・ペースから社会接続性、多様性、代謝、成長へ……105

第9章 企業科学を目指して……171

上巻目次

第６章　都市科学への序曲

１．都市や企業は、単なるきわめて大きな生命体？

ネットワーク理論は、スケーリング則の理解と、幅広い生物学全体の多様な問題に定量的に対処するための大きな概念的枠組みの提供に成功した。そこで当然、この枠組みを都市や企業といった他のネットワーク系の理解にも拡大できるかどうかが問題となる。一見これらは、生命体や生態系と共通点が多い。なんといっても、これらもエネルギーと資源を代謝し、廃棄物を生み出し、情報を処理し、成長、適応、進化し、病にかかって腫瘍に相当するものが生じることさえある。さらに老化して、企業の場合にはそのほとんどが最終的に死ぬ。だが都市が死んだ例は極度に少ない。この謎については後で考察する。

多くの人が「都市の新陳代謝」、「市場の生態系」、「企業のＤＮＡ」といった表現を、まるで都市や企業が生物であるかのように無頓着に使っている。はるか昔のアリストテレスでさえ、都市（ポリス）を「自然」で有機的に自立した存在と繰り返し言及している。もっと最近では、メタボリズムと呼ばれる有力な運動が建築界で生まれた。それが代謝プロセスによる生物再生の考えの類推から触発されたのは明らかだ。この運動は建築を都市計画と開発に不可欠な要素、そして進化し続けるプロセスとみなして、建造物は最初から変化を念頭において設計すべきだと主張した。その創始者の一人が著名な日本の建築家で、一九八七年に建築界のノーベル賞と言われるプリツカー賞を受賞した丹下健三だ。しかし私には彼の設計は、曲線美や柔らかさといった有機体の特質ではなく、直角とコンクリートを多用し、いささか魂に欠けて驚くほど非生物的に見える。

作家たちもまた、しばしば都市の有機的ビジョンを表現してきた。極端な例が一九五〇年代ビート詩と文学のカリスマ的創始者の一人ジャック・ケルアックで、いたずらっぽく「パリは女だが、ロンドンはパブでパイプを吸う独り立ちした男」と書いている。しかし生態学や進化生物学の本当の科学はさておき、その概念と用語が本当に席巻したのはビジネス業界、特にシリコンバレーだった。企業エコシステムという概念は、市場におけるある種のダーウィン的適者生存を含意する標準的な業界用語になった。これは当時ハーバード大学ロースクールに在籍していたジェームズ・ムーアが、「捕食者と獲物――新競争エコロジー」と題した論説で一九九三年に導入したものだ。彼はこれでその年のマッキンゼー論文賞を受賞している。[*1] ごく標準的な生態学的なお話で、個々の企業を自然選択の進化ダイナミクスにおける動物に置き換えただけだ。従来の企業理解についての論文と似たり寄ったりで、定量的な予測能力を何も持たない、まったくの定性的な論文だ。その大きな長所は、それがコミュニティ構造の役割、全体的な考え方の重要性、イノベーション、適応、進化の不可避なプロセスを強調していることだ。

では、こうした生物学上の概念とプロセスへの言及は、単なる定性的な比喩でしかなく、従来の言

都市のイメージ：時計回りに右上から、ブラジル、サンパウロの鉄とコンクリートの摩天楼。イエメン、サナの「有機的」都市。都会と田舎が融合したオーストラリア、メルボルン。エネルギーを浪費するシアトル。

葉では捉えがたい現象を言い表す際に「量子的飛躍」とか「モメンタム」とかいった科学専門用語をゆるい形で使うのと同じことなのか？　それとも何かもっと深く中身のあるものを表していて、都市や企業は本当に生物学や自然選択の法則に従う、非常に大きな生命体だと暗に示唆しているのだろうか？

これらは私が二〇〇一から二〇〇二年に、社会経済学出身のサンタフェ研究所の同僚たちと非公式に討議していたときに、思案していた種類の大まかな問題だ。偶然にも当時パリ大学に在籍して、後にアリゾナ州立大学の持続可能性学科に移籍する著名な人類学者サンダー・ファン・デル・レーウがサバティカルでサンタフェ研究所にいて、以前ここで経済学カリキュラムを持っていたデビッド・レーンもよくそこにいた。デビッドは著名な統計学者だったが、サンタフェ研に啓発されて研究対象を経済学に転向していた。彼はミネソタ大学の統計学科長だったが、イタリアのモデナ大学に移ってイノベーション、とりわけ北イタリアの活力源であった製造部門のイノベーションに的を絞ったカリキュラムを開始した。（モデナといえばおそらく、フェラーリ、ランボルギーニ、マセラッティの本拠地であることは言うまでもなく、その素晴らしいバルサミコ酢を思い浮かべるだろう。私が初めてそこを訪れたとき、デビッドは私に伝統的なバルサミコ酢を味わわせてくれた。それは私たちの多くが昨今サラダに使っているぬるい代物とはまったくちがう、驚くべき万能調味料だったが、これまで私が購入した幾つかの最も高価なワインよりも高価だった）。

懐疑主義的な私に対して、デビッドとサンダーはネットワーク・スケーリング則を生物学から社会組織に拡張するというプロジェクトの意義を納得させた。彼らは、古代と現代社会の両方におけるイノベーションと情報輸送から、都市と企業の構造と動態の理解まで、私たちの広範な共通の関心をカバーする広範なプログラムを確立する原動力となった。そのすべてを複雑系の視点から考えるのだ。このプログラムは「複雑系としての情報社会」（ＩＳＣＯＭ）と呼ばれ、ＥＵから潤沢な資金提供を受けた。その後すぐに、パリ・ソルボンヌ大学の著名な都市地理学者デニス・パマインが共同研究に参加し、私たち四人はプロジェクトの構成要素をそれぞれ一つずつ担当した。私はサンタフェ研を中心に新たな学際的共同研究を主宰した。その第一目標は、都市や企業がスケーリングを示すかどうか考え、もし示すならそれらの構造と力学を理解する定量的基本理論を開発することだった。

人生でありがちなことだが、かつて企てたことを、終わって長い時間が経ってから回顧すると有益なことが多い。例えば、初期ワークショップの参加者リストを見返すと、最終的に共同研究の継続メンバーになった者はごくわずかだ。これは、このような学際的な新しい問いに取りかかろうとするプログラムの開始時にはよくある。開始時には、相乗効果が起こり、プログラムに関係しそうな専門知識に精通した、様々な経歴のあらゆる種類の人々が招待され、火花を発し、何か新しいことへの見通しが生み出されるのではという、本当の目的意識と興奮が生まれる。だが多くの人にとって、たとえ提案されたプロジェクトの知的挑戦と将来的な成果に魅力を感じたとしても、完全に肩入れするほど時間を割いて、自分自身の研究の優先順位を変えるほどではない。人によっては、そもそもそれほど興味がなかったと悟る者もいれば、大した成果があがりそうにないから、やるだけ無駄と思う者もいる。それでもやがて、噂や予期せぬつながりや非公式の話し合い、そして浸透と拡散によって、研究者グループが生まれて発達し、そのメンバーは程度の差こそあれ、長期的にこの課題に関わりたいと望み、その後の年月で実際に重要作業をやってくれる。こうしたプロセスで、ＩＳＣＯＭのスケーリングと社会組織部門が生まれた。[*2]

その範囲と重点は研究の進展と共に広がったが、企画のビジョンは長年経っても、ほぼ元通りだった。その誘因としては当初、「企業や都市構造といった社会ネットワークとの明らかな類似性から見て、生物ネットワーク系の解明に使う分析と同じようなものを、社会組織に拡げる可能性の研究は、自然で説得力がある」と表現されていて、加えて「社会組織における情報流通は、物、エネルギー、資源の流通と同じくらい重要である」と強調された。「社会組織とは何か？　適切なスケーリング則は何か？ 社会的な情報、物、エネルギーの流れを導く組織構造が満たすべき制約は何か？ 特に、関係する制約はすべて物理的なものなのか、あるいは考慮すべき社会的、認識的制約も存在するのか？」

ニューヨーク、ロサンゼルス、ダラスは、表面的には見かけも感じもまったくちがう。それは東京、大阪、京都、そしてパリ、リヨン、マルセイユについても同様だが、それらのちがいは私たちがクジラ、ウマ、サルのちがいとして認識するものよりも小さい。後者は以前示したように、実際には単純なべき乗則スケーリング関係に従って、互いにスケーリングされている。これら隠れた規則性は、体内でエネルギーと資源を運ぶ基本ネットワークの物理、数学特性の表れだ。都市も同じように人々、エネルギー、資源を運ぶ道路、鉄道、送電線といったネットワーク系で維持されていて、それらの流れは都市代謝の表れだ。その流れはすべての都市で物質的な活力の源であり、生命体と同様にその構造と動態は、コストと時間の最小化によりおおよその最適化へと向かう選択過程に固有の、持続的なフィードバック機構によって進化する傾向があった。どの都市でも平均的な人々の多くは、AからBへとできる限り最短の時間で、最もコストがかからない方法で移動したがるし、ほとんどの企業が供給と配送システムについて同じことを求めている。これは見かけとは裏腹に、都市もまた哺乳類とまったく同じように、それぞれがお互いを拡大縮小したものかもしれないことを示している。

だが都市は、様々な輸送システムによって結ばれ、サービスを受ける建造物と構造の物性特性以上の存在だ。私たちは都市を物理的――パリの美しい並木道、ロンドンの地下鉄、ニューヨークの摩天楼、京都の仏閣等々――に考えがちだが、都市は決してその物理的インフラにとどまるものではない。

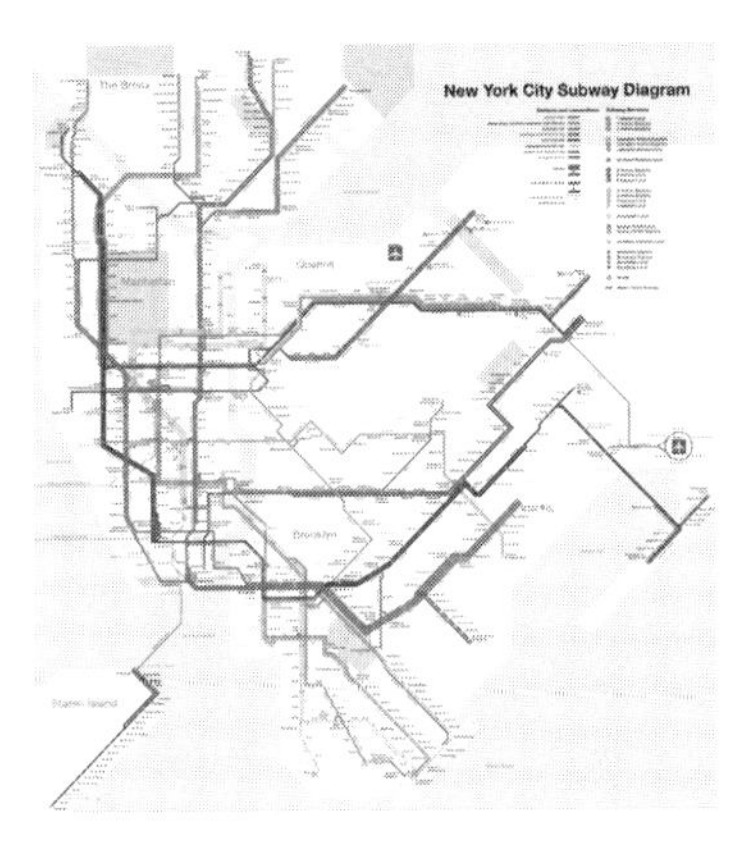

ロサンゼルスの道路網とニューヨークの地下鉄網。これ以外に水道、ガス、電気といったインフラ網がある。

実際には、都市の本質はその住民だ——彼らこそがそのざわめき、魂、精神をもたらす。成功を収めた都市の生活に参加するとき、本能的に感じられる、言葉では言い表せない特質だ。これは言うまでもないことかもしれないが、都市計画者、建築家、経済学者、政治家、政策立案者といった都市について考える人々の力点は、そこに住む人々とその相互作用ではなく、主にその物理特性だ。都市の本質が、大都市の多様性が与えてくれる類まれな好機という優位性を活かして、人々を結びつけ、相互作用を促し、それによってアイデアと富を創出し、革新的な考えを強化し、起業家精神と文化活動を促進することにあるということは、大抵忘れられている。これは人類が、都市化プロセスを無意識のうちに開始した一〇〇〇〇年前に発見した、魔法の手法だ。その予想外の結果の一つが、人口の指数関数的増大で、その生活の質と生活水準も平均で向上した。

ウィリアム・シェークスピアは、人間の社会心理世界に関するほぼあらゆることを理解していたが、人間と都市との根本的な共生関係についても然り。そのかなり陰惨な政治劇『コリオレイナス』のなかで、ローマの護民官シシニアスは大げさに「人々なくして都市があろうか？」と述べ、これに対して平民たちは断固として「まさしく、人々こそ都市なのです」と答える。私はこれを次のように解釈する。都市はそこに住む人々の絶えざる相互作用によって生まれた、複雑な適応社会ネットワーク系で、それが都市生活のもたらすフィードバック機構によって強化、促進されているのだ。

2．ドラゴンたちを倒す聖ジェイン

都市理論家で著述家であるジェイン・ジェイコブズほど、市民の集団的な生を通じた都市への視点で知られた人物はいない。彼女の決定的著作『アメリカ大都市の死と生』は、都市に対する考え方、「都市計画」への取り組みについて、世界中で多大な影響を与えた。[*3] 学生、専門家、単なる知的好奇心を持った市民を問わず、都市に興味がある人すべての必読書だ。すべての主要都市のすべての市長の本棚のどこかにこの本は収まっているはずだし、市長たちは少なくともその一部くらいは読んだのではないか。名著で、とても挑発的ながら洞察に満ち、論争的で個人的であり、楽しいしっかり書かれている。出版は一九六一年で、対象ははっきり当時のアメリカ大都市に絞られているが、その主張はずっと広く適用できる。ある意味で、当時よりもおそらく現在のほうが有意義だし、特にアメリカ以外での意義が大きそうだ。多くの外国都市が、自動車とショッピングモールの支配的普及と問題、郊外の発展、それによる必然的なコミュニティ喪失といった、古典的なアメリカ都市と同じ軌跡をたどっているからだ。

皮肉なことに、ジェインはきらびやかな学歴や学位を持たず、大卒でさえないし、伝統的な研究活動にも携わっていない。彼女の著作はむしろジャーナリスティックな物語で、何よりも逸話と個人的経験、そして都市とは何か、それはどのように機能するのか、そしてどのように「機能すべき」か、ということに対する深い直観的な理解に基づいている。彼女の本は「アメリカ大都市」にはっきりと焦点を絞っているが、その分析と解釈は彼女のニューヨークでの個人的経験に基づいているような印象を受ける。彼女は都市計画者と政治家にえらく手厳しくて、従来の都市計画への批判は辛辣だ。とりわけ、最も重要なのは建物や高速道路ではなく市民だという認識の明らかな欠如に対してはそうだった。以下の彼女の著作からの代表的引用には、彼女の批判精神がはっきり表れている。

都市計画という疑似科学は、実証的な失敗を繰り返して実証的な成功を無視するということだわりの点で、ほとんど神経症じみています。

この何やら高次の現実としての地図への依存において、プロジェクト計画者や都市デザイナーたちは、お望みのところに遊歩道を書いてそれを作らせるだけで、遊歩道ができあがるのだと思い込んでいます。でも遊歩道は遊歩者たちを必要とするのです。

都市に押しつけられる論理などありません。人々がそれを作るのであり、計画は建物ではなく、その人々に合わせねばならないのです。（中略）人々が何を気に入っているかはわかります。

彼が狙ったのは、自給自足の小さな町で、本当にすてきな町ではあります。あなたが従順で自分独自の計画がなくて、他の自主的計画を持たない人々と暮らしてもかまわないというのであれば。あらゆるユートピア同様、多少なりとも大きな計画を持つ権利は、計画者当局だけにあります。

最後の引用における「彼」は、「田園都市」の概念を考案したエベネザー・ハワード卿を指している。田園都市は二〇世紀を通じて都市計画に強い影響を与え、世界中に郊外の理想的モデルを提供した。ハワードは一九世紀イギリスの労働階級の窮状と搾取に強い影響を受けた、夢想的なユートピア思想家だった。ハワードによる田園都市構想は、彼が最良の都市、田園生活のために理想的と考えた所定の割合で明確に分けられた、居住（住宅）、工場（産業）、自然（農業）区画からなるコミュニティだった。スラム、公害などなく、新鮮な空気に満ちて、息をついてよい生活を送るだけの余裕がある。都市と田園の融合は、リバタリアニズムと社会主義の奇妙な結婚となる、新しい文明社会への第一歩とみなされた。彼の言う田園都市とは、大部分は自立しており、経済的利害を持った市民によって協調して運営されることになっていたが、彼らは土地を所有しない。

多くのユートピア的夢想とちがって、ハワードの構想はリベラルな思想家たちと筋金入りの投資家たちの両方の琴線に触れた。彼は十分な民間投資を集めて会社を作り、ロンドン北部の荒野に二つの田園都市を建設した。現在人口三万三〇〇〇人のレッチワース（一八九九年）と、四万三〇〇〇人のウェリン（一九一九年）だ。だがこの夢を現実世界で完遂するには、ジェイン・ジェイコブズが激しく非難した厳格なトップダウンの設計プランを含む、彼の多くの理想を犠牲にするか、大幅に妥協するかのいずれかが必要だった。それでも彼の計画した「都市と田園」からなるコミュニティという基本哲学は、今日まで持続して、それ以降世界中で生まれた多くの様々な田園都市のみならず、あらゆる都市のほぼすべての郊外開発の設計コンセプトにその痕跡を残している。なかでも大規模で興味深い特別な例が、シンガポールだ。この都市は成長して五〇〇万人以上の人口を抱えるグローバルな金融センターとなり、お決まりの仰々しい鉄とガラスの摩天楼を建設し続けてきたが、救いはそれがスケールの大きな田園都市になるという夢を維持し続けていることだ。これは主に、明確なビジョンを持ったトップダウン型指導者、故リー・クアンユーのおかげだ。彼には一九六七年の時点で、シンガポールはたとえ慢性的な土地不足であろうと、豊富な植物、広い緑地、熱帯の豊穣さを兼ね備えた「田園のなかの都市」として発展する必要があると予見していた。シンガポールは世界で最もエキサイティングな都市ではないかもしれないが、その緑豊かな環境は誰の目にも明らかだ。

皮肉なことに、ハワードによるこれら田園都市デザインは、実際はまったく有機的でなかった。それらの配置と統合性は、単純なユークリッド幾何学そのもので、目につく曲線といえば、完全な直線とつながった完全な円だけだ——有機的に進化した都市、町、村の、ごちゃ混ぜの乱雑な外見の対極だった。マンデルブロ的なフラクタル状の境界、表面やネットワークは、エベネザー・ハワードの田園都市構想にはなかった。その例を21ページに示しておく。この有機幾何学からの乖離（かいり）は、二〇世紀の建築と都市計画におけるモダニズム運動の特徴となった。その最も良い例が、きわめて有力なスイス、フランスの建築家であり都市理論家であるシャルル＝エドゥアール・ジャヌレ＝グリ、通称ル・コルビュジエと、「形は機能に従う」としばしば言及されるその哲学だ。彼が母方の名字からとったこの仮名を使うようになった理由のひとつは、誰でも自身を再発明できると示すことだった。

エベネザー・ハワードと同じく、ル・コルビュジエも都市スラムの劣悪な生活環境に心を大きく動かされて、都市貧困層の窮状を改善する効果的な方法を模索していた。このような懸念から、パリ（そしてついでにストックホルム）中心部を取り壊して、高密度のコンクリート、ガラス、そして鉄からなる高層ビルに置き換えて、鉄道、高速道路、そして空港さえもそこに交差させるという彼の大胆な提案が生まれた。実に強烈で謹厳で、ちょっと邪悪な感じさえするのは、一九三〇年代という不穏な時代に、彼が政治的に右傾化したことを反映したものでもある。これは都市を「清めて浄化する」、あるいは「静謐（せいひつ）で力強い」建築を開発するという彼の言い回しや、建築物は装飾なしで設計されるべきだという主張に反映されている。幸い彼の壮大な計画が実行されることはなく、私たちはパリとストックホルム中心部の退廃（デカダン）的な都会的装飾のいくつかを、今でも楽しめる。

ル・コルビュジエは世界中の建築家と都市計画者に多大な影響を与えたが、それは私たちのすべての主要都市の中心部を飾る、固い鉄とコンクリートの構造物の優勢が証明している。ハワードの都市デザイン哲学が郊外の都市生活に抜きがたい痕跡を残したように、ル・コルビュジエは中心街の都市景観に抜きがたい痕跡を残した。それはキャンベラ、チャンディーガル、ブラジリアといった新しい首都のデザインに特に顕著だ。とりわけ興味深いケースがブラジリアで、そこの公共建造物は建築家

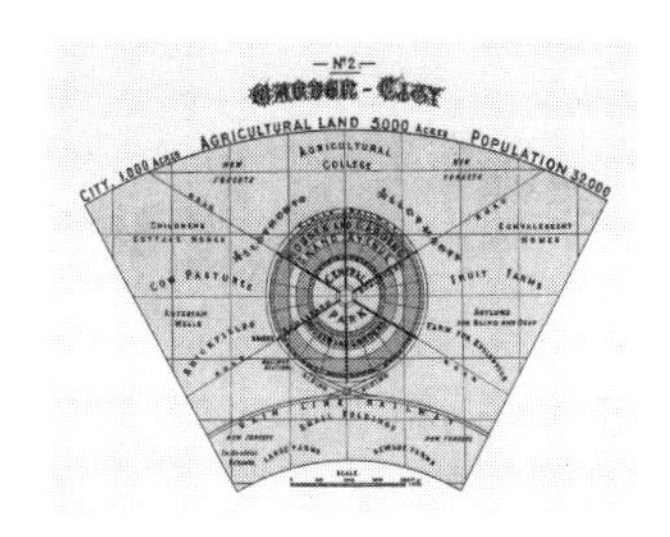

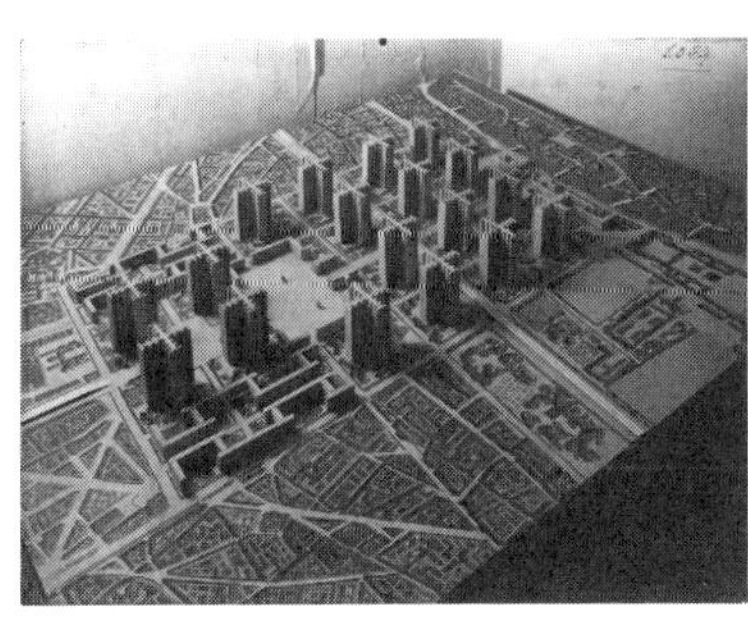

左上：エベネザー・ハワードによる田園都市計画の一例。
右上：アブダビの新都市マスダール。
中、下左：ル・コルビュジエの新都市計画。

オスカー・ニーマイヤーが設計した。彼はル・コルビュジエから多大な影響を受けているが、次の発言に見る通り、手放しの賞賛ではない。

私はあの人物が作った平角、固くて柔軟性のない直線には惹かれない。私は自由な流れ、官能的な曲線に惹かれる。私が故郷の山々、川の曲がりくねり、大洋の波、愛する女性の体に見いだした曲線だ。曲線は宇宙のすべてを形作る。アインシュタインの曲線の宇宙だ。

ちなみに、この言及にはマンデルブロとフラクタルが加わっていてもおかしくない。皮肉なことにこの素晴らしい宣言とは裏腹に、ブラジリアはそうなってはいけない都市の象徴になってしまった。それはしばしば「コンクリート・ジャングル」と評されてきた——それはエベネザー・ハワードの影響がうかがえる広い緑地と公園を持っているが、荒涼とした、魂のないものとみなされてきた。首都として始動し始めた直後の一九六〇年にブラジリアを訪れた後で、フランスの前衛作家であり哲学者であるシモーヌ・ド・ボーヴォワールは、ジェイン・ジェイコブズに同調してこんなふうに修辞学的に問いかけた。

そこを歩き回ることに何の興味が持てるというのか?……行き交う人々、商店と住居、車と歩行者の出会いの場としての道は……ブラジリアには存在しないし、今後も決して存在することはないだろう。

五〇年後、当初の計画の束縛から立ち現れ、今や人口二五〇万人以上を誇るこの都市は、ゆっくりと有機的に進化して、人間的な住みやすい環境を備えた「出会いの場」を発展させ始めた。一方で、丹下健三がプリツカー賞を受賞したわずか二年後の一九八九年、今度はオスカー・ニーマイヤーがこれを受賞した。この賞をごく最近受賞したノーマン・フォスターもまた都市を一から作り上げようとしているが、この場合は湾岸諸国の過酷な砂漠のなかでのものだった。これが鳴り物入りで宣伝されたアブダビのマスダールで、ＩＴのカッチョイイ発達によって可能になった、豊富な太陽エネルギーの活用によって、持続可能でエネルギー効率の良いユーザーフレンドリーなハイテク・コミュニティのショウケースとして計画された。いささか風変わりながら、大胆で心躍る計画だ。二〇二五年頃までに約二〇〇億ドルかけて、人口約五万人を目指している。その主要産業は、さらにアブダビから六万人の通勤者を呼び込んで、環境に優しいハイテク製品を研究、製造することだ。おそらくマスダールの最も異様なところは、その境界が能う限り最も無機質かつ凡庸に設定されていることだろう――それらはまっすぐに引かれているのだ。そう、正方形都市だ。

実際、マスダールはどう見ても活気に満ちた多様な自治都市ではなく、実質的には居住地を備えた郊外の民間工業団地にしか思えない。多くの意味でその哲学は、エベネザー・ハワードの田園都市の概念を二一世紀のハイテク文化に持ち込んだ派生物だが、ちがうのはそれがワーキングプアのためというよりは、特権階級のために設計されたらしい点だ。《ニューヨーク・タイムズ》の建築批評家を二〇〇四年から二〇一一年まで務めたニコライ・オウロウソフは、マスダールはゲーテッド・コミュニティの典型だと指摘する。「もうひとつのグローバル現象の結晶だ。世界の成長部門を、洗練された高級な飛び地と混沌とした広大なゲットーに取り込んだもので、そこでは持続可能といった課題は差し当たって問題にされない」。マスダールがこれから本物の都市になるのか、それともアラビアの砂漠に打ち立てられたスケールアップされた壮大な「ゲーテッド・コミュニティ」のままなのかを判断するには、まだ時期尚早だ。

形と機能、街と田舎、有機的進化による進歩と簡素な鉄とコンクリートによる節制、そしてフラクタルな曲線や表面とユークリッド幾何学の単純さの緊張関係についての議論はいまだに進行中で、簡単な解決案や安易な答えなどない。実際現代の多くの建築家たちが、これら進行中の多くの側面について探求、模索、試行している。例えばニーマイヤーは実際には魂の感じられないコンクリートの建造物を作ったにもかかわらず、「硬直と柔軟性の欠如」を否定し、「自由に流れるような、官能的曲線」を認める言葉を残している。エーロ・サーリネンによるニューヨークのケネディ空港TWAターミナルビル、あるいはフランク・ゲーリーによるロサンゼルスにある一風変わったコンサートホールやスペインのビルバオの摩訶不思議な美術館、あるいはヨーン・ウツソンによる素晴らしいシドニー・オペラハウス、そして砂漠に正方形都市を作ったのと同一人物であるフォスターがロンドンに建築した、不気味な男根的シンボル、別名「ガーキン」（キュウリ）を思い浮かべてほしい。なかでも究極の最端に位置し、ル・コルビュジエと彼の信奉者たちの警告の際立った対極にあるのが、スペインのアントニ・ガウディ、あるいはアメリカのブルース・ゴフなど少数の優れた建築家たちだ。両者の想像力に富む構想には際限がなく、共に有機的構造から得た想像を取り入れようとしていることは、ガウディの最高傑作であるバルセロナのサグラダ・ファミリア大聖堂、あるいはゴフのオウムガイの貝殻、ひまわり、螺旋状星雲に表れることで有名なフィボナッチ数列に触発されたオクラホマ州ノーマンのバビンガー・ハウスを見れば明らかだ。

これら革新的な例はすべて個別の構造物だが、都市全体の設計にはまともにそれに匹敵するものはないし、田園都市のテーマの変奏を超える都市開発も見られない。だが一九八〇年代にニューアーバニズムと呼ばれる運動が起こった。それは自動車と鉄とコンクリートばかりの社会に固有の問題と戦おうとする試みだった。それらが支配する社会では、人々は互いに疎外され、長距離通勤が当たり前になっている。この運動は、歩行者の利便性と公共交通を強化した設計を通じて、コミュニティ構造を重視し、社会的、商業的のみならず建築としての、多様で多目的な近隣への回帰を主張した。このような考え方の大半は、偉大な都市思想家ルイス・マンフォードとジェイン・ジェイコブズの批評に啓発されたものだった。彼らは都市とは人であり、単なる自動車とコンクリートと鉄でできた企業の高層ビルからなるインフラ構造ではないことを教えてくれた。

一九五〇年代、六〇年代にジェイン・ジェイコブズは、当時住んでいたニューヨークのグリニッチ・ヴィレッジに、四車線自動車専用高速道路を建設する計画と戦ったことで名声と悪評を得た。これは「都市再開発」と「スラムクリアランス」絶頂期のことで、都市構造と人間的スケールへの配慮をほとんど欠いたまま、都市中心部に四車線高速幹線道路が建設され、あわせて巨大で殺風景な高層公共住宅の建築計画が立てられていた。ニューヨークでこれらすべてを背後から操っていたのが、強力な黒幕ロバート・モーゼスで、彼はこの都市のインフラをほぼ四〇年かけて再建、回復させた。彼はニューヨークで、マンハッタンとその他の区を結ぶ橋や高速道路の建設を含む、多くの重要な仕事を成し遂げたが、そのために多くの伝統的な近隣地区を破壊していた。

モーゼスの構想のなかで大きかったのが、ロウアー・マンハッタン高速道路だ。これはグリニッチ・ヴィレッジ、ワシントン・スクエア、ソーホーを縦断することになっていた。ジェイコブズはこの桁はずれの侵害を、都市の本質的特徴を破壊するものだと主張し、阻止するための戦いを主導した。長くつらい苦闘の果てに、彼女はやがてこの戦いに勝った。その過程で彼女は政治家や開発業者だけでなく、多くの都市計画者と実務家から多くの非難を浴びた。その中の一人、ルイス・マンフォードは、彼女を感傷的な変わり者の反動主義者で、ニューヨークの発展と将来の商業的成功を妨げているとみなした。ル・コルビュジエの精神を遵守して、モーゼスの計画では多数の都市区画を取り壊して、高所得者向けの高層住宅に建て替えることになっていた。これはニューヨークの多くの地域で実行に移されたが、グリニッチ・ヴィレッジでは見送られたものの、ワシントン・スクエアのニューヨーク大学（NYU）が所有する住宅開発につながり、これは最終的に大学職員住宅として利用された。実は私はNYUに長く滞在したときに、光栄にも短期間そこに滞在したことがある。私は心底それを楽しんだ——典型的な現代の高層共同住宅に住んだことが特別楽しかったからではなく、グリニッチ・ヴィレッジ、ソーホー、リトル・イタリーの素晴らしく刺激的な活気にすぐにアクセスできたからだ。これらの地区にはありとあらゆる変わった人々がいて、都会の喧騒とギャラリー、レストラン、そして多様な文化活動の増殖を促し、それがニューヨークをあのような大都市にするのに一役買っていた——もしも救世主聖ジェインがいなければ、預言者モーゼスが故意ではないにしろ、そのすべてを破壊していたかもしれないのだ。ニューヨークとその他私たちはみんな、永遠に彼女に感謝すべきだ。

世界中の多くの都市がこのような都市再開発とスラムクリアランスのなれの果てに悩まされてきた。そのどれも、まったくの善意で実施されたものだし、たいてい正当な理由もあった。だが多くの場合、立ち退きを迫られた人々の窮状は言うまでもなく、コミュニティの感覚は無視され、甚大な意図せぬ結果をもたらしている。あまりに多くの事例で、ランプもない高速道路が伝統的な近隣地区を横断し、そこを文字通り都市の動脈から切り離された陸の孤島にしている。無味乾燥の高層共同住宅の建設と共に、これらの孤島はしばしば疎外と犯罪の原因になってきた。アメリカで五〇年前にボストン、シアトル、サンフランシスコといった都市の中心部を貫通して建設された巨大な高速道路が、今になって解体されているのが、ジェイン・ジェイコブズのスローガンの正しさの証になっている。何十年もかけて発達してきた昔の近隣関係とコミュニティ構造を復活させるのは簡単なことではないが、都市はきわめて復元力と適応性に長けているので、必ず何か新しい予想外の発展を遂げるはずだ。

この一編の都市史の脚注として、NYUの長期戦略計画に、まさにそのような高層集合住宅を解体して、この地区を当初の姿に戻すというワシントン・スクエアの総合再開発案が盛り込まれているのは皮肉なことだ——変われば変わるほど、同じになる。

二〇〇一年のインタビューでジェイン・ジェイコブズはこう尋ねられた。[*4]

あなたはどの業績で最も記憶に残ると思いますか？　あなたは政府のブルドーザーと都市再開発を進める人々に立ち向かった一人で、彼らはこの都市の活力源を破壊していると言いました。それがあなたの一番の想い出になるでしょうか？

これに彼女は次のように答えた。

いいえ、もしも私が本当に重要な二〇世紀の思想家として記憶に残るなら、私の貢献で最も重要なのは、何が経済拡大を起こすかについての考察です。これはいつも人々を悩ませてきたことです。私はそれを見つけ出したと思います。

残念ながら、彼女はまちがっていた。現実にはまずなによりも、彼女はロウアー・マンハッタンのまとまりを維持する戦いと、都市の本質やその仕組みへの洞察によって記憶されている。それには活気ある都市の社会経済的生態の創造における、多様性とコミュニティの重要な役割の認識が含まれている。最近になって彼女は「まちがいなく重要な二〇世紀の思想家として」、都市計画界のみならず、もっと広い知識人や専門家からも認められるようになった。不幸なことに、彼女が記憶に残りたいと願った経済学自体への貢献はそれほど上首尾ではなく、ほとんど認められていない。彼女は成長と技術革新の起源に焦点を絞って、都市経済と経済そのものについて数冊の本を著している。

彼女の著作に通底する主要な主張は、マクロ経済的に見た経済発展の最も重要な原動力は都市であって、従来の経済学者の大半が大抵考えている国民国家ではないというものだ。これは当時としては急進的な考えで、経済学者たちにほぼ完全に無視された。これはジェインが経済学村の正式メンバーではなかったせいも大きい。当然国の経済はその都市の経済活動と強い相互関係を持っているが、その他のあらゆる適応システム同様に、全体は部分の総和よりも大きいのだ。

ジェインが国家経済にとって都市が最重要という仮説を立ててからほぼ五〇年を経て、様々な視点から都市を研究し始めた人々の多くが、彼女と同じような結論に達した。私たちは都市新世を生きており、地球規模で見れば、都市の運命が地球の運命だ。ジェインはこの事実を五〇年以上前に認識していたが、今になってやっと専門家の中で、彼女の非凡な先見の明が認識され始めた。都市経済学者のエドワード・グレイザーやリチャード・フロリダなど多くの著述家がこのテーマを取り上げているが、なかでも最も率直で大胆なのが、挑発的なタイトルの書『もしも市長たちが世界を統治したなら：国の機能不全と都市の台頭』を著したベンジャミン・バーバーだ。[*5] これらは都市こそ何かが起こるところだという認識を示している――少なくともますます機能不全に陥る国民国家に比べ、都市こそはすぐに課題に対処する必要があり、統治が機能しているように見える場所なのだ。

3. 余談：田園都市とニュータウンでの個人的体験

何百万世帯もの住宅破壊という第二次世界大戦のもたらした荒廃の直後、イギリスの社会主義政党はマンモス級の住宅危機に直面した。被害にあった住宅の大多数は労働階級地区のものだったため、これが戦前からすでに課題となっていた、「都市開発」と「スラムクリアランス」に拍車をかけ、その中でエベネザー・ハワードの田園都市という着想は先見の明を持った古典的な例とされていた。一九五〇年代、六〇年代には、新築住宅のあるべき姿は、イギリス国民が伝統的に望んできた一戸建て住宅から、もっと効率的な高層共同住宅複合体へと進展していた。これらはある程度の成功を収めつつ、私たちがすでに論じてきた問題の多くを生み出してきた。オックスフォード大学の政治経済学者で、《オブザーバー》紙の元編集長ウィル・ハットンは、ごく最近の二〇〇七年においてさえこう述べた。

公営住宅は生ける者の墓場というのが事実だ。他の家が手に入らない恐れがあるから、今の住宅は決して手放してはいけないが、そこに残ると場所と心の両方の面でゲットーにはまり込むことになる……公営住宅団地は、それ以外の経済、社会からなるべく断絶しないようにする必要がある。

戦後のこの新住宅計画の一環として、イギリス政府は貧困地域や爆撃被災地から人々を移住させるために、一連の「ニュータウン」開発に着手した。それらの設計は、労働階級向けのニューウェーブとして、田園風の環境に置かれた住宅と飛び地に置かれた工場からなる、田園都市的なイメージにインスパイアされたものだった。最初の例がスティーブニッジで、一九四六年に「ニュータウン」に指定され、私はそこで一九五七年から一九五八年までのほぼ一年間暮らした。だから実は私は、田園都市での暮らしがどういうものかについて、実地体験をしているのだ。

まったく意外なことに、私はケンブリッジ大学のゴンヴィル・アンド・キーズ・カレッジに合格して、一九五八年秋の新学年開始以降そこに通うことになっていた。そこで一九五七年末にロンドンのイースト・エンドで通っていた学校をすぐに辞めて、スティーブニッジにあるブリティッシュ・タービュレーティング・マシーン・カンパニーとして知られていた、インターナショナル・コンピュータ・リミテッド（ＩＣＬ）の研究所に臨時雇用された。

初めて親元を離れて暮らすティーンエイジャーがみなそうであるように、これは決定的な経験で、この期間には実にいろいろ学んだ。私の前に開けた多くの展望のなかで、ここでの話と関係あるものが三つある。まず最も疑問の余地のないこととして、自由な思考と活動を許すどころか促してくれさえするイノベーティブな研究環境で働くのは、醸造所の閉ざされた場で心を殺して機械にビール瓶を補給する仕事に勝るということだ。

二つめは、貶（けな）してはいても実際に田園都市に足を運んだことがないのではと思われるジェイン・ジェイコブズが、正しかったということだ。これは彼女のことを知るずっと前のことだったが、ノースウェスト・ロンドンの下流中産階級地域の相当荒れ果てたヴィクトリア朝の連棟住宅での暮らしに比べて、スティーブニッジの暮らしは気取ったカントリーリゾートまがいだとすぐにわかった。そしてまさにそれが問題だった。ジェイコブズが数年後に皮肉まじりに述べているように、それは「あなたが従順で自分独自の計画がなくて、他の自主的計画を持たない人々と暮らしてもかまわないというのであれば、本当にとても素晴らしい街」だ。これはかなり辛辣だが、後にサバービアと結びつけられることになる退屈さ、毎日の繰り返し、孤独、内なる情熱を隠して抑圧する温和な「善良さ」といった感覚を捉えている。ロンドンのハックニーやイースト・エンドが都会の至福の模範ということではない。ちなみにジェインは反論するかもしれないが、グリニッチ・ヴィレッジ、リトル・イタリー、あるいはブロンクスもそうとは言えない。ノスタルジックに労働階級のロンドンを理想化したり、スラム暮らしのコミュニティについて話を盛ってほめそやすのが流行っているが、建築的にも独自の単調さと孤独と疎外が潜んでいて、荒れ放題で不健康で荒っぽくて厳しいというのが現実だ。しかしそれらを、美術館、コンサート、劇場、映画、スポーツイベント、集会、抗議集会、そして伝統的な都市が提供すべき素晴らしい恩恵のすべてに容易にアクセスできるそこでの暮らしに加わる人々の行動、多様性、そして脈動する感覚が、強力に埋め合わせている。

当時は商用コンピュータの草創期で、ICLはアメリカのIBMと同じように、あの恐ろしいパンチカードを使ってプログラムする、旧型の真空管式と新型のトランジスタ式の機械を開発していた。私たちの年代の者はみんな、あのパンチカードをある種のノスタルジックな悪夢として記憶している。数年後、私はスタンフォード大学院生として、それらの不愉快なカードとFortranやBalgolといった奇妙な名前の言語を使った退屈極まりないプログラミングに、憎しみをたぎらせていた。これは実は残念なことだった。このせいでコンピュータ開発とプログラミングへの興味を完全に失ってしまったのだ。そこそこ得意ではあったし、スティーブ・ニッジや後にシリコンバレーと呼ばれる場所で、「その発端の」現場に居合わせたのに、コンピュータが複雑な計算や分析以外のことに使えるようになると気づくだけの先見の明を持っていなかった。おかげで私は、スタンフォードの起業家精神溢れるITマシーンが生み出す裕福な成功者となるかわりに、ささやかな財産しか持たない一研究者で終わってしまったわけだ。

目の前に開けていた三つめの展望は、電気回路が可能にする洗練と潜在的な力をかいま見られたことだった。単純な法則に従って巧みで複雑な方法で配線された、少数のごく単純なモジュラー部品（抵抗、コンデンサー、コイル、トランジスタ）から、驚くほど強力かつ「複雑」な何かが生み出されて、それが電光石火の速さで途方もないタスクを行う――これが電子コンピュータだ。これが私とネットワーク、創発、複雑系の概念との出会いだったが、こうした用語やそうした考え方は、まだまったく確立していなかった。ケンブリッジでの学生生活が始まると、そんなものはすべて忘れ去った。だがその中の何かがまちがいなく私の意識の奥底に残って待機していて、ネットワークこそが私たちの体、都市、企業の仕組みを理解するための根本的な手がかりだと考え始めた四〇年後に、それが浮上してきたにちがいない。

4. 中間的なまとめと結論

この短いいささか個人的な脱線の狙いは、都市計画、デザインの包括的な批評やバランスの取れた概説をすることではなく、都市の科学開発の可能性について語るための舞台づくりと、自然な話の糸口を提供するための、固有の特徴をいくつか指摘するためだ。私は都市計画、設計、建築の専門家でもなく、何の資格もないから、私の見解は必然的に不完全なものになる。

これらの所見から導かれる重要な洞察は、ほとんどの都市開発と再開発――とりわけワシントンDC、キャンベラ、ブラジリア、イスラマバードといった新規に計画、造成された都市のほぼすべて―

―があまり成功していないことだ。これは批評家、専門家、コメンテーターといった人々の間で、広く意見が一致しているようだ。人気紀行作家ビル・ブライソンは著作『ダウン・アンダー』のなかで、キャンベラについて次のような辛辣なコメントをしている。

キャンベラ――そこには何もない！
キャンベラ――なぜ死を待つのだ？
キャンベラ――他所へ行くための通過場所！[*6]

都市の成功を客観的に判断する難しさは、よく知られている。成功か失敗かを決めるために使うべき指標と測定基準さえ、はっきりしていない。幸福、満足感、生活の質といった心理社会的現象の測定は、モデル化は言うまでもなく信頼できる定量化にはなかなかなじまない。一方で生活の具体的な性質である、所得、健康、文化活動などは明らかに定量化しやすい。都市の成功についてこれまで書かれてきたことは、すでに私が引用した逸話の詳細版より大して洗練されたものではなく、せいぜいジェイン・ジェイコブズやルイス・マンフォード風の、談話による直観的分析でしかない。[*7]

インタビューやアンケートに基づいて、もっと客観的で「科学的」観点を開発しようとする社会学的研究はたくさんある。学問分野としての都市社会学は、長くて輝かしいが少なからず物議をかもし、しばしば驚くほど偏狭な歴史を持っている――ロバート・モーゼスはそれを利用して、昔ながらの近隣地区に破壊的な高速道路を敷くことを正当化したほどだ。だがそのすべてを考慮しても、程度の差こそあれ、ほぼすべての計画都市が、結局魂の感じられないよそよそしい、大衆的で文化的な活動のざわめきに欠けた、一般的にコミュニティ精神が不足したものになっているのは明らかなようだ。新しい都市の建造物、あるいは大規模な都市開発にしばしば見られる希望や誇大広告と比べると、それらのなかで期待に応えたものはほとんどなく、多くが失敗に終わっていると言えよう。

だが都市は目を見張るほど回復力があり、複雑な適応システムとして進化し続けている。例えばかつてワシントンDCは多くの人にとって、歴史的か愛国的理由、あるいは政府と仕事をする必要があるときだけ訪れる、都市とは言えない場所だった。ひどく退屈なコンクリート・ジャングルの典型で、そこを占拠している巨大な政府機関の建物は、奇妙なことに古きソビエト流を思い起こさせる、あのカフカ的官僚国家の不気味な感覚をしばしば与えた。

現在のワシントンはどうだろう——多くの問題を抱えてはいるが、非常に多様で活気ある都市に発展して、その活気やコミュニティ感覚に注目する多くの野心的で創造的な若い人々を惹きつけている。ワシントン大都市圏は今や経済を拡張させて、もはや政府の仕事だけに依存してはいない。そしてかなり不思議なことではあるが、これらの政府系の建造物は、世界中から来た若者で溢れる多くの素晴らしいレストランや、人々が集う場所が増えたことによって和らげられて、今ではそれほど恐ろしげではなくなった。ワシントンが「本物の」都市になるにはずいぶん時間がかかったが、今やジェイン・ジェイコブズですら評価しそうな場所になっている。希望はある。

これで話は別の重要な問題へとやってくる。広い目で見るならば、ワシントン、ブラジリア、あるいはスティーブニッジさえ含むこれらの無機的な計画新都市が、人々が生を満喫し、視野を広げ、自分たちが活気ある創造的なコミュニティの一部だと感じる機会の豊富な場所ではないという意味での「失敗」だとしても、大した問題ではないだろう。時間がかかるが、都市は進化を遂げ、いずれは魂を育む。加えて少し前まで都市環境に住む人の割合はかなり少なく、計画都市もかなり少なかった。だが都市化が指数関数的に拡大してきたために——今後三〇年間で平均毎週人口一五〇万人の新都市と同じだけ人口が増えることを思い起こしてほしい——状況は完全に変わったのだ。

今ではそれが大問題となっている。果てしない指数関数的増大に適応するために、新都市と都市開発が実に驚くべき割合で造成されている。中国だけでも今後二〇年間で二〇〇から三〇〇の新都市を建設し、その多くが人口一〇〇万人以上で、発展途上世界で圧倒的になりつつあるメガシティは拡大し続けて、さらに多くの人々が都市に集まり、その多くがスラムと不法移民を生み出し続けている。

以前指摘したように、ロンドンやニューヨークといった古い巨大都市も、今日のメガシティに関連づけられているものとほぼ同じマイナス・イメージにかつては悩まされた。それでもそれらの都市は莫大な機会を提供して、世界経済を推し進める重要な経済的原動力に発展した。ここに問題がある。都市は確かに進化するが、進化には何十年という時間がかかり、人類はもうそれを待っている暇がない。ワシントンで一五〇年、ロンドンで一〇〇年、ブラジリアでは五〇年以上かかっても、いまだに現在進行形でしかない。加えて規模の問題もある。中国は数百の新都市を造成して三億もの地方住民を都市化するという、恐るべき事業に着手した。急場しのぎなので、これらは都市の複雑性と社会経済的成功との関わりを深く理解しないまま建設されている。実際、有識者のほとんどが、これら新都市の多くが従来の郊外と同様に、コミュニティ感覚に欠ける生気のないゴーストタウンだと報告している。都市には有機的性質がある。それらは人々の相互作用から発展し、物理的に成長する。世界の主要大都市は、曰く言いがたい喧騒と意識を生み出すことで、人間的な相互作用を促し、それがそのイノベーションと興奮、その経済、社会的な回復力と成功の主要な源泉になっている。この都市化の重要な側面を無視して建物とインフラだけに焦点を集中させるのは、短絡的で大惨事を誘発するものとさえ言える。

第７章　都市の科学に向けて

都市の理論のほぼすべては定性的で、主に特定の都市、あるいは都市群の集中的な調査に基づいており、それを物語、逸話、直観で補完することで構築されてきた。おおむね系統的でなく、インフラの問題を社会経済的な力学と統合していないのが通例だ。私が主張しているような、定量的で「物理学に触発された」都市理論は、そもそもあり得ないのかもしれない。都市と都市化の過程は、各都市の個別性を有用なかたちで超越した、法則やルールに当てはめるには「あまりに複雑すぎる」のかもしれない。最良の科学とは、対象がクォーク、星雲、電子、細胞、飛行機、コンピュータ、人間、都市など何であろうと、あらゆる個別構成要素の構造と性質を超えて根底に存在する、特性、規則性、原理、普遍性を探求することだ。電子、飛行機、コンピュータなどがそうであるように、それを定量的で数学的計算による予測的な枠組みのなかで実現できたら、最良の科学となる。だが意識、生命の起源、宇宙の起源、都市そのものといった、このような方法では完全に対処できそうもないたくさんの大きな課題があり、そこでは自分たちの知識と理解の限界を認識して満足するしかない。しかしそれでも、限界がどこなのか見極めるため、科学的パラダイムを精一杯拡大し、圧倒的な複雑さと多様性という亡霊に惑わされないようにするのが人類の責務だ。実際、まさしく限界という問題と、知識と理解の潜在的限界という問題そのものが、哲学的にも実務的にも本質的で重要なのだ。

サンタフェ研究所の都市と企業についての研究プログラムは、長期的な地球規模の持続可能性という実質的な実存的問題に取り組むのを助ける理論の差し迫った必要性と、非常に根本的な自然現象をそれ自体のために理解したいという願望というこの二重の精神から始まった。その起源と初歩的情報については前章で簡単に述べた。本章では、このプログラムの成果のなかでも、考えられる「都市科学」の策定に貢献してきた重要なもの幾つかを概観し、それらを似たような問題を追求してきた他の研究者の業績につなげてみよう。またそれを、これまで都市と都市化の様々な多面的な様相を理解するために提案されてきた、もっと伝統的な考えやモデルとも結びつけてみたい。

これは少なくともアリストテレスにまで遡る、大変古くからの主題だ。だから多種多様な視点と枠組みが、都市とは何か、どのように生じどう機能し、その未来はどうなるのかを理解するために発達してきた。学問分野として見ただけでも、めまいがするほど無数の学科、研究センター、研究所が、都市理解の幅広いやり方のそれぞれを代表している。都市地理学、都市経済学、都市計画、都市研究、都市工学、建築研究など多くの分野が、独自の文化、パラダイム、課題を持っているが、相互交流はほとんどない。この状況は、新しい展開の開始により激変している。その多くがビッグデータとスマートシティ構想の出現に刺激されたものだ。このどちらも、今の都市問題のすべてを解決できる万能薬だと、いささかおめでたい宣伝をされているが、いまだにはっきり「都市科学」、あるいは「都市物理学」と銘打った学部はないということが、何事かを物語ってはいる。これらは都市をもっと科学的な視点から理解する必要性が高まってきたため、新たな最先端領域となった。私がここで提示するもの、つまり都市を理解するための、定量的で概念的に統合された全体的枠組み開発に対する窓を開く強力なツールとしてのスケールの利用は、このような文脈で出てきたものなのだ。

そのようなプログラム実施の第一歩は、都市が動物と同じように、おおむねお互いの拡大縮小版と言えるかを考えることだ。測定可能な特性について、ニューヨーク、ロサンゼルス、シカゴ、そしてサンタフェはお互いの拡大縮小版なのか、もしそうなら、その相対的な拡大縮小は、まったく状況と特性が異なる東京、大阪、名古屋、京都の拡大縮小具合と似たようなものなのか？　こうしたスケーリングは、クジラ、ゾウ、キリン、ヒト、ネズミがすべて定量的に1／4乗スケーリング則をはっきり示し、おおむねお互いの拡大縮小となっている生物学での普遍性と多少なりとも似ているだろうか？

私たちの研究以前には、都市、都市システム、企業に関するそのような問いは、生物学と比べてまるで注目されていなかった。これは歴史的に見て、都市研究が生物学ほど定量的でなかったせいも多少はあるが、都市や企業の計算可能な機械的モデル自体が比較的少なくて、ましてきちんとデータで検証されてこなかったせいもある。

1．都市のスケーリング

私たちの共同研究に早い時期から参加した一人がディルク・ヘルビンで、初めて出会ったとき彼はドレスデン工科大学の交通経済学研究所所長だった。ディルクは統計物理学を学んで、それらの手法を道路交通と歩行者数の把握に適用していた。彼は現在チューリッヒにある高名なスイス連邦工科大学、通称ETHに在籍し、リビング・アース・シミュレータと呼ばれる大プロジェクトを行っている。これは、ビッグデータセットと入念なアルゴリズムを使って、経済、政府、文化の傾向から疫病、農業、そして技術発達まで含む全世界的規模のシステムをモデル化するよう設計されている。

二〇〇四年、ディルクはヨーロッパ各国の都市の様々な特徴が、都市サイズに応じてどのようにスケールするか調査するために、教え子の一人クリスチャン・クーネルトを採用した。その初期調査の結果の幾つかを図33に示した。これを見ると、データが都市や国を超えて、驚くべき単純性と規則性を示していることがすぐわかる。[*1] これらグラフに描かれているのは、都市のどちらかといえば退屈な特徴の一つ、つまり都市サイズとガソリンスタンド数の関係だ。スタンドの数が縦軸、そして人口で見た都市サイズが横軸となる。スケーリング現象を示したこれまでグラフ同様に、データは対数目盛なので、目盛は一〇倍ずつ増える。数学の知識がなくても、対数とは何か思い出さなくても、あるいは都市について詳しくなくても、多くの都市のガソリンスタンド数の変化に、驚くほどの規則性があるのははっきりわかる。データはグラフ全体にランダムに散らばることなく、単純な直線にかなり近い分布を見せており、それが恣意的な変化ではなく、非常に制約された系統的なふるまいに従っているのは明らかだ。その結果として現れる直線は、ガソリンスタンド数は人口に応じて単純なべき乗則に従って増えることを示しており、明らかに以前生物量や物理量のスケーリングで見たものと似ている。

さらに、べき乗則の指数を表す直線の傾斜は約〇・八五で、生命体の代謝率（図1）で見た〇・七

図33

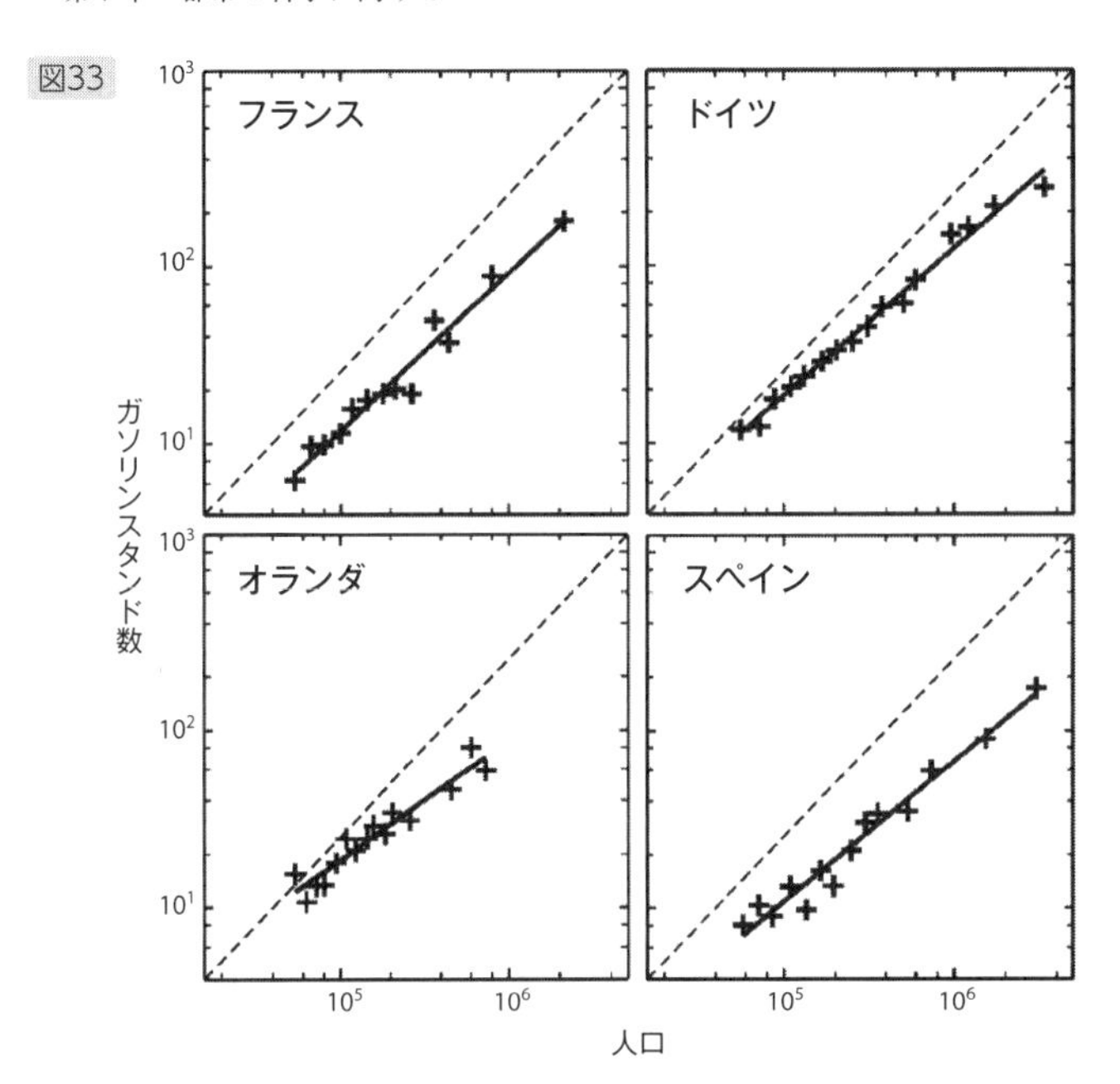

ヨーロッパ4ヵ国について、ガソリンスタンド数を都市サイズに対して対数的に示した。それらはすべて似たような指数で線形未満のスケーリングをしている。破線は傾斜1で線形スケーリングを示している。

五（有名な3／4）より少しばかり大きい。同様に興味深いのは、この指数が図に示すどの国のガソリンスタンドでもほぼ同じだということだ。この指数約〇・八五は一よりも小さいので、以前開発した言葉で言えば、スケーリングは線形未満だから系統的な「規模の経済」を示し、都市が大きいと、一人あたりに必要なガソリンスタンド数が減るということだ。すなわち、平均すると大都市のガソリンスタンドは供給する人間の数が多いので、その結果小さな都市に比べて一ヵ月あたりで売る燃料も多い。少しちがう言い方をすると、その都市の人口が二倍になっても、ガソリンスタンドは――単純な予想に基づく二倍ではなく――八五パーセント増えるだけですむし、二倍になるごとに系統的に約一五パーセントずつ減ることになる。例えば約五万人の小都市と、一〇〇倍大きい人口五〇〇万人規模の巨大都市を比較した場合、その効果は絶大だ。一〇〇倍多い人口にサービスを提供するには、ガソリンスタンドは五〇倍ほどで事足りるので、人口一人あたりで見ると、大都市は小都市に比べてガソリンスタンドが半分ほどですむ。

大都市は小都市に比べて、人口一人あたりの必要ガソリンスタンド数が半分だとわかっても、大して驚かないかもしれないが、意外なのはこの規模の経済が非常に規則的なことだ。すべての国でほぼ同じで、指数約〇・八五の数学的スケーリング則に従っている。さらに驚いたことに、送電線、道路、水道、ガス管の全長といった、交通や供給ネットワークに関するその他のインフラ数量も、ほぼ同じ指数値、つまり〇・八五でスケールする。さらにこの規則性は、データが入手可能なら世界のどこでも同じだ。よってそのインフラ全般に関する限り、都市はまるで生命体と同じだ――単純なべき乗則に従って線形未満でスケールし、程度は少し劣るが（生命体は指数〇・七五で、都市は〇・八五）規模の経済を示す。

この最初の調査を拡張して、都市がもっと幅広い指標や、ずっと多くの国々でもスケールするのか調べたのは、共同研究の才能豊かな新参者たちだった。その一人がルイス・ベッテンコートで、最初に会ったのは、彼がロスアラモスで天体物理学の博士研究員として初期宇宙発生の研究をしていたときだった。彼はマサチューセッツ工科大学（ＭＩＴ）で二年間を過ごしてから、配属された数学グループのスタッフとしてロスアラモスに戻った。ルイスは生まれも育ちも教育もポルトガルだが、訛りのまったくない流暢な英語をしゃべるから、誰も出身はわからないだろう。私も初めて会ったとき、イギリス人だと思った。確かにインペリアル・カレッジ・ロンドンで物理学の博士号を取っているが、偶然にも私はそこの数学科に在籍していた。彼は語学と同じくらい、科学にも熟達していた。すぐに都市プロジェクトにのめり込み、世界中のデータを収集分析した。彼は都市への深い理解を進めるという理念の熱烈な信奉者で、今や世界でこの分野を主導する専門家の一人として地位を確立している。

この企てに、ルイスに加えてもう一人、非常に聡明な新メンバー、ホセが加わった。彼は都市経済学者で、現在アリゾナ州立大学の持続可能性プログラムに参加している。初めて会ったとき、ホセはコーネル大学の都市地方計画学科の若き教官の一人で、サンタフェ研にも数年在籍したことがあった。ルイス同様、ホセも私たちのプログラムに統計と洗練されたデータ分析の本物の才能をもたらしたが、それに加えて都市と都市化についての専門知識をもたらし、私たちの共同研究に欠かせない一員となった。

ルイスとホセは、ヨーロッパのスペイン、オランダからアジアの中国、日本、南米のコロンビア、ブラジルまで、世界中の都市システムについての幅広い指標をカバーした、大規模なデータセットの収集分析を主導した。これは初期のインフラ指標で線形未満のスケーリングを示した分析結果をしっかり実証し、都市における系統的な規模の経済の普遍性を強力に裏付けるものとなった。日本、アメリカ、ポルトガルのどの都市システムだろうと、またガソリンスタンド数、管路、道、あるいは電線の全長などどんな指標だろうと、都市のサイズが二倍になるごとに、物質的インフラは約八五パーセント増ですむ。[*2] だから、例えば人口一〇〇〇万人の都市は、五〇〇万人の都市二つ分と比べ、同じインフラは一五パーセント少なくてすむから、物資とエネルギー利用の大きな節約になる。[*3]

この節約は、排出物と公害の激減をもたらす。結果的にサイズによる高い効率性は、平均すると都市は大きいほど環境に優しく、一人あたりの二酸化炭素排出量が少ないという、直観に反するが非常に重要な結論が導き出される。この意味でニューヨークはアメリカで最も環境に優しい都市で、私たちが住むサンタフェは最も浪費的な都市の一つということになる。サンタフェ住民は、一人あたりでニューヨーク市民のほぼ二倍の炭素を環境に排出している。これを何やらニューヨークの計画者や政治家の優れた英知、あるいはサンタフェの指導者たちの失敗の反映と考えるのではなく、規模拡大による、都市の個別性を超えた規模の経済力学のほぼ必然的な副産物と考えるべきだ。こうした利得はほとんど計画されたものではない。とはいえ、そこに作用している目に見えない「自然」な過程の促進増強に、都市の為政者が強力な役割を果たすことはまちがいない。実際、それが彼らの仕事の大部分を占めている。これに非常に成功している都市もあれば、それほどでもない都市もある。次章では相対的実績の問題について論じよう。

これらの結果は非常に元気づけられるもので、都市理論の可能性を裏付ける強力な証拠となる。だが最も重要なことは、平均賃金、専門家数、特許産出数、犯罪総数、レストラン件数、国内総生産（GDP）といった、生物には見られない社会経済的量もまた、図34〜38に示したように、驚くほど規則的かつ系統的にスケールするということだ。

これら様々な量の傾きが、すべてほぼ同じ一・一五あたりに集中しているという、同じくらい驚く結果もまた、これらのグラフにはっきり表れている。つまりこれらの指標は典型的なべき乗則に従ってスケールするだけでなく、どれも都市システムにかかわらず、やはりおおむね同じ指数一・一五くらいでスケールしているのだ。よって人口サイズに応じて線形未満でスケールするインフラとはまったく対照的に、社会経済的量――都市の本質そのものだ――は超線形でスケールし、おかげで系統的な、規模に対する収穫逓増を見せている。都市が大きいほど賃金は高く、GDPも大きく、犯罪も多く、AIDSやインフルエンザの症例も増え、レストランも多く、特許も多い等々で、しかもすべてが世界中のあらゆる都市システムで、一人あたりで見ると「一五パーセントルール」に従っているのだ。

よって都市は大きければ、それだけ革新的「社会資本」が生み出され、その結果平均的な市民は財、資源、アイデアのどれでも、たくさん所有、生産、消費する。これは都市の良い面で、都市が魅力的で誘惑的なのはこのためだ。一方で都市には暗い面もある。悪い報せをお伝えしよう。良い指標とほぼ同様に、人間の社会的行動の悪い指標も、やはり都市サイズに応じて系統的に増える。都市サイズが倍になると、賃金、資産、イノベーションが一人あたり一五パーセント増えるだけでなく、犯罪、公害、疾患総数も同じだけ増える。明らかに善、悪、醜悪なものがひとくくりになって、ほぼ予測可能なかたちでいっしょくたにやってくる。多くのイノベーションと機会、高い賃金、そして大きな「活発さ」の感覚によって、人は大きな都市に惹きつけられるが、同じくらい増えるゴミ、盗み、ウイルス性胃腸炎、エイズに直面することも覚悟すべきだ。

これらの結果にはかなり驚かされる。私たちはそれぞれの都市、とりわけ自分が住んでいる都市に

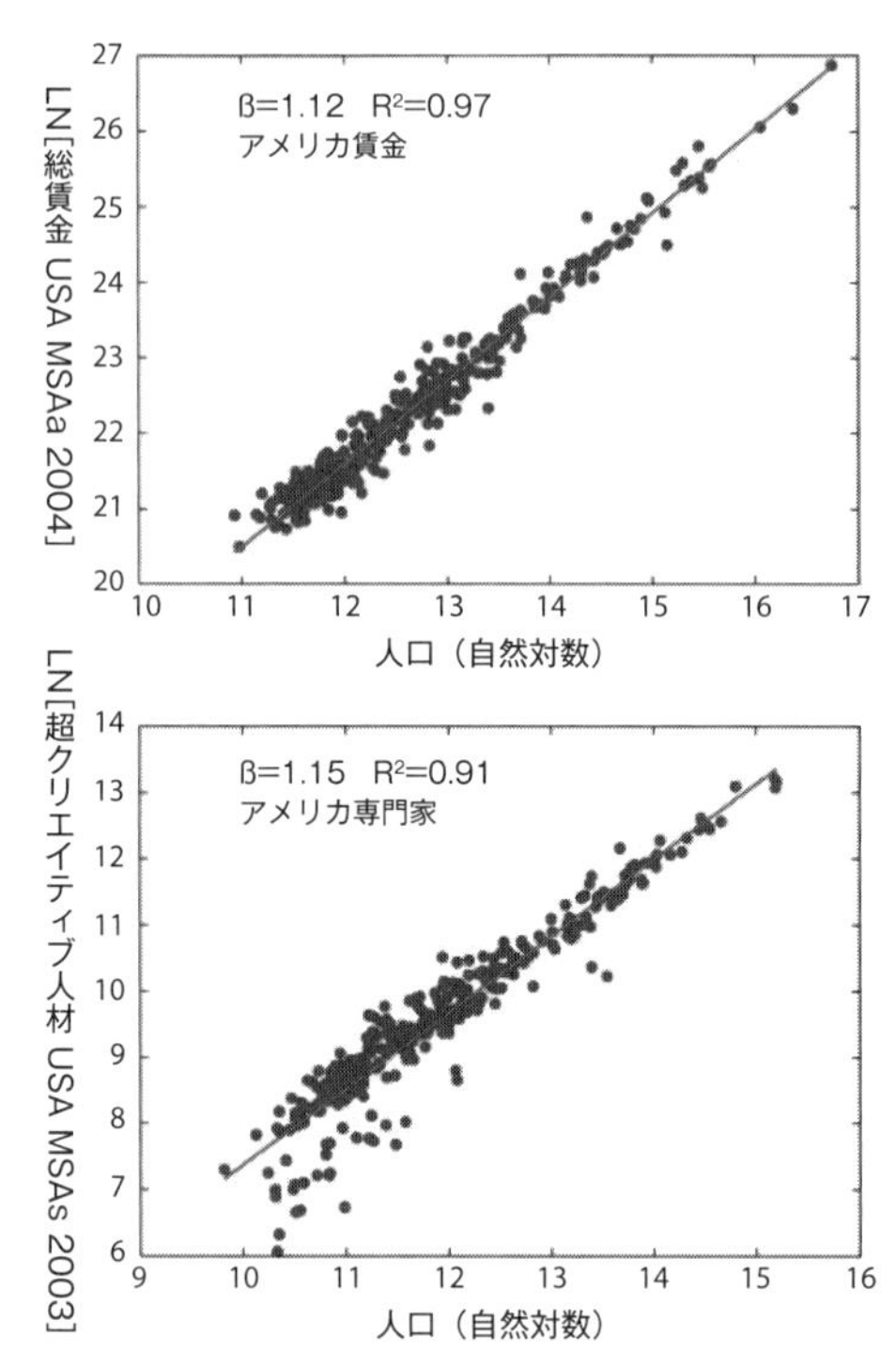

図35

特許件数で見たイノベーション

特許頻度別（層化）

1975
1980
1985
1990
1995
2000
2006

log(Y/Yo)

log (N)

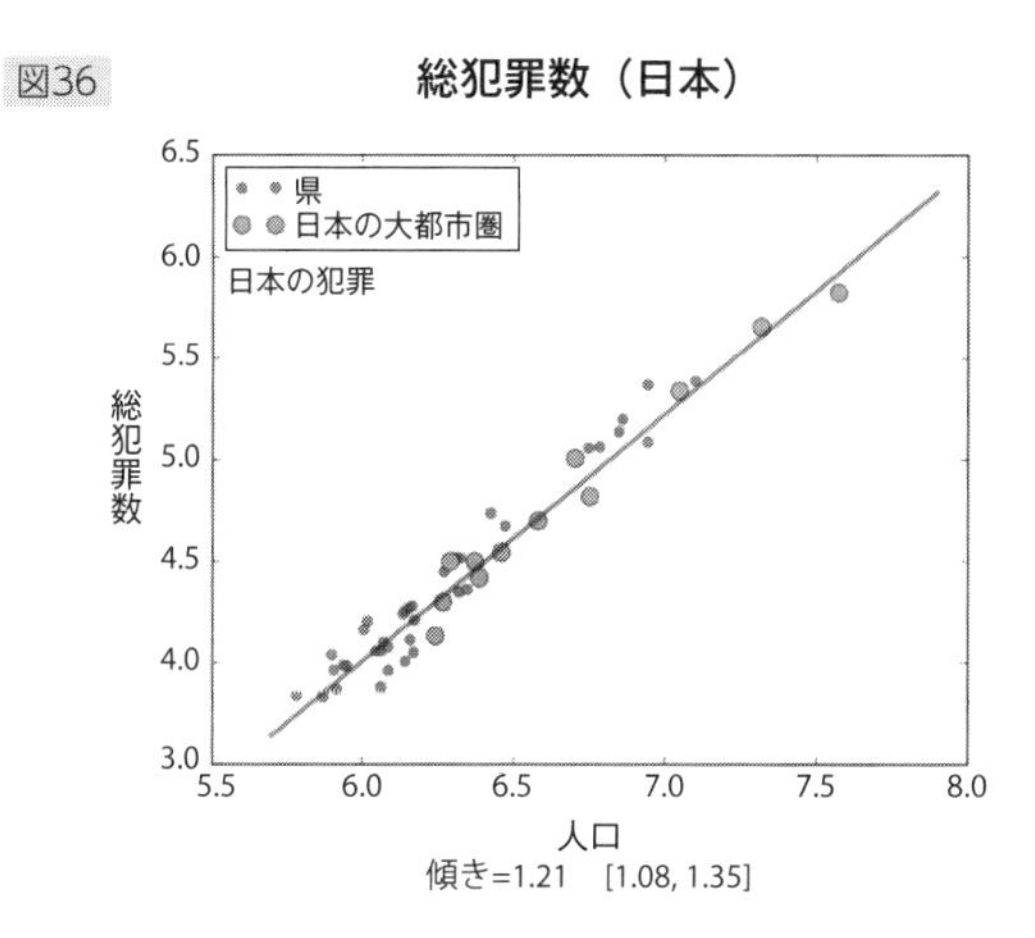

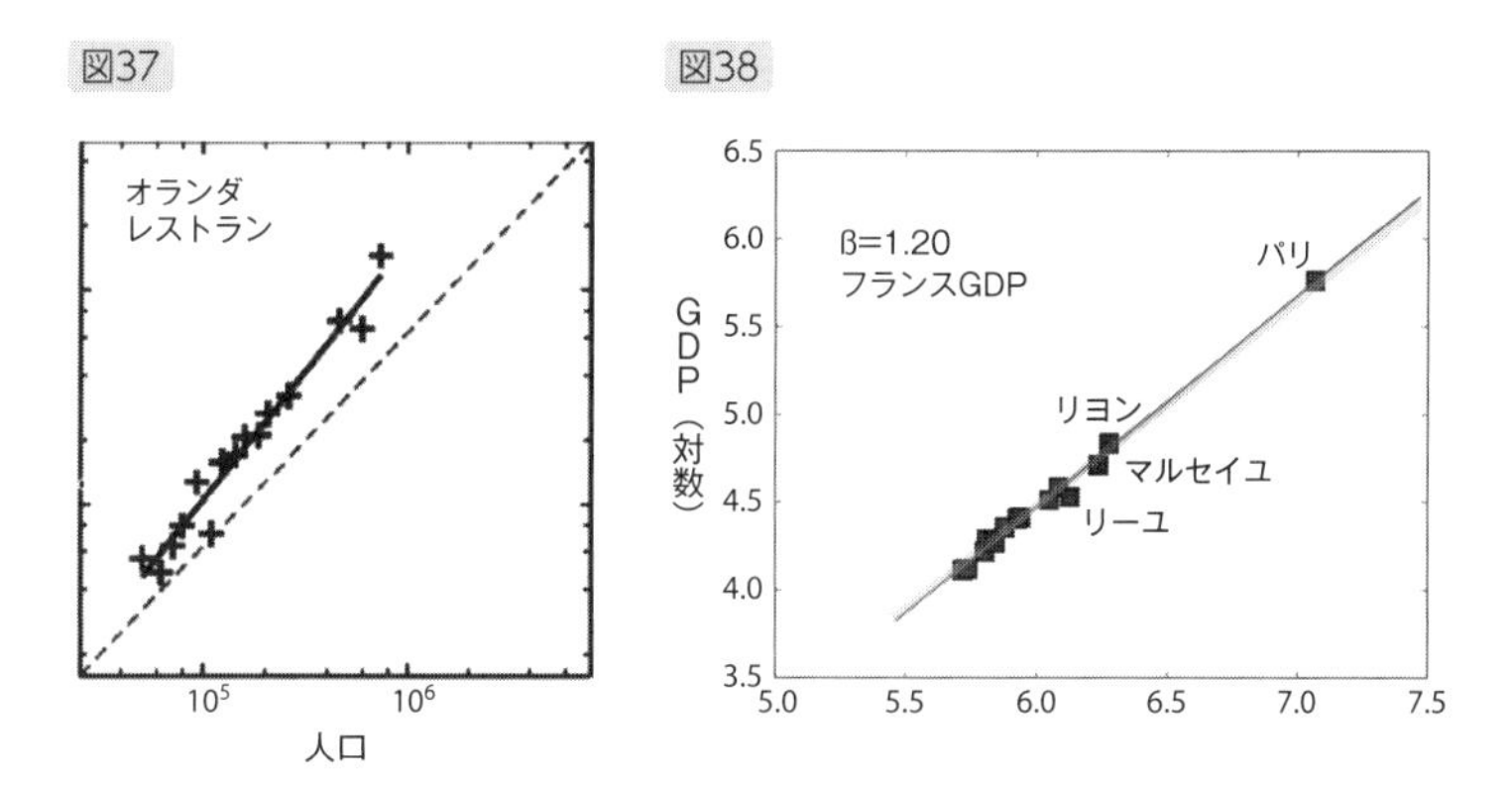

様々な社会経済的計量のスケーリングを、幾つかの異なる都市システムについて、人口サイズに応じて示したものの、超線形的スケーリングの指数（グラフの斜度）は驚くほど似通っている：図34（上）アメリカの賃金。図34（下）アメリカにおける（超創造的な）専門家数。図35 アメリカの特許数*4。図36 日本の犯罪数。図37 オランダのレストラン数。図38 フランスのGDP。

ついて、独自の歴史、地理、文化を持った唯一無二の存在で、独自の特別な個性と特徴を持っていてそれを明らかに認識できると考えがちだ。ボストンが、ニューヨーク、サンフランシスコ、あるいはクリーブランドとちがって見えるだけでなく、ちがう「感じ」がするのと同様に、ミュンヘンもベルリン、フランクフルト、あるいはアーヘンとちがって見え、ちがう感じがする。そして実際にちがう。だがそれらの都市システムの中で見ると、少なくとも測定可能な指標については、どの都市もおおむねお互いの拡大縮小版だなどと、一体誰が信じるだろう？　アメリカの都市規模がわかれば、八〇から九〇パーセントの精度で、平均賃金、特許出願の数、道路の総延長、ＡＩＤＳ患者が何人、暴力犯罪の件数、レストランの数、弁護士や医者の数などを推定できる。もちろんそういった推定値には外れ値や変動はあり、それについては次章で述べる。

もうひとつの認識すべき重要なポイントは、スケーリング則が生じるのは同じ国家の都市システム内、すなわち同一国内の都市の間だということだ。図34〜38に示されたスケーリング則は、別々の都市システムのあいだで都市がどうスケールするかは予測できない。賃金、犯罪、特許産出、総道路長といった様々な計量の全般的スケールは、各国の経済、文化総体、都市システムの個別性で決まる。例えば犯罪の全般的スケールは、アメリカよりも日本のほうがずっと低いが、特許の全般的出願数はアメリカのほうが高い。だからスケーリング則はシカゴの指標がロサンゼルスに対してどうスケールし、京都が大阪に対してどうスケールするか予測しても、大阪がシカゴに対してどうスケールするかを直接予測はできない。だがもしも指標の全般的スケール——例えばニューヨークの指標が東京に対してどうスケールするかわかれば推測できる——を知っていれば、日本の都市が、アメリカの都市に対してどうスケールするか予測できる。

通常はこれらの多様な都市の指標や特徴の大半を、互いに関係ない独立したものとみなしがちだ。例えば、都市のある疾病の罹患率が、特許出願数やガソリンスタンド数と関係しているとは考えない。世界中のどこでも、賃金、犯罪、疾病がすべて都市サイズに応じておおむね同じ「予測可能」なかたちでスケールするなんて、一体誰が信じるだろう？　見かけとは裏腹に、都市はおおむね互いの拡大縮小版だということを、データがはっきり示している。ニューヨークと東京は驚くほどの水準で、しかも予測通りに、それぞれサンフランシスコと名古屋を非線形的にスケールアップさせたものだ。これら驚異的な規則性は、すべての都市の根底にある共通のメカニズム、動態、構造への窓を開き、これらすべての現象が実は高度な相関を持ってつながりあっており、それが同じ根本的な力学に後押しされ、同じ一連の「普遍的」規則によって制御されていることを強く示唆している。

結果として、これらそれぞれの都市特性、各指標――賃金、道路総延長、ＡＩＤＳ罹患数、あるいは総犯罪数のどれでも――はそれ以外のすべてと相互関係を持ってつながっていて、全体として典型的な適応複雑系として包括的なマルチスケールを形成し、それがエネルギー、資源、そして情報を絶えず統合、処理している。その結果が都市と呼ばれる途方もない集合的現象で、その起源は人々が社会ネットワークを通じてどのように相互作用しあうかという、根本的な力学と組織にある。繰り返そう。都市とは新しい自己組織現象で、エネルギー、資源、情報を交換しあう人間の相互作用とコミュニケーションから生じたものだ。私たちは全員どこに住んでいようと、都市生命体として、大都市の生産性、スピード、創意工夫の熱狂として現れる、人間の強烈な相互作用の複合ネットワークに加わっているのだ。

これらの生産性向上とそれに伴って起こるコスト削減のパターンが、発展、技術、富の水準がまったくちがう国にも当てはまるのを是非とも認識しておこう。世界でも豊かな地域の都市については、いろいろ情報があるが、ブラジルや中国といった急発展国でも、幅広いデータセットが入手しやすくなってきた。インド、アフリカ諸国などの良質なデータはいまだに頭にくるほど見つけづらいが、これが近い将来変わることはほぼまちがいない。これまで分析してきたデータはぴったり型にはまっていたが、この系統的スケーリング特性がどれほど「普遍的」かを立証するのに、すでに重要な役割を果たしてきたいくつかのデータについて以下で言及しよう。例えばブラジルや中国都市のGDPは、ヨーロッパや北アメリカの都市が描くのと同じ、超線形曲線に非常に近い曲線を描くが、それが非常に底辺に近いところから始まっているのだ。これらのパターンが合致するのは、サンパウロのファベーラだろうと、スモッグが立ち込める北京の空の下だろうと、あるいはコペンハーゲンの整然とした街角だろうと、同じ基本的な社会経済的プロセスが働いているからだ。

最後に、都市のすべての特性が非線形的にスケールするとは限らないことは指摘しておこう。例えば平均的な人は都市サイズとは無関係に、住居と仕事を一つずつ持つので、雇用と住戸は都市のサイズに対して線形に増える。つまりそれらについてのスケーリング曲線の指数は一に非常に近い。これはデータでも証明されている。都市の人口が倍になれば、住戸も雇用も二倍になる。ここには幾つかの仮定と結論が隠されている。当然すべての人（特に子供と老人）が職に就いているわけではないし、職を複数持つ人もいる。ほとんどの人が家庭を持っていても、誰もが家を持っているわけではない。

それでもほとんど人が単一の職を持ち、住宅平均占有率（定義にもよるが、要するに家族）はどの都市でもほぼ同じだから、大ざっぱなレベルではこれらが圧倒的となり、単純な線形関係になる。

まとめよう。都市は大きければそれだけ社会活動が高まり、機会も増え、賃金も上がり、多様性も増え、良いレストラン、コンサート、美術館、教育機関へのアクセスが増え、熱狂、興奮、没頭の感覚が高まる。大都市のこれらの様相は、世界中の人々にとって非常に魅力的で誘惑的だが、同時に人々は犯罪、公害、疾病の増加という避けがたい負の側面と暗い面を抑圧、無視、あるいは軽視している。人間は「良い面ばかりを見て、悪いことから目を背ける」のに非常に長けている。とりわけそれが、お金と物質的な幸福に関係しているときはなおさらだ。都市サイズの増大によって得られる個人的便益に加えて、系統的な規模の経済で生じる、非常に大きな集合的便益もある。都市サイズ増大に伴う、この個人的便益の増大と、集団としての便益の体系的増大の着目すべき結合が、世界中の絶え間ない都市化拡大を支える力になっている。

2. 都市と社会ネットワーク

では日本、チリ、アメリカ、オランダといった世界中の多様な国々の都市システムが、まったく異なる地理、歴史、文化を持ち、互いに独自に発展してきたにもかかわらず、基本的に同じようにスケールするのはなぜか？　国家間で何やら国際協定があって、数世紀にわたって単純なスケーリング則に沿って都市を建造、発展させるよう強いてきたわけでもない。誰かに押しつけられたり、設計されたり、規制されたりすることなく起こっている。単に起こったのだ。では都市ごとのちがいを超えて、この驚くべき構造と動的類似の根底にある共通の統一要因とは何か？

私はすでにこの答えを強くほのめかしている。大きな共通事項は、社会ネットワーク構造の全世界的な普遍性だ。都市とは人であり、人の相互作用、集団、コミュニティ形成はおおむね世界中でほぼ同じだ。見た目がちがい、着ているものもちがい、異なる言葉を話し、異なる信念体系を持っているかもしれないが、大体において私たちの生物的、社会的な組織と力学は、驚くほど似通っている。そもそも私たち人間はみな、ほとんど同じ遺伝子と全般的な社会史を共有している。そして地球上のどこに住んでいようと、みんなかなり最近になって、移動狩猟採集民から大部分が定住共同体になったばかりだ。都市スケーリング則の驚くべき普遍性が示す根本的な共通性は、人間社会ネットワークの構造と力学はどこでもほぼ同じということだ。

言語の発達によって、人間は新しい種類の情報を、全生命史でも類を見ないスピードで大規模に交換、伝達する能力を得た。この大改革のもたらした重要な結果の一つが、規模の経済のもたらす成果の発見だ。協力すれば、個人の努力が同じでも、ずっと多くを作り上げ、達成できるものも増える。あるいは同じことだが、一人あたりのエネルギー少なめで、同じ目標をすばやく実現できる。建設、狩猟、貯蔵、計画といった共同活動はすべて、言語の発達とその結果強化されたコミュニケーションや思考能力によって発展し、その恩恵を受けた。さらに人類は想像力を発展させ、未来という概念を意識化し、それによって未来の課題と結果を予想し、計画を立て、先を読んで、起こりうるシナリオを描くという卓越した能力を得た。この人間の知的活動の強力なイノベーションは、地球にとってもまったく新しいことで、人間のみならず、極小のバクテリアから巨大なクジラやセコイアまで、地球上のあらゆる生物に影響を与える、途方もない結果をもたらした。

他にも群棲動物やとりわけ社会的昆虫といった多くの生物が、規模の経済を発見しているのは事実だが、それらの成果は人間が達成したものに比べれば、かなり初歩的で限定的だ。人間の細胞も、あるいは狩猟採集民時代のご先祖たちも進化するにあたり、規模の経済は享受していた。だが言語のおかげでそうした古典的な規模の経済をはるかに超え、それを踏み台にして、それまでなら大規模イノベーションに必要とされた通常の進化のタイムスケールよりはるかに短い時間で、新たな課題に適応できるようになった。アリは目を見張るほど強固で、非常に巧みに洗練された身体的、社会的構造を進化させるために、素晴らしい自己組織化を遂げたが、それには何百万年もかかった。加えてアリはこれを五千万年以上前に完成させたが、それ以降はほとんど進化していない。一方、人類は口頭言語発明以来、わずか数万年で狩猟採集民から定住農耕民に進化し――さらに驚いたことにその後わずか一万年で都市を進化させて都市住民になり、携帯電話、飛行機、インターネット、量子力学、相対性理論を発明した。

もちろん、私たちがアリに比べて生命にうまく適応しているかどうかは意見が分かれる。アリたちの都市、経済、生活の質、社会構造が、結局のところ人間に比べ、最終的に持続可能性を持っているかどうかは、未来学の問題になる。現状で見る限り、アリたちのほうが人間よりも持続するだろうというのが私の賭けだ。アリは非常に効率的でたくましく安定しており、これまでも私たちよりもずっと長く生息し続けてきたし、私たちがいなくなった後も長く生息し続ける可能性が非常に高い。だが人類の様々な、そしてまちがいなく数多くの欠点にもかかわらず、生きることの質と意味という点で、私の人間中心的な判断は、断固として人間に軍配を上げる。

人類はおそらく最も貴重で神秘的な生の特質、すなわち意識、そしてそれと共に思索と良心を進化させた唯一の種で、これは私たちが直面している最も壮大な問題への対処を洞察する助けになってきた。創造と革新、研究と探求における、疑念、思考、熟考、内省、探求、そして哲学的思索という人間中心的なプロセスは、文明のるつぼ、創造性とアイデアを促す原動力としての都市の発明によって、強化、刷新されてきた。

もしも都市を物理的な面だけ、つまりエネルギーと資源を供給する建物や道路や電線や管路による複合的なネットワーク系としてのみ考えるなら、確かに都市は生命体とよく似ている。都市のネットワークも規模の経済を内包した同様の系統的なスケーリング則を見せるからだ。だがかなり大きなコミュニティを形成し始めた人類は、生物学や規模の経済の発見を超えた、根本的に新しい力学を地球にもたらした。言語の発明と、そこから生まれた人々や集団の社会ネットワークを介した情報交換によって、私たちはイノベーションを起こして富を創造する方法を発見した。だから都市は単なる巨大な生命体やアリ塚以上の存在だ。都市は人、財、知識の長い複雑な交換に依存している。それらは創造的で革新的な人々を常に惹きつけ、経済成長、富の産出、そして新しいアイデアを刺激する。

都市は人々の高い社会接続性による便益を享受する自然なメカニズムを提供し、多様な方法で問題を着想し解決する。その結果生まれた有益なフィードバックループが、絶え間なく倍増するイノベーションと富の創造の原動力となり、超線形スケーリングとスケール逓増利益をもたらす。普遍的スケーリングは、社会的動物としての人類進化の歴史がもたらした、地理、歴史、文化を超えて世界中の人々に共通する基本的特質の現れだ。それはあらゆる都市生活が展開するプラットフォームであるネットワークの物理的インフラを備えた、社会ネットワークの構造と動態の統合によって生まれる。これは生物を超越した力学だが、第３章で論じたフラクタル的ネットワーク形状に見られるような、類似の概念的枠組みと数学的構造を共有している。

3．こうしたネットワークとは一体何か？

１／４アロメトリック・スケーリングの根底にある、生物ネットワークの包括的な幾何学的、力学的特性について次のことを思い出してほしい。（１）それらは空間充塡的（だから例えば生命体のすべての細胞はネットワークによるサービスを受けなければならない）。（２）毛細血管、あるいは細胞といった端末ユニットは、ある設計のなかで不変（そのため、例えばヒトの細胞や毛細血管は、ネズミとクジラとほぼ同じだ）。そして（３）ネットワークは進化でおおむね最適化（だからヒトの心臓が血液循環と細胞のサポートに使うエネルギーは、繁殖と子孫育成のためのエネルギーを最大化するために、最小化されている）。

これらの特性は都市のインフラ・ネットワークにそのまま当てはまる。例えば私たちの道路、輸送ネットワークは、すべての様々な公益サービス網が水道、ガス、電力をすべての住宅とビルに送らなければならないのと同様に、都市のすべての地域にサービスを提供するために、すべて空間充塡的でなければならない。この考え方は社会ネットワークへも自然に拡張できる。都市の各個人は他の多くの人々や様々な人間集団とやりとりを行うが、その相互作用のネットワークを長期平均で見ると、実質的な「社会経済空間」を集合的に満たすように行われている。実際、社会経済的相互作用の都市ネットワークは、実質的な都市の正体とその境界を定義する、社会の営みと相互接続性のごたまぜを構成している。都市の一員になるには、このネットワークの現役参加者でなければならない。そしてもちろんこれらのネットワークの端末ユニット、つまり毛細血管、細胞、葉、葉柄に相当するものは、人でありその住居だ。

魅力的で非常に興味深い問題は、都市の構造と力学において何が最適化されているのかということだ。生物の生命と比べれば、都市は生まれてからそれほど時間が経っていない――多くの生命体が誕生してから、数億年とは言わないまでも、数百万年経っているが、それに比べて都市はせいぜい数百年だ。だから都市の成長と進化に伴う漸進的な適応とフィードバック機構で生じた最適化への動きは、いずれも完遂されて落ち着くだけの時間はなかった。生物に典型的な進化速度に比べ、都市で起きたイノベーションと変化のスピードが段違いに速かったため、話はさらにややこしい。それでも市場原理と社会動態が常に作用していたので、インフラ・ネットワークの進化はコストとエネルギー利用を最小化する方向へ向かってきたと考えるのは、そんなに不合理ではない。例えば、輸送を見ると、ほとんどの移動はそれがバス、電車、自動車、馬、徒歩のいずれだろうと、通常は移動時間か距離か、あるいはその両方の最小化を目指している。確かに電力、ガス、水道、輸送システムには局所的に非常に大きな非効率性があり、その多くが昔からの古い仕様と経済的な手抜きによるものだ。それでも見かけによらず向上、改善、交換、保守が常に行われているので、十分に長い目で見れば、これらのネットワークシステムはおおむね最適化に向かう明白な傾向がある。世界中の様々な都市システムのインフラ量の体系的なスケーリング則と、そこに見られる共通の指数は、この進化プロセスの結果と見ていい。

だが生物学で見たほとんどの指標のスケーリングに比べて、都市のデータでは理想的なスケーリング曲線からのばらつきがかなり大きいのに注目。例えば図1に示した動物の代謝率データの見事な一致ぶりを、図34〜38に示した都市の平均賃金データのかなり大きなばらつきと比べてほしい。この大きなばらつきは、都市がスケーリング曲線――対数目盛における直線――で表される理想の最適状態を目指しながらも、組織的な進化にかけられる時間が短かったことを反映している。これらの直線からの逸脱は、各都市独自の歴史、地理、文化の痕跡を表しており、後で詳しく論じる。対数グラフの直線の傾きであり、ほぼすべての都市システムに共通するスケーリング指数（〇・八五）とは対照的に、これらの直線（どれも同じような傾きを持つ）からの変動（すなわちずれ具合）は、都市システムごとに異なる。これは主に、国がちがえばそれらの都市の維持、改善、イノベーションに充てる資源量もちがうせいだ。

都市の社会経済力学についてもやはり、都市社会ネットワークで結局何が最適化されているのか考えてみよう。これはきちんと答えるのが難しい問題で、多くの学者が様々な視点から遠回しにそれに取り組もうとしてきた。[*5] 都市を、社会相互作用を大きく促進するもの、あるいは富とイノベーションの創造を大きく培養するものと考えるなら、その構造と力学が個人間の接続性を最適化し、それにより社会資本を最大化する方向に進化したと考えるのが自然だ。これは都市と都市システムの社会ネットワークと社会機構――すなわち、誰が誰とつながって、その間でどのくらい情報が流れるのか、そして彼らの集団構造の性質――は、最終的には常に今より多くを求めたがる、個人、小企業、大企業の満たされぬ貪欲で決まる。あるいは下品な言い方だが、私たち全員が参加している社会経済機構は、主に貪欲さに駆動されているわけだ。貪欲さというのは、「ますます多くを求める」ということで、その良い意味と悪い意味の両方が含まれる。世界中のすべての都市に見られる所得分布の大きな格差と、たくさん持っているのに、もっと多くを求めるほとんどの人々の明白な衝動を考えると、貪欲が様々な形で都市の社会経済動態に大きく寄与しているのはすぐわかる。マハトマ・ガンディーの言葉を引用しておく。「地球はすべての人の必要を満たすに十分なものを提供するが、すべての人の貪欲は満たせない」。

貪欲には、多くを求める飽くなき欲望という蔑まれたイメージがあるが、その裏に非常に重要な肯定面もある。比喩的に言えば、それは人間を含む動物が進化のために対サイズ代謝率を最大化しようとした、生物的衝動の社会版だ。第3章で論じたようにこれは自然選択の原理から出てきたと考えられ、生物に浸透しているアロメトリック・スケーリング則の基礎だ。適者生存という概念を社会・政治領域に拡張することで、多くの論者は議論の的となった社会進化論という概念にたどり着いたが、そのルーツはマルサスまで遡る。その妥当性はさておき、この考えは悲しいことに政治家や社会思想家によって、優生学や人種差別から荒々しい自由放任資本主義まであらゆる種類の極端な意見を支持するために、曲げられ、悪用、乱用され、時に壊滅的な結果をもたらしてきた。

もっと多くを求める欲求の対象は、富や有形資産にとどまらない。個人レベルでも集団レベルでも、それは膨大な道徳、精神、心理学的課題をもたらす、きわめて強い力だ。スポーツ、ビジネス、学究のどれであれ、成功したいという欲求――一番早く走りたい、最も創造的な会社を持ちたい、あるいは最も深遠で洞察力に満ちたアイデアを生み出したい――は、社会の大きな基本的原動力として、私たちの多くが幸運にも享受している素晴らしい生活水準と生活の質をもたらす手段となった。同時に私たちは凶暴な物欲を鎮めるために、利他的で博愛的な習性を進化させ、行き過ぎから守ってくれる社会政治的構造にそれらを組み込んだ。

都市の発明と、そのイノベーションと富の創造と結合した規模の経済との強力な連携によって、社会の大きな分断が起きた。現在の私たちの社会ネットワーク構造は、都市コミュニティの進化まで、現在のような形ではほぼ存在していなかった。狩猟採集民は、今の私たちよりも階層性が著しく希薄で、平等主義的でコミュニティ重視だった。タガの外れた個人の私腹増大と、ツキのなかった人々への気遣いや懸念との葛藤と緊張は、人間の歴史を通じた大きな問題で、ここ二〇〇年でそれがさらに顕著になった。それでも、自己利益の動機がなければ、起業的な自由市場経済は崩壊してしまうだろう。人類が発達させてきたシステムは、すでに「あらゆるもの」を十分に持っているときでも、常に新しい自動車や携帯電話、新しい装置や道具、新しい服や新しい洗濯機、新たなスリル、新たな楽しみ、その他何でも新しいものに依存している。顔をしかめるかもしれないし、全員がそうだというわけでもないが、今のところそれがほとんどの人には実によい結果をもたらしたし、大半の人は明らかにその継続を望んでいる。本当に継続できるのかという問題については、最終章で触れよう。

本章の後半で、社会、インフラ・ネットワークの両方における情報、エネルギー、資源フローの特質について詳しく述べ、それらが現実に見られるスケーリングをどう生み出すかを示す。生物ネットワークとほぼ同様に、これらのネットワークは本質的に階層的でフラクタル的だ。だから例えばインフラ・ネットワークにおける電気やガスや水道管などの中のフローは、発電所や給水設備といった中央の供給ユニットから、それぞれのネットワークの管や電線を通って個々の家に供給する過程で、循環系の血流が心臓から大動脈を経て細胞に供給するために、毛細血管へと至る過程でおおむね均一に幾何学的比率で減少するのとほぼ同じように、系統的に減少する。これらのネットワークとフローのフラクタル的性質が、エネルギーと資源の効率的分配を確実にし、線形未満のスケーリングと規模の経済の基礎となっている。

現実はこれよりも少し複雑だ。なぜなら都市は均一ではなく、たいてい多くの地域に活動拠点があり、それらは階層的にはつながっているが、半自律的にふるまうからだ。これらの地域拠点は「中心地」と呼ばれる。「中心地理論」として有名な都市システム・モデルからきた名称だ。この理論は一九三〇年代にドイツの地理学者ヴァルター・クリスターラーが発表して以来、都市計画者と地理学者に広く受け入れられてきた。

4. 都市：結晶かフラクタルか？

これは奇妙な理論だ。都市と都市システムの物理的配置を巡る、基本的に静的で非常に対称性の高

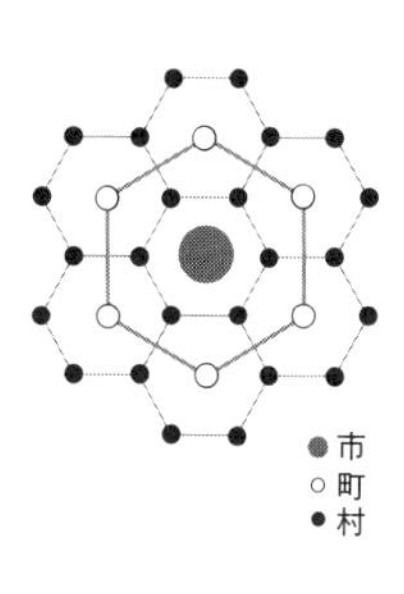

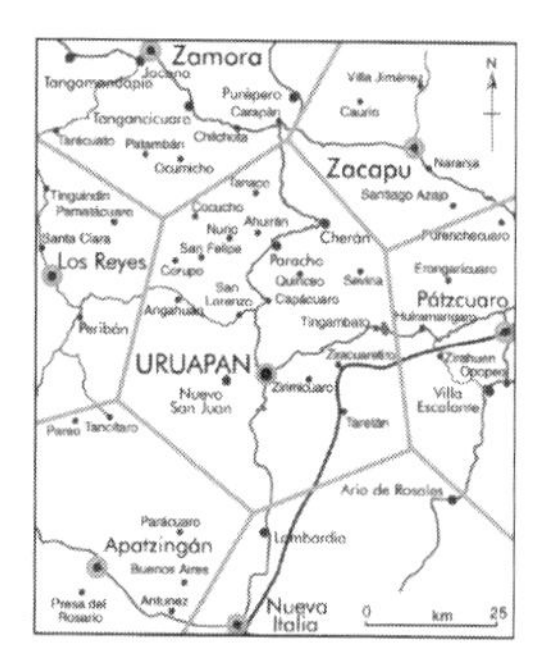

クリスターラーの六角格子による中心地の概念図と、この考えを実証する「実世界の証拠」である中央メキシコ。

い幾何モデルだ。ヴァルター・クリスターラーがドイツ南部都市の観察に基づいて提唱したもので、その意味でジェイン・ジェイコブズがニューヨークでの個人的体験から独自の都市論を考案したのと少し似ている。定量的計算と検証、体系的分析とデータ対照、数学的定式化と予測は、ほぼまったく無視している。だからそれは、少なくとも本書で示してきた意味での科学ではない。発想としてはエベネザー・ハワードの硬直した無機質的な田園都市デザインとの共通点のほうが多い。主に理想家されたユークリッド幾何学のパターンに触発されたもので、人間の役割については、経済単位以外のものをほとんど考慮しない、それでも多くの興味深い性質を持つモデルで、二〇世紀を通じて都市のデザインと思考にきわめて大きな影響を与えてきた。

　クリスターラーという自分の名前をもじったような不思議な着想だが、彼は都市システム、ひいては個々の都市は、理想化された二次元結晶（クリスタル）の幾何学的構造として表せると主張した。それは上図のように、どんどん小さく再スケールして細部まで反復される、非常に対称的な六角格子パターンとなるのだという。六角形は、都市や都市システムの幾何領域を隙間なく埋められる、最も単純で非自明な形として選ばれた。これらの六角形が、商業活動の「中心地」として機能し、それがさらに小さな六角形の中心地を内包する。クリスターラーは、ドイツ南部の同じようなサイズの町が(すべてが六角形の頂点にあると推定され)互いにおおむね同じ距離の位置にあり、(六角形の中心に位置する)大きな拠点となる都市からも同じ距離にあることを知って、このデザインを思いついた。そんな規則性は、一般にはほとんどの都市システムや、都市内ですら見いだせないし、構造としてもかなり不自然で作り物めいている。だがクリスターラーの都市システム幾何モデルは、有機的に進化してきたネットワーク構造と共通する、二つの非常に重要な特性を持っている。空間充填と(それによる階層的な)自己相似性だ。この概念はいずれも、当時まだ発明されていなかった。彼のモデルはサービスを得るための最小移動時間と距離の概念など、他の重要な一般特性も持っていた。それについては後述。

中心地理論の欠点は十分認識されているが、現在でも都市計画とデザインの重要な発想になっている。一九五〇年代初頭、これは新生のドイツ連邦共和国(西ドイツ)の地方自治体構成と境界再編の根拠となり、現在も続いている。幾分逆説的ながら、クリスターラーは第二次世界大戦後、共産党に入党したが、戦時中は親衛隊所属のナチ党員だった。彼は自分の理論に触発され、征服したチェコスロバキアとポーランドの経済地理を再構成し、ドイツ領土拡大に適合させる大計画を考案した。さらにこの物語で悲劇的で皮肉なのは、地域科学という分野の創始者とされ、クリスターラーの業績をもっと動学的で、数学的、現実的にしたことで有名なドイツの経済学者アウグスト・レッシュが、声高

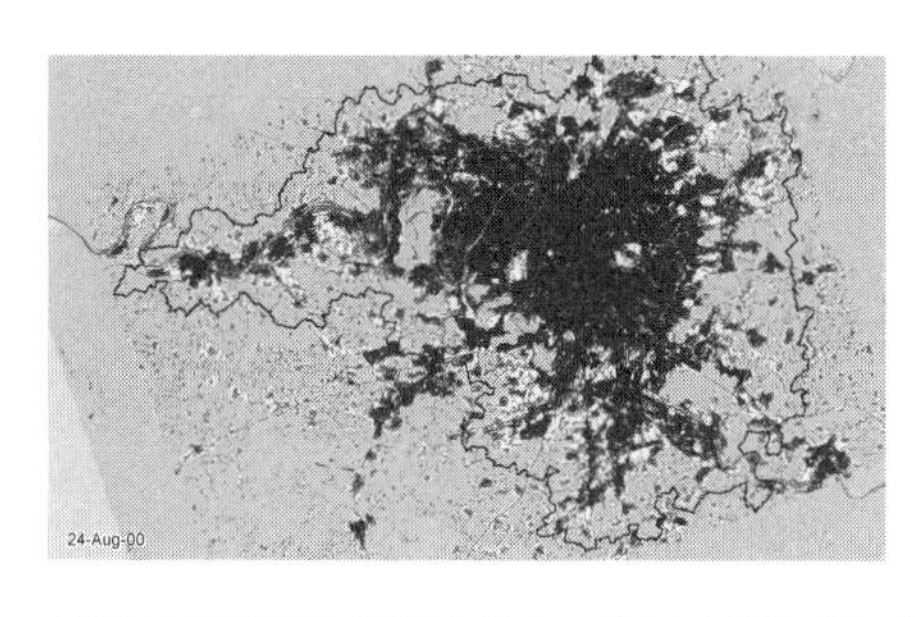

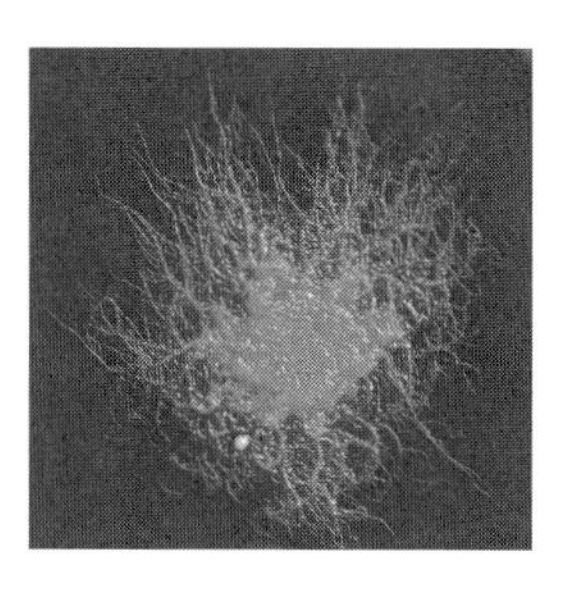

フラクタル的配置の発達を示す、パリの有機的成長（左）と、フラクタル的配置の発達を示すバクテリア・コロニー（右）。

な反ナチのプロテスタント集団の積極的メンバーだったことだ。彼はドイツに残って、戦時中は身を潜めていたが、終戦の数日後に猩紅熱で死んだ。享年わずか三九歳だった。

実際の都市に見られる自己相似性は、クリスターラーの厳正な六角形結晶構造よりも、輸送と公共事業システムの有機的に進化した階層的ネットワーク構造を密接に反映している。都市は直線と古典的なユークリッド幾何学に支配された、トップダウン設計の機構ではなく、適応複雑系に特徴的なしわくちゃの線と、フラクタルな形を持った生命体に近い――なぜなら、都市も適応系だからだ。これは典型的な都市の成長パターンを一瞥すればすぐにわかる。その絶え間なく拡大し続ける繊細なインフラ・ネットワークのパターンは、上図に示したバクテリア・コロニーに似ている。そのようなパターンを注意深く数学的に分析すれば、都市が本当におおむね、生物有機体や地理的海岸線に非常によく似た、自己相似フラクタルだとわかる。例えば都市の境界線とされているものを、ルイス・フライ・リチャードソンが海岸線で行ったように分解能を変えて計測し、対数表示すると、ほぼ直線を描き、その傾きは都市境界線の標準的なフラクタル次元を示す。

　以前説明したように、フラクタル次元は物のしわくちゃ度合いの尺度で、それを複雑性の尺度と解釈する人もいる。一九八〇年代のフラクタルへの興味の激増と複雑性科学の発展開始に促されて、著名な地理学者マイケル・バティが、都市のフラクタル次元を計量するために大規模な統計分析を実施した。*6 バティらとその後継者たちが得た値は一・二くらいだったが、かなり分散が大きくて、一・八近いものもあった。これは各都市の複雑性の比較基準となるだけでなく、フラクタル次元のとても興味深い用途として、都市の健康診断の指標がある。通常、健康で安定した都市のフラクタル次元は、都市の成長と発展につれて次第に増える。これは多様で複雑な活動に携わる人口の増大に対応するため、インフラがますます建造され、都市の複雑性も高まるからだ。だがその裏返しとして、その都市が困難な経済状況を経験するか、一時的に経済が縮小すると、フラクタル次元は減少する。

　これらのフラクタル次元は都市の各種インフラ網の自己相似性の尺度であり、63ページに示したような図を、分解能を変えて分析すれば得られる。だが都市の持つフラクタル的な性質は、物理的な表現を見るだけですぐわかるとは限らない。なんといっても、ニューヨークを筆頭に、アメリカのどの都市の道路網計画もたいてい長方形の格子状で、単純なユークリッド型もいいところだ。これは当然、ロンドンやローマなど旧世界都市にはあまり当てはまらない。こうした都市の蛇行する道は、明らかにフラクタル的な有機構造を持っている。いずれの場合も、長方形格子状の都市形態の下にさえフラクタル性は潜んでいて、それがすべての都市に浸透してスケーリング則の普遍性に反映されている。

　これを特定の都市ではなく、すべての都市システムに当てはまる例を使って説明しよう。とはいえ論点は変わらない。69ページに、アメリカの州間道路網地図を示した。その建設は第二次世界大戦後のアイゼンハワー政権期に、戦前ドイツのヒトラーによるアウトバーンに着想を得て始まり、アウトバーン同様に防衛上の必要性が強い動機になっていた。その正式名称は、全米州間防衛高速道路網だった。その結果、道路は主要都市間の距離と移動時間を最小化するために、可能な限り直線になるよう計画された。これは二〇〇〇年前にローマ人が、帝国全域の支配を維持するために建設した道路と同じ発想だ。その結果、州間道路網はご覧の通り、典型的なアメリカの都市同様に、おおむね長方形格子状に近い。とはいえもちろん地域の地理的な状況に応じて、各所で直線から逸脱してはいる。だが全般的に驚くほど規則的で、古典的なフラクタルには見えない。

しかし見かけとは裏腹に、単純に物理的な道路網としてではなく、実際の交通の流れというレンズを通して見ると、州間道路網は実は典型的なフラクタルだ。交通の流れは州間道路の本質そのものであり、その根本的な存在理由だ。そのフラクタル性を明らかにするために、話を簡単にしてボストン、ロングビーチ、あるいはラレードといった港湾都市について考えてみよう。州間道路を使ってアメリカ全土に商品を届けるために、トラックが定期的に港から出発する。アメリカ運輸省はこういった交通流の統計をしっかりとっているので、例えば一ヵ月といった一定期間内の、各道路区間を通行した総トラック台数の計算は簡単だ。テキサスのラレードを例に取ろう。この都市に直結した州間道路が最も交通量が多いのは、その都市から出るすべてのトラックがこれを利用する必要があるからだ。これらのトラックが離れるにつれ、州間道路の他の区間に入って国中に散らばり、最終的に地域の州道に入る。結果としてこれらの区間は、ラレードから遠く離れるほどトラック交通量が減り、ますます遠い都市や町に荷を運ぶことになる。

これはテキサスの交通量マップにはっきりと表れている。各道路区間の太さは、ラレードを始点にそこを流れるトラック交通量を表している——道が太いほど、ラレードから出てそこを通るトラック数が多いということだ。一見してわかる通り、地図で見慣れている通常の格子状の州間道路が、人間の循環系に驚くほど似た、ずっと興味深い階層的なフラクタル状の構造に姿を変える。だから本当に重要なもの、つまりそこを流れる交通量を元にして見れば、これこそが本来の道路網の姿なのだ。ラレードから始まる主要幹線道路が大動脈の役割を果たし、それに続くのが動脈で、最終的に荷が運ばれる各町、都市へと入る末端の道路が毛細血管だ。心臓はラレード市そのもので、州間循環系へとトラックを「送出」している。このパターンが全国の各都市で繰り返されているので、これは各都市がポンプとしての心臓役、あるいはクリスターラーの専門用語で言うところの「中心地」の役割を果たす、人間の生理的循環系を一般化したシステムとなっているのだ。

残念なことに、これまで都市内部についてこうした分析を行った者はまだいない。主にそれは、都市の個別道路の交通量に関する詳しい統計データがないせいだ。すべての街角に大量のセンサーをつけて交通をモニターするスマートシティの出現で、いずれすべての都市で同様の分析を可能にするデータが提供され、都市の交通網の動的構造が、次ページの地図のように明らかになるだろう。これは交通パターンと魅力のある個別の場所についての詳細な定量評価を提供するはずだし、都市の新地域開発を成功させ、新しいショッピングモールやスタジアムの立地決定に欠かせない指標も得られる。

フラクタル都市という概念の考案と、複雑性理論を伝統的な都市分析や計画と統合させる急先鋒が

トラックによる主要物流、発着地とその経路

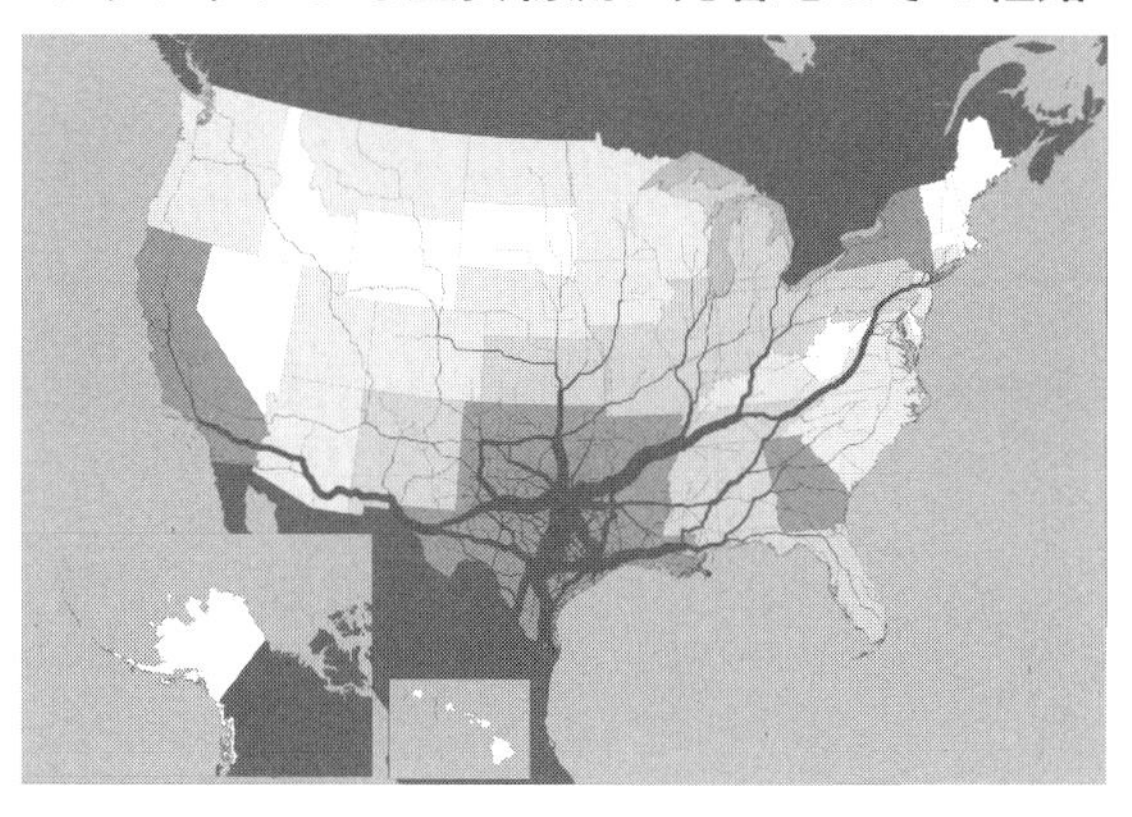

上：標準的なアメリカ州間高速道路地図。下：テキサス州の物流地図。物理的道路網では見えなかった、隠れたフラクタル構造が顕在化する。道路の太さは相対的な交通量を表している。細い部分、すなわち毛細血管の多くが州間道路以外を、太い部分、すなわち主「動脈」はより大きな道路を表す。第3章で示した心臓血管循環系と比較しよう。

マイケル・バティで、彼はユニバーシティ・カレッジ・ロンドンで先端空間分析センター(CASA)を運営している。彼の研究は何よりも、都市と都市システムの物理特性のコンピュータモデルが中心だ。彼は複雑適応系としての都市という概念に熱中し、都市科学開発の主要支持者の一人になった。彼の構想は近著『都市の新科学』でまとめられているが、私とは少しちがう。彼の本では、私がこれまで述べてきた基本原則に基づいた、物理学の分析的、数学的伝統よりも、社会科学、地理学、都市計画の現象的な伝統が強調されている。[*7] 最終的には、都市理解という大きな課題を成し遂げるためには、どちらのアプローチも欠かせない。

5. 巨大社会的培養装置としての都市

都市は、その物理的インフラの構成要素である道路、建物、管路、電線の単なる集合体ではないし、すべての市民の生と相互関係の寄せ集めでもなく、これらすべてを活気あふれる多次元的な生きた存在へと融合したものだ。都市は、すべての市民を互いにつなげる社会ネットワークでの情報の流通、交換によって、その物理的インフラと住民の両方を維持、成長させる、エネルギーと資源の流れの統合から生まれた、複雑な適応システムだ。これらまったく異なるネットワークの統合と相互作用が、魔法のように物理的インフラの規模の経済の増大をもたらし、同時に社会活動、イノベーション、そして経済生産の不釣り合いな増大も引き起こす。

前節では都市の自己相似的なフラクタル性に着目して、道路長やガソリンスタンド数といったインフラ指標の線形未満スケーリングに表れる、物理特性に焦点を当てた。これらは都市全域へのエネルギーと資源の供給に必要な、最適化された空間充塡的輸送ネットワークの一般的な特徴として、生命体とほぼ同じプロセスで都市にも表れる。これらのネットワークはすべてお馴染みで——道路、建物、水道管、送電線、自動車、ガソリンスタンドは都市生活で非常に目につきやすい——それらが体内の心臓血管系といった生理ネットワークとどれほど似ているかは、すぐに想像できる。だが社会ネットワークの形状と構造、そして人々の間の情報の流れの可視化は、それほど明確ではない。

社会ネットワーク研究は、社会学という分野の創設にまで遡る長く輝かしい歴史を持った、すべての社会科学を包含する大きな研究分野だ。こうしたネットワークを分析するための高度な数学的、統計的技術は、学術研究だけでなく、企業やマーケティング上の理由で、社会科学者たちが開発したものだったが、一九九〇年代になって物理学者や数学者が複雑適応系に興味を持ち始めると、この分野は一気に躍進した。情報技術革命で新たなコミュニケーション・ツールが出現し、フェイスブックやツイッターなど新種の社会ネットワークが登場すると、この研究はさらに進んだ。スマートフォンの出現と相まって、これは人々の相互作用を分析するためのデータを、量質ともに飛躍的に増やした。

ここ二〇年間で新たに現れた「ネットワーク科学」という下位分野が独自に発展を遂げ、ネットワーク現象一般と、それを生み出した根底にあるメカニズムや力学の両方に対する深い理解をもたらした。[*8] ネットワーク科学の研究対象は、典型的なコミュニティ組織、犯罪者やテロリストのネットワーク、イノベーション・ネットワーク、生態学的ネットワークと食物網、医療や疾病ネットワーク、言語と文学ネットワークといった広大な範囲に及ぶ。こうした研究は、襲いかかるパンデミック、テロリスト組織、環境問題への最も効果的な対策の考案や、イノベーションのプロセス促進支援、社会組織最適化など、幅広い領域の重大な社会的課題について、重要な洞察を与えてきた。この魅力的な研究の多くが、サンタフェ研究所所属の私の多くの同僚たちによって、遂行、あるいは促されてきた。

イッツ・ア・スモール・ワールド：スタンリー・ミルグラムと六次の隔たり

「六次の隔たり」という説を耳にしたことがあるはずだ。これは一九六〇年代に卓越した想像力を持つ社会心理学者スタンリー・ミルグラムが主張したもので、「スモール・ワールド問題」とも呼ばれる。[*9] これは次の興味深い問いへの答えとして出てきたものだ。「この国の、適当に選んだ任意の人とあなたを隔てているのは平均で何人だろうか?」。これを概念化する簡単な方法の一つは、まずそれぞれの人を一枚の紙の上に点として描いて、図式化して考えることだ。この点は「ノード」と呼ばれている。もしも点で表された二人の人が互いに知り合いならば、その間を線で結ぶ。これを「リンク」と呼ぶ。この簡単な取り決めで、どんなコミュニティの社会ネットワークも図式化できる。74ページに一例を示した。例えば国全体の社会ネットワークを見て、離れた無作為の二人のあいだに平均するとリンクがいくつあるのか考えるとおもしろい。当然、よく知った人（友人と呼ぶが、家族や同僚も含む）ならリンクは一つだ。友人の友人で知らない人なら、あなたとの間のリンクは二つだ。これをさらに進めて、友人の友人の友人で知らない人ならリンクは三つ、と続く。おわかりだろう――これを、ネットワーク上のすべての人がつながるまで続けよう。私はニューメキシコ州サンタフェに住んでいて、読者のあなたは三二〇〇キロメートル以上離れたメイン州ルイストンに住んでいるとしよう。知る限り、私はルイストンに知り合いはいないし、あなたもたぶんサンタフェに知り合いはいるまい。だがおもしろい問題として、私が最終的にあなたとつながるまでに最低必要なリンクはいくつだろうか――すなわち友人の友人の友人の友人というのを何度繰り返せばよいか？　アメリカには約三億五〇〇〇万人いるので、これは五〇とか一〇〇、ヘタをすると一〇〇〇とか、かなり大きい数になりそうなものだ。驚いたことにミルグラムによると、任意の二人をつなげるリンク数は平均するとおおむね六だ。そこで生まれたのが「六次の隔たり」という言葉だ――そう、私たちは互いにわずか六つのリンクによって隔てられているだけで、意外にも驚くほど密接につながっているのだ。

この予想外の結果を初めて数学的に分析したのが、応用数学者スティーブン・ストロガッツと当時の彼の教え子だったダンカン・ワッツだった。[*10] 彼らは通常スモール・ワールド・ネットワークには無作為につながれたネットワークに比べ、やたらに多くのハブと、かなり大きな集団化（クラスタリング）があることを示した。ハブとは単純に、非常に多くのリンクが結びついたノードのことだ。これは航空会社がフライトスケジュールをまとめるときに、ネットワーク理論から生まれた「ハブとスポーク」アルゴリズムを使っているせいで、よく知られている。例えばダラスはアメリカン航空の主要ハブで、アメリカの西半分のほぼどこからでもアメリカン航空を使ってニューヨークに行く場合、ダラスを経由する必要がある。このハブ構造で生じるクラスタリングの度合いの大きさにより、スモール・ワールド・ネットワークは、クリーク（小集団）と呼ばれるモジュール化したサブネットワークを持つ傾向があり、このクリーク自体も内部で高い接続性を持っているので、どんな二つのノードもほぼ結びついている。

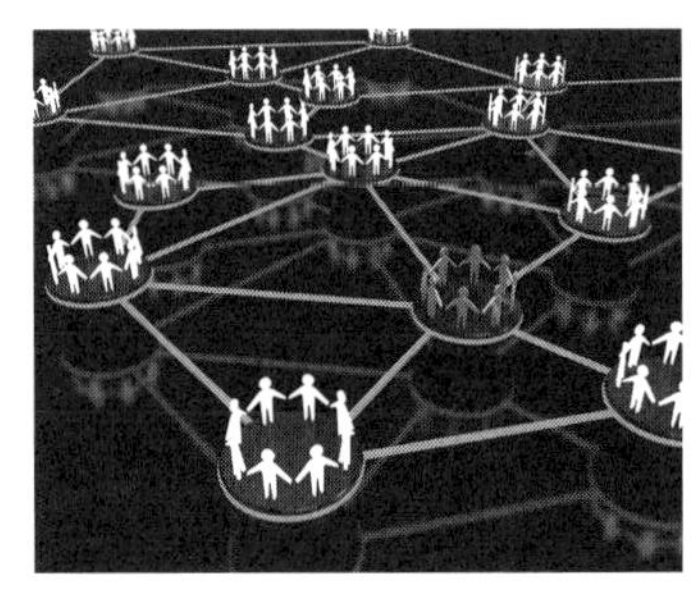

左：個人のノードが単一のリンクでつながっている社会ネットワークの一例。個人間のリンクが２〜３個必要なところがあり、やたらにリンクを持つハブ化した個人もいることに着目。右：家族や非常に親密な友人たちといった、密接な相互関係を持つ個人からなる、モジュール式サブユニットを持った典型的な社会ネットワーク。

社会ネットワーク特有のこういった一般特性によって、ノード間の最短パス数は平均するとかなり小さな数になる。その数は基本的に人口サイズと無関係であり、六次の隔たりはすべてのコミュニティでおおむね同じだ。さらにモジュール構造はたいてい自己相似なので、スモール・ワールド・ネットワークの特性の多くで、べき乗スケーリングが成立している。

　スティーブ・ストロガッツは、コーネル大学の多才な応用数学者で、非線形力学や複雑性理論から得たアイデアを使い、幅広く興味深い問題の分析と説明を行っている。例えば彼はコオロギ、セミ、ホタルがどのように行動を同期させているかを示した素晴らしい研究を行い、最近ではそれを拡張して、なぜロンドンのミレニアム・ブリッジがうまく機能しなかったのかを示している。[*11] 後者の問題は都市の科学にとってなかなか興味深い教訓を与えてくれるので、話はそれるが説明しておこう。

　イギリスでミレニアム祝賀の一環として、テムズ川に南岸のテート・モダン・ギャラリーやシェークスピアのグローブ座と、北岸のセントポール大聖堂、シティ・オブ・ロンドン、ロンドン金融センターを結ぶ、歩行者専用橋の建設が決まった。その設計コンペを勝ち取ったのは、おおむね常連たちとでも言おうか。著名建築家ロード・ノーマン・フォスター——アラビア砂漠の異様な正方形都市マスダールの主導設計者として既出——と、彼を補佐した有名彫刻家サー・アンソニー・カロ、そしてエンジニアリング企業アラップだ。これは素晴らしいデザインで、ロンドンの新たな名所となるのはまちがいなかった。意外なことに、これはロンドンの両岸を結ぶ唯一の歩行者専用橋なのだ。一日のいつであろうと、それを歩いて渡るのはセントポール寺院、テート美術館、グローブ座、あるいはそれ以外のどこへ向かおうと刺激的な体験だ。開通前、設計者たちはそのデザインを「光のブレード」に喩えて、「エンジニアリング構造の純粋表現」と評し、他の人々もそれを「二一世紀開始における、人類の可能性の絶対表明」と称した。

二〇〇〇年六月一〇日の開通日には、九万人が橋を渡り、常時最大二〇〇〇人もの人々が橋の上に集まる大成功を収めた。だが残念なことに予期せぬ設計上の不具合によって、二日後には橋は閉鎖を余儀なくされ、次の開通までほぼ一年半以上かかった。橋を渡る人々の動きが横方向の左右の揺れを誘発し、少なくとも一部の人々は揺れに歩調を合わせるという無意識の性向を持っていたので、揺れがさらに増幅されて、悪化した。単に不快で気分が悪くなるだけでなく、とても危険だった。

これは、正のフィードバック・メカニズムの典型例だ。しばしば「共鳴」として現れるもので、物理学者や技術者ならずっと昔からよく知っている。物理学の入門講義ではしょっちゅう取り上げられ、楽器や声帯から音が生まれ、レーザーが機能し、ブランコに乗った子供を押す頻度をブランコの自然な揺れ（共鳴周波数）と合わせると、揺れが大きくなるときに果たす役割を説明している。歩行者がミレニアム・ブリッジを渡っているときに行っていたのがまさにこれだ。人々の自然な横揺れが橋の自然な共鳴周波数と同期して、水平振動を引き起こしていたのだ。

橋が、構造に潜む共鳴に脅かされかねないのはよく知られた現象で、伝統的に兵士たちが橋の上を行進する際に歩調を乱せと命じられるのはこのためだ。現代の橋は、そんなことが起きないように設計されている。では二〇世紀末に、必要知識をすべて備え、必要な計算力も十分に持った第一級の建築家、デザイナー、エンジニアが建設した洗練された橋が、なぜそんなことになったのか？

橋の共鳴と振動の可能性を考えるときには、どうやら垂直運動だけ考慮され、横方向の水平運動は通常無視されるらしい。これには驚かされた。ミレニアム・ブリッジの設計者たちの弁解によれば、この横方向の揺れは「工学界でこれまでほとんど知られていなかった現象」だとのこと。橋の建設費は三〇〇〇万ドル近く、問題修正には追加で八〇〇万ドルかかった。事前に少しでも——おそらくスティーブ・ストロガッツから——科学的な情報提供があれば、かなりお金の節約になったはずだ。

同じ気持ちは、都市の設計開発でも十分に当てはまる。ミレニアム・ブリッジの大失敗は以前のブルネルのグレート・イースタン号の大失敗同様に、伝統的なアプローチがいかに洗練されていても、それを分析的枠組みの基本原理に基づいた広範な系統的、科学的視点で補足、統合すれば、かなりの悲劇や恥を回避し、大金も節約できたかもしれないという、比較的「単純」な事例だ。都市の開発建設は、橋や船の建造よりも課題が多く複雑だが、話は同じだ。設計を最適化し、意図せぬ結果を最小に留めるには、基本原理と力学を認識し、幅広い系統的文脈のなかで問題をとらえ、定量的、分析的に考え、これらすべてを個別の問題に関する細部に対し、重点的に集中させるべきだ。

スティーブ・ストロガッツは、ダンカン・ワッツと共同でスモール・ワールド・ネットワーク研究をしていたとき、サンタフェ研究所の客員教授だった。彼は数学と非線形ダイナミクスについて幾つかの優れた一般書を著して、《ニューヨーク・タイムズ》紙の科学ライターも務めた。[12] ダンカンはコーネル大学博士課程修了後、サンタフェ研にポスドク研究員として加わった。これは私自身と同時期で、当時この研究所で同じ研究室になるという光栄に浴した。今や彼はいっぱしの高名な科学者となり、マイクロソフトでオンライン・ソーシャル・ネットワーク研究に特化した活気あふれるグループを率いている。

ワッツのプロジェクトの一つは、任意の二人をつなぐには幾つのリンクが必要か究明するために、人々が交わす電子メール・メッセージ上の莫大なデータにより、ミルグラムの六次の隔たりの研究結果を検証することだった。これが重要なのは、通常の郵便サービスを通じた従来の手紙に基づいたミルグラムの研究は、そのデータがかなり希薄だし、系統的な実験統制の欠如のため、激しい批判を浴びていたからだ。

ミルグラムはまた、権威への服従を調査した非常に挑発的で示唆に富む実験でも有名だ。ホロコーストで起きた事、とりわけその中心的設計者であるアドルフ・アイヒマンの一九六一年の裁判から強い影響を受けて、彼は私たちの誰もが実に簡単に、同輩や集団の圧力に屈して、自身の信仰や良心に反する行動や発言をしてしまうことを示した。これらもまた、科学的、方法論的見地からだけでなく、参加者がどのように騙されたかを巡る倫理的問題と、これが引き起こすかもしれない感情的ストレスを理由に激しい非難に晒（さら）された。当時ミルグラムはイェール大学の若き教授だったが、その後すぐにハーバード大学に移り、六次の隔たりについて研究した。彼は実験の倫理的問題に関する論争のためハーバードで終身教授にはなれず、ニューヨークに戻って市立大学（ＣＵＮＹ）に籍を置いて終生過ごした。

　ミルグラムはユダヤ移民のパン屋の息子として、ニューヨークの慎ましい環境で育った。美味しいパンに目のない私は、彼の両親に出会っていたら大喜びしたかもしれない。彼は一九七〇年代初頭のスタンフォード「監獄実験」で有名になった、もうひとりの著名社会心理学者フィリップ・ジンバルドーと高校で友人だった。ミルグラムの権威への服従研究に触発されたジンバルドーの実験は、普段は正常な人間（この場合スタンフォードの学生）が、看守役を演じているときにどれほどサディスティックな行動をとり、囚人役を演じるときに極端な消極性と落ち込みを見せるかを実証した。ジンバルドーの研究は、イラク戦争時のアブグレイブ刑務所での看守による囚人虐待の発覚後に注目された[*13]。

　善人がなぜどうして邪悪になって悪事をはたらくのかという問い——なぜ神は善人に悪いことが起こるのを許すのかというヨブのジレンマに似た、人間のジレンマ——は、私たちが社会意識を進化させて以来、人間行動の根本的逆説の一つとなってきた。自分自身との関係性における人間の立場という問題——善対悪という終わりなき道徳的、倫理的ジレンマ——は、世界との関係における人間の立場と対をなす問題とみなせる。これらは共にホモ・サピエンスが意識を持ち、無数の宗教、文化、哲学を生み出して以来、人間の思考を支配してきた人間存在の核心だ。その起源を理解し、場合によっては新たな洞察と答えを提供する補完的な枠組みを与えてくれることを期待して、科学と「合理性」

に触発された視点がこれらの深遠な問題に導入されたのはごく最近のことだ。ミルグラムとジンバルドーの挑発的研究は、なぜ善人が凶悪な行動をとることがあるのかという難問は、同調圧力、のけ者にされることへの恐怖、そして権威によって個人に権力と支配が与えられる集団帰属願望に起源があることを強く示唆している。ジンバルドーは文化的起源とは無関係に、私たちの精神に組み込まれていると思われる何世紀にもわたって恐怖を与え続けてきたこの強力な力学を、人々が直観的に個々の「腐ったりんご」、国民性、文化規範のせいにしてしまうのではなく、はっきり認めて対処すべきだという認識を声高に主張した。

都市心理学：大都市生活のストレスと緊張

悲しいことに、ミルグラムは心臓発作により五一歳で夭逝した。彼は人間の本性に関する一般認識を是正し、とりわけ個人の行動と言動がコミュニティとの相関性に強い影響を受けていると示すことに大きく貢献した一人だ。彼の服従実験は、人が邪悪や異常でなくても、非人間的行動を取れることを示した。個人と所属コミュニティとの関係が、ミルグラムを都市生活の心理的側面という広い問題へと導いた。一九七〇年、彼は『サイエンス』誌に「都市生活の経験」と題した刺激的な論文を発表した。これは都市心理学という新興分野の基礎を築き、彼の次の興味の中心になった。[*14]

ミルグラムは、大都会での生活の心理的な冷酷さに非常に強い印象を受けた。地元の環境を離れた個人は相互関係や集団への関与を避け、参加や関与を生じさせそうな他人や他を意識することもなく、自分の活動に没頭というのが一般的な認識だ。だからほとんどの人は犯罪、暴力などの危機的状況を目撃しても、干渉するどころか、助けを呼ぶことさえためらう。彼は大都市の生活を小さな町の生活と比べて際立たせている、明らかな信頼の欠如、より大きな恐怖感と不安、礼節と礼儀の一般的欠如を調べるために、一連の革新的な実験を考案した。例えば彼は個々の調査員に、呼び鈴を鳴らしてこの近くに住む友人の住所を置き忘れてきたので、電話を使わせてもらえないかと尋ねさせた。大都市に比べて、小さな町では家に入れる人の数が三倍から五倍も多いという結果を得た。さらに都市では七五パーセントの応答者が訪問者に対して、閉めたドアごしに怒鳴るか覗き穴から見るだけだったのに対して、小さな町では七五パーセントがドアを開けた。

これに関連する実験としてミルグラムの友人ジンバルドーは、ニューヨーク大学ブロンクス・キャンパスの近くに車をほぼ三日間放置し、パロアルトのスタンフォード大学の近くでも同じような車を同じ期間放置した。馴染みのない人に説明しておくと、パロアルトはサンフランシスコの南にある小さな町で、典型的なアメリカの郊外だ。私はこの実験が行われた当時、偶然にもそこに住んでいたので、そこがかなり地味で静かな雰囲気だと証言できる。荒らしやすいようにどちらもナンバープレートは取り外し、ボンネットを開けっぱなしにしておいた。ニューヨークの車は、二四時間で外せるパーツはすべて取り去られ、三日目の終わりには金属の外構しか残されていなかった。大きな驚きは、破壊のほとんどが明るい時間に起きて、「関心を持たない」通行人にすべて目撃されていたことだ。対照的にパロアルトでは手つかずのまま残っていた。

この都市生活の心理社会的な負の側面を概念化する際に、ミルグラムは「過負荷」という用語を電子回路とシステム科学理論から借用した。大都市では私たちは絶えず実に多くの光景、実に多くの音、実に多くの「出来事」、そして実に多くの他人とあまりに高い頻度で衝突しているので、とてもではないがすべての感覚情報の集中砲火を処理しきれない。もしもすべての刺激に反応しようとすれば、認知、精神回路は機能停止して、早い話が、過負荷の電気回路とまったく同様にヒューズがとんでしまう。そして悲しいことに、実際にそうなっている人もいる。ミルグラムは私たちが大都市で目にして経験する「反社会的」行為の類は、実は都市生活による感覚攻撃に対処するための適応反応だと示唆した。そのような適応がなければ私たちのヒューズは全部とんでしまうというわけだ。

都市の過負荷がもたらす社会心理学的な負の結果に関するミルグラムの観察と考察の皮肉にはお気づきだろう。アイデアと富の創造、イノベーション、そしてその魅力の根本的な原動力として、私がこれまで褒めそやしてきた都市生活の様相そのもの、すなわちジェイン・ジェイコブズが称賛した人々の相互接続の増強と、それによって生まれる都市の喧騒が、ここでは大都市がもたらす便益の不可避の代償となっている。これが都市サイズの増大に応じて、超線形的スケーリングで増大する接続性がもたらす、「善いもの、悪いもの、醜いもの」的結果の一面だ。体系的に一人あたりの量が増えるということは、より高い賃金、より多くの特許、より多くのレストラン、より大きな機会、より多い社会活動、より大きな喧騒のみならず、より多くの犯罪と疾病――そしてより大きなストレス、不安、恐怖、より少ない信頼と礼節を抱きながら生きることを意味する。このあとすぐに論じるように、これらの大半は大都市生活のスピード増大に起因する。これはネットワーク理論からも推測できる。

6. 本当の親友が何人いる？　ダンバーと彼のはじき出した数字

ここまでの2節では、都市における社会相互作用の一般的性質をいくつか概観した。この節では自然な流れとして、都市インフラ・ネットワークの系統的な自己相似とフラクタル的形状が、社会ネットワークにどう反映されているかを論じる。まず、繰り返しておくと、六次の隔たり現象は人々が意識している以上に、お互いに予想外に密接につながりあっていると教えてくれた。さらにスモール・ワールド・ネットワークは通常、根底にある自己相似性と個人クリークの多さを反映して、べき乗スケーリングを見せる。こうしたモジュール集団構造は、家族、親友たち、職場の部署、ご近所、あるいは都市全体であろうと、社会生活の重要な特性だ。

社会の集団構造ヒエラルキーの理解と分解は、五〇年以上にわたって社会学と人類学に大きく注目されてきたが、その定量的性質が多少なりとも明らかになったのは、ここわずか二〇年ほどのことだ。その一部は進化心理学者ロビン・ダンバーらの研究によって推し進められてきた。彼らは、平均的個人のすべての社会ネットワークは、ネスト化した独立のクラスターが連続的な階層となっているものに分解可能で、そのクラスターのサイズは驚くほど標準的なパターンに従っていることを示した。[*15] 各レベルの集団サイズは、例えば家族から都市へと階層を上がれば系統的に大きくなるが、グループ内の人と人とのつながりの強さは系統的に減る。だからほとんどの人は、直近の家族とは非常に強い関係を持っているが、バスの運転手や市議会議員とは非常に弱い関係しか持っていない。

一つは社会的霊長類コミュニティ研究、そしてもう一つは狩猟採集民から現代の企業までの人間社会の人類学研究からヒントを得て、ダンバーはこの階層が自己相似的フラクタルによく似た、非常に単純なスケーリング則に基づく驚くほど規則正しい数学構造を持っていることを発見した。彼と共同研究者たちは、階層の最下層では平均的個人が最も強い関係性を持つ人の数が、どの時点においてもわずか五人であることを発見した。これは私たちが最も親密で、最も真剣に気遣う人々だ。通常は家族――親、子供、配偶者――だが、非常に親しい友人やパートナーのこともある。この核となる社会グループのサイズを計測するためのアンケート調査で、この集団の定義となる性質は「回答者が深刻な感情的、金銭的困窮に瀕したとき、個人的な助言や援助を求める個人たち」だった。

一段上のレベルには、通常は親友と呼ばれる人々が入る。これは有意義な時間を共に楽しみ、たとえ身内ほど親密な関係になくても必要に応じて頼れそうな人々だ。通常一五人ほどになる。さらに上のレベルは友人と呼ばれる人々で、夕食に招くことはほとんどないが、パーティや集会にはたぶん招く。これには同僚、ご近所、あるいは疎遠な親戚が含まれる。このグループは通常五〇人ほどだ。

個人の相互作用で、社会的領域の限界となるのがまさに次のレベルで、「それほど親しくもない友人」と言われる人々だ――名前は知っていて、社会的接触も維持している人たちだ。このグループは通常は一五〇人ほど。一般メディアで多少は有名な、ダンバー数と呼ばれているのがこれだ。

これらのグループ階層の連続するレベルの大きさを表す数――五、一五、五〇、一五〇――が、おおむね三という一定のスケーリング率で並んでいるのがわかる。この規則性は、私たち自身の循環系、呼吸系のネットワーク階層だけでなく、都市の輸送パターンにも見られるお馴染みのフラクタルパターンだ。これらのネットワークの実際の流れに加え、それらの幾何学的な大きなちがいは、「枝分かれ比率」――ある階層と次のレベルの階層とのユニット数、ここでは人数の比率――だ。社会ネットワークでは、枝分かれ率というパターンが、一五〇というレベルを超えて、約五〇〇、一五〇〇と広がることが証明されている。データにはかなりばらつきがあるので、厳密な値にはあまりこだわる必要はない。ここで重要なことは、大ざっぱなレンズを通して見ると、社会ネットワークはおおむねフラクタルパターンを示し、これが幅広い様々な社会組織すべてに当てはまりそうだということだ。たとえこのパターンはおおむね固定でも、そのネットワークの構成員は次第に入れ替わったり、関係が近づいたり離れたりするとレベルが上下に移ったりする。例えば、家族から親が外れて、配偶者や親友が代わりに入ってきたり、偶然誰かにパーティで出会って、その結果その人が一五〇人に加わったりするわけだ。だがそういった変化がいくら起きても、中核グループを成す四人から六人、そして個々のサイズが指数約三で一五〇まで増大する、ネスト化したグループ構造というネットワークの全般的な構造が失われることはない。

約一五〇という数は、通常個人が動静を把握していて、たまに会う友人の最大数で、その人の現在の社会ネットワークのメンバー数ということになる。だから、集団内で通じ合って現行の社会関係を維持できるくらい、すべてのメンバーが互いにそれなりに知り合いであるおおよその集団人数が一五〇人となる。ダンバーは狩猟採集民集団からローマ帝国、一六世紀のスペイン、二〇世紀のソ連などの中隊まで、機能的社会ユニットのサイズが、この特別な数字の周辺に集中する多くの例を見つけている。

彼はこの明らかな普遍性の原因が、脳の認知構造の進化にあると考えた。人間にはそもそも、この

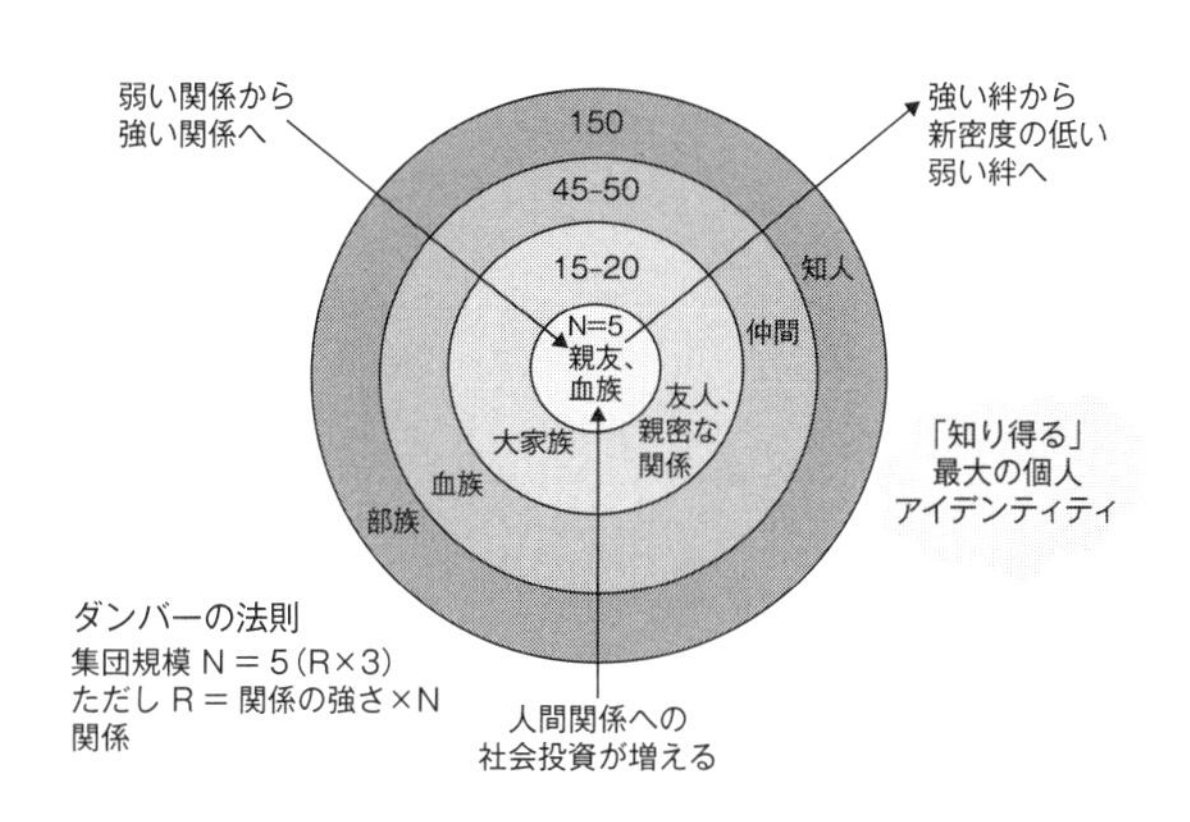

社会相関性のモジュール構造における、フラクタル的階層を反映したダンバー数列の図。相互作用の強さは、モジュール集団のサイズに反比例することに注目。

サイズを超えた社会関係を効率よくまわせるほどの計算能力がないのだ。集団のサイズがこれ以上大きくなると、社会の安定、統一、接続性が大きく失われて最終的に崩壊する。集団がうまく機能するために、集団アイデンティティと結束が重要と考えられている状況では、この社会ネットワーク構造の限界とそれが持つ広い含意を認識することが明らかに重要となる。これは安定、他の人々についての知識、社会関係がパフォーマンスにとって重要な場合には特に言える。企業、軍、行政、官僚制度、大学、研究組織など多くの組織では、この種の情報や発想が、組織メンバー全員の業績、生産性、全般的な厚生改善に有益となる可能性がある。

ダンバーは当初この数をはじき出すときに、霊長類コミュニティから人間社会までの集団サイズから推測することで、単純なスケーリング議論を採用した。彼と同僚たちは社会的霊長類の集団サイズが、大脳新皮質の体積に対して標準的なべき乗則でスケールすることを発見した。新皮質は脳の中で最も高度な部分で、知覚、運動指令の生成、空間的思考、意識的思考、言語、さらに複雑な社会関係に参加するための計算能力といった、高次機能を制御、処理している。この脳のサイズと社会グループ形成能力の間に関係があるという説は、「社会脳仮説（ソーシャルブレイン仮説）」と呼ばれている。ダンバーは、人間の知能がまず何よりも、通常言われているような生態的課題への対処の直接結果ではなく、大きく複雑な社会グループの形成という課題への対応として進化したのだから、この相関性に実は因果関係もあるのだという、さらに先へ踏み込んだ主張も行った。[*16] 因果関係はともかく、彼は脳のサイズとの相関を使い、一五〇という数が人間の類似の社会集団の理想サイズだと推計した。

脳のサイズは代謝率に対してほぼ線形的にスケールするので、人間の社会集団の理想サイズを決めるために、霊長類との比較に大脳皮質の相対的体積ではなく代謝率を使ってもいいはずだ。するとおおむね同じ一五〇という数が得られるが、この場合にはダンバーの予測とはちがい、進化的に見てこの数は、集団形成の認知的課題ではなく、資源と代謝を含む生態的課題と関係しているという主張が導かれる。これら二つの仮説——すなわち、集団構造は代謝の生態的圧力ではなく、社会圧力への対応として進化したのか——は、根本的な理論を構築し、それを使って分析を進めて強化し、検証可能な予測を増やさないと、区別できない。これは単純に、相関性からどこまで因果性が言えるのかという、古典的なジレンマを際立たせているだけだ。相関性と因果関係はちがうのだ。

そうは言いつつ、社会ネットワーク構造が、社会的、生態的のいずれであろうと、進化的圧力に起源を持つという全般的な発想は決して嫌いではない。なぜならそれは、社会ネットワークの自己相似フラクタル的特質が、人間のＤＮＡや脳の神経系にコード化されたものだと示唆しているからだ。さらに人間の認知機能すべてを司る神経回路を形成する脳内の白質、灰白質の幾何構造自体もフラクタル的階層ネットワークなので、これは社会ネットワークの隠されたフラクタル性が、実は脳の物理構造の反映だと示唆している。この推測は、都市の構造と組織は、社会ネットワークの構造と動態で決まるという考えを持ち出せば、さらにもう一歩先に進められる。この場合、都市の普遍的なフラクタル性は、社会ネットワークの普遍的フラクタル性の反映とみなせる。

これらすべてをまとめると、都市は実質的に、人間の脳の構造がスケール化されたものだという、とんでもない結論が導き出される。これはかなり乱暴な推論だが、都市には普遍的特性があるという考えを鮮やかに採り入れている。一言で言えば、都市は人々の相互交流の表現で、これは人間の神経ネットワークに、ひいては脳の構造と組織にコード化されているのだ。おもしろいことに、ひょっとしてこれは単なる比喩にとどまらない。物理的、社会経済的な流れが表された都市の地図には、脳の神経ネットワークの幾何学と流れが、非線形的に表現されているということになるのだ。

７．言葉と都市

生物学とはちがって、私たちが研究するまで、都市、都市システム、あるいは企業のスケーリング則には、ほとんど注意が向けられなかった。これは、あれほど複雑で歴史的な偶発性の高い人工システムが、どんな形であれ系統的で定量的な規則性を表すのでは、などとほとんどの人には思いもよらなかったからだろう。加えて都市研究には、この種のモデリングや理論とデータを対照させるという伝統が、生物学や物理学と比べてほとんどない。だがこれには大きな例外があり、それが人口サイズの都市ランキングに関する有名なスケーリング則であるジップの法則だ。これを図39に示した。

これは実に興味深い観測結果だ。とても単純に言うと、これは都市順位がその人口サイズに反比例するという法則だ。ある都市システムにおける最大の都市は、第二位の都市のサイズの約二倍で、第三位の四倍、第四位の四倍といった具合になる。例えば二〇一〇年の国勢調査では、アメリカ最大の都市は人口八四九万一〇七九人のニューヨークだ。ジップの法則に従うと、第二位のロサンゼルスの人口はその約半分の四二四万五五三九人、第三位のシカゴはその約三分の一の二八三万三五九人、第四位のヒューストンは約四分の一の二一二万二七六九人というふうになるはずだ。実際にはロサンゼルスが三九二万八八六四人、シカゴが二七二万二三八九人、ヒューストンが二二三万九五五八人と、どれもジップの法則に誤差七パーセント以内でだいたい合致している。

ジップの法則という名は、ハーバード大の言語学者ジョージ・キングズリー・ジップに由来する。彼はこれを一九四九年に出版した興味深い著作『人間行動と最小努力の法則』で一般に広めた[*17]。彼は最初この法則を一九三五年に、都市ではなく言語のなかで使われる単語の頻度について発表した。最初に出たこの法則は、シェークスピアの全戯曲、聖書、あるいはこの本さえ含む、書かれたテキストの中のどんな単語の出現頻度も、頻度表における順位に反比例するとした。つまり図40に示したように、最も頻出する単語は、二番目に頻出する単語の約二倍、三番目に頻出する単語の三倍出現する。

図39

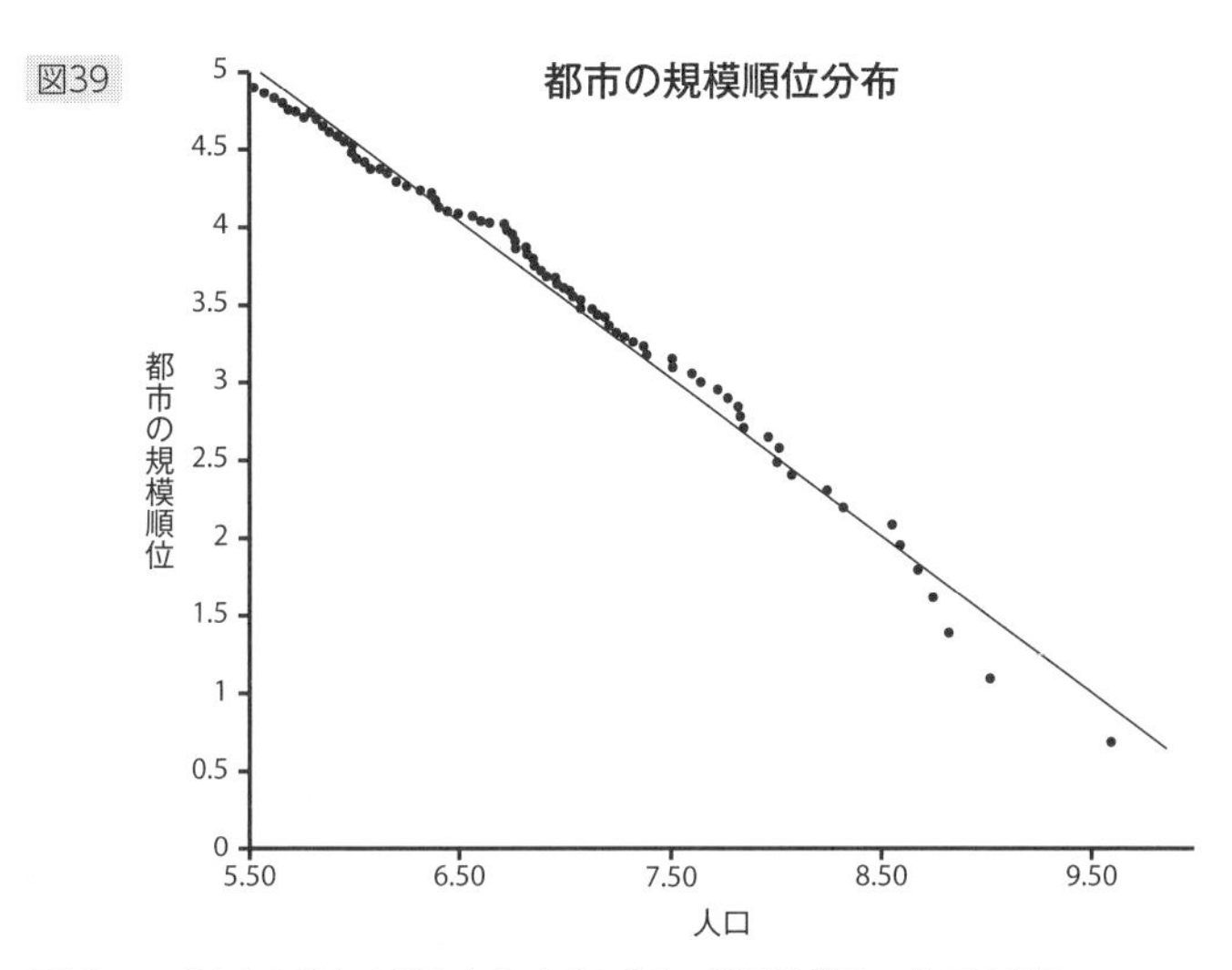

図39　アメリカの都市の順位とサイズの分布。順位は縦軸、人口は横軸。

図40

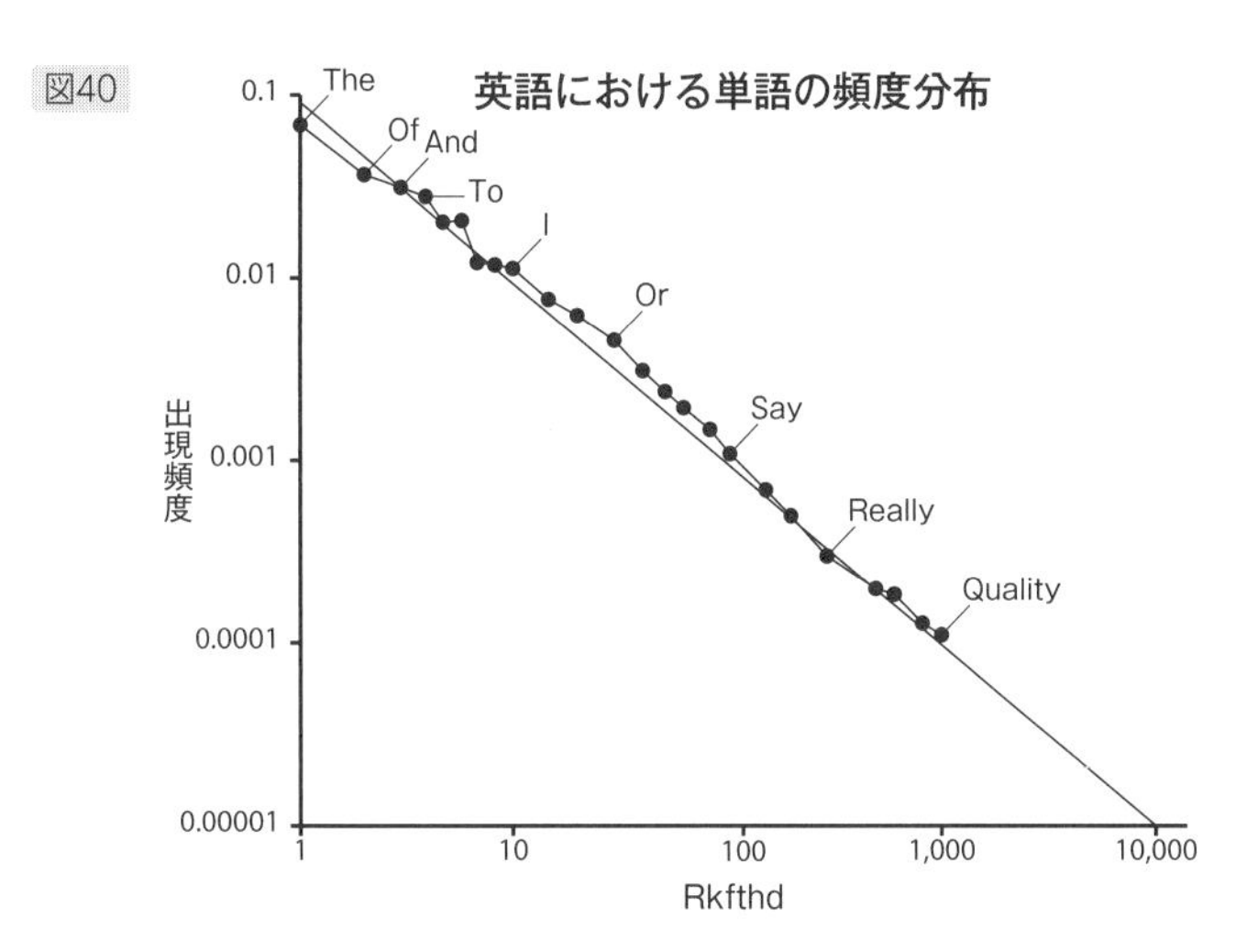

図40　英単語の順位と頻度の分布に見るジップの法則。単語の出現頻度は縦軸、順位は横軸。どちらの事例で最も高いところ（単語の「the」、都市の「ニューヨーク」）に大きな逸脱があることに注目。

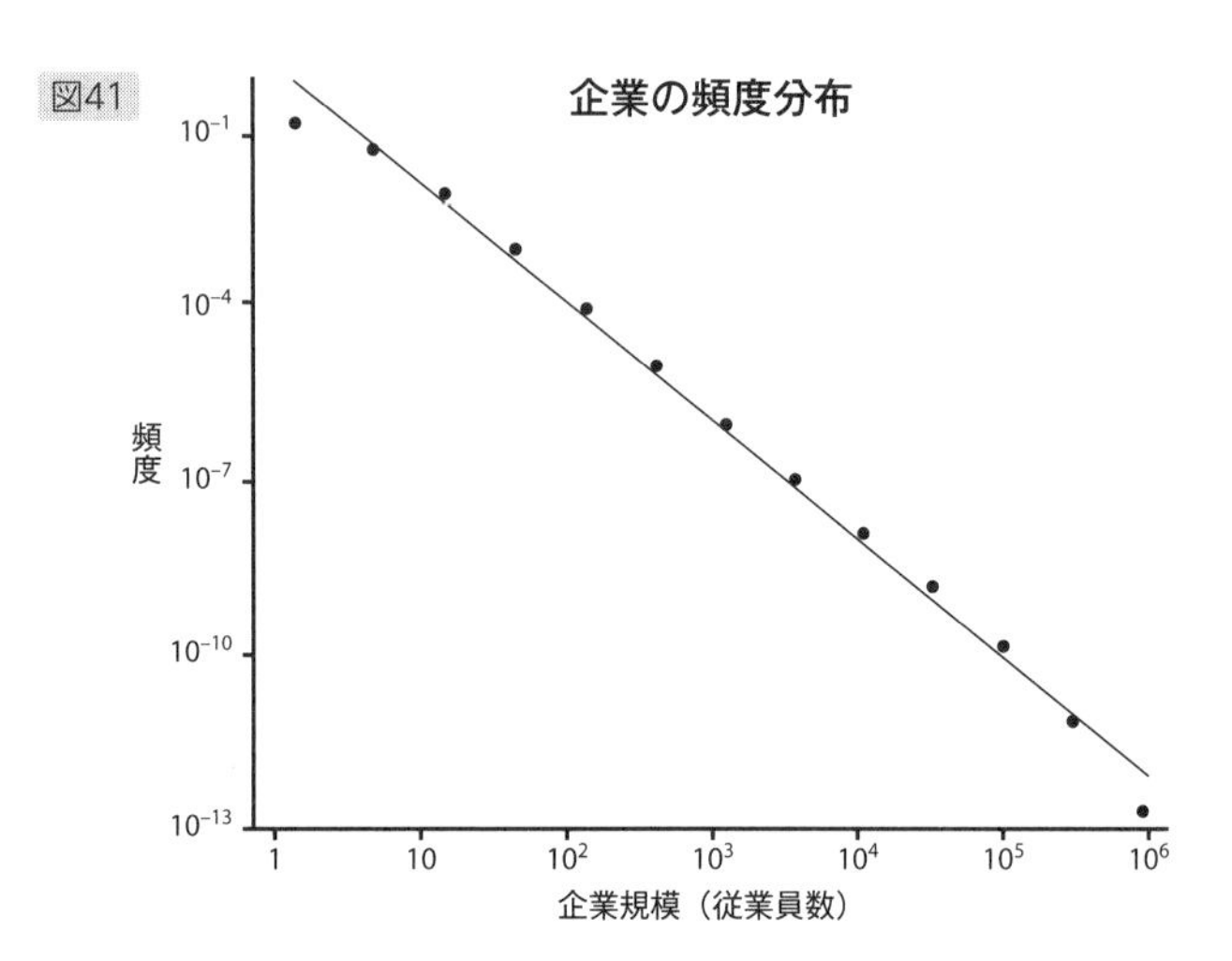

図41　アメリカ企業の順位とサイズの分布。図40同様に順位は縦軸、サイズ（従業員数）は横軸。

例えば、英語テキストを分析すると、最頻出する言葉は予想通り「the」で、使用された全単語のおおむね七パーセントを占め、二番目に頻出する単語「of」はその約半分、すなわち全単語の三・五パーセント、その次の「and」が約三分の一、すなわち二・三パーセントというふうに続く。

さらに不思議なのがこの同じ法則が船、樹木、微粒子、隕石、油田、インターネット・トラフィック上のファイルの大きさなど様々なものを含む、サイズ分布順位の驚くほど多くの例に当てはまることだ。図41に、企業サイズ分布がこの法則に従っていることを示した。その目を見張る普遍性と意味によって、ジップの法則はその驚くべき単純明快さに想像力をかきたてられた多くの研究者と著述家のあいだで、奇妙な神秘性を帯びてきた。ジップとその他多くの彼の追従者たちが、その起源について考察してきたが、広く受け入れられるような説明はいまだにない。

実は経済学では、ジップの法則はジップ以前から存在していた。はるか以前に、有力なイタリア人経済学者ヴィルフレード・パレートによって発見されており、彼はそれを人口の順位ではなく、所得の頻度分布として表した。所得、富、企業のサイズなど多くの経済指標に当てはまるこの分布は、指数約マイナス2の単純なべき乗則に従っている。順位で表すと、この指数はジップの法則と一致する。非常に裕福な人や大きな企業はごくわずかだが、非常に貧しい人や小さな企業は無数にあるという、明白な経済的事実を定量化している。パレートの法則、あるいはパレートの原理は、人口の最も裕福な二〇パーセントが、総所得の八〇パーセントを握っているという、おおむね世界全体に当てはまる、いわゆる八〇対二〇の法則という形で漫然と述べられてきた。同様に企業収益のざっと八〇パーセントは顧客の二〇パーセントからきているし、苦情の八〇パーセントもそうだ。非常に大きなものはごく少数で、小さなものは非常に多いというこの非対称は、ジップの法則の特徴だ。例えば文学の八〇パーセントを理解するには、辞書の単語の二〇パーセントしか必要ないし、人口の約八〇パーセントがトップ二〇パーセントまでの大都市に住んでいる。そのあいだにあるすべてが、おおむねべき乗則に従って反比例している。

ジップやパレートの「法則」は、そこらじゅうにあるとはいえ、大きな逸脱も多々あるため、それを他の多くの動学的プロセスの、もっと広い文脈のなかで考えないと、そうした頻度分布の本質を厳密に決める固定された普遍原則が存在すると結論づけるのは早計だ。例えば都市システムにおいて都市サイズがジップのパターンに従うと知っているだけでは、原則に基づいた普遍的な都市科学を開発するための情報としては全然足りない。最低限でもサイズと頻度の分布だけでなく、これまで仄めかしてきたエネルギー、資源、そして情報の流れなど都市活動のあらゆる範囲についての、他のあらゆるスケーリング則が必要となる。これらの分布は確かに興味深いが、私の評価はかなり控えめで、単にありがちな現象論的スケーリング法則の一つでしかなく、特に根源的な重要性はないと考える。

それでも、これらのジップの法則のような分布が幅広い現象に見られるという事実は、その分布が個別の物の特徴や細かい力学とは独立した、システム一般の特性だと示唆している。これは、平均値を中心とした統計ばらつきの説明に使われる「ベルカーブ」が、どこにでも登場するという一般性を連想させる。専門用語でこれは「ガウス分布」、あるいは「正規分布」と呼ばれており、何であろうと一連の事象や物が、無作為、無相関、互いに独立で分布している場合に数学的に生じる。例えば、アメリカの成人男性の平均身長は一・七七メートルほどで、この平均値のまわりの身長の頻度分布――すなわちそれぞれの身長の人が何人いるか――は、標準的なガウス正規分布を見せる。これによって、ある身長の人が何人いそうかわかる。正規分布は、天気予報や出口調査による結果予測といった、様々な事象の統計的確率を決めるために、科学、テクノロジー、経済学、金融のいたるところで利用されている。だがこの確率推計は、個々の事象が、現在の気温と過去の気温記録、あるいはある人の身長と他の人の身長など、何であれお互いに独立で、相関性がないとみなせるという仮定に基づいている。この点はしばしば忘れられている。

標準的な正規分布はあまりに浸透して当たり前になっているので、一般的にあまり考えることなく「すべて」がそのように分布しているとみなされている。その結果、ジップやパレートのようなべき乗則分布はほとんど日の目を見なかった。都市、所得、単語が標準的な正規分布に従って無作為に分布しているという想定は、自然なことだった。だがもし本当にそうならば、大都市、大企業、大金持ちの数は実際よりはるかに少なく、共通の単語もはるかに少ないはずだ。なぜならこれらすべてが従うべき乗則分布はどれも裾野が長く広がり、無作為の正規分布による予想よりも、低頻度の事象がずっと多いからだ。このちがいの表現として、べき乗法則は「ファットテール」を持つとも言う。本の中の単語は意味のある文章を形作る必要があるため、相関性はあるし、明らかに無作為ではない。都市についても、統合された都市システムの一部なのだから同じことが言える。だからそれが正規分布にならないのは、さほど意外でもない。

地震、金融恐慌、森林火災といった惨事の発生を含む、これまで言及してきた最も興味深い現象の多くがこのカテゴリーに入ってくる。このどれも、標準的な正規分布に従った無作為の事象と仮定した場合よりも、巨大地震、大恐慌、猛威を振るう森林火災といった希少事象がずっと多い、ファットテール分布を見せる。さらにこれらはおおむね自己相似的プロセスなので、同じ力学がすべてのスケールで生じる。だから、金融市場で細かい調整につながる一般的な仕組みが、大暴落の際にも働いているわけだ。これは、スケールのちがう事象は独立していて、相関がないとされる正規分布が持つ無作為性とは好対照だ。皮肉なことに経済学者と金融アナリストは、ファットテールの多さ、ひいては相関性を無視して、分析にずっと正規分布を使ってきた。みなさんご注意めされよ！

希少な事象発生とのつながりを考えれば、フラクタル的作用に基づいたべき乗則分布とモデルが、急成長する「リスクマネージメント」の分野で有力になってきたのも無理はない。金融市場、産業計画の頓挫、法的責任、融資、事故、地震、火事、テロなど、あらゆるものに対処する共通指標が「コンポジット・リスク指標」で、これはリスク事象の影響とその発生確率との積と定義されている。影響は通常、推定損害費用のドル換算で、確率は何らかのべき乗則で表される。社会が複雑さを増してリスクを嫌うようになると、リスク科学開発の重要性が増し、ファットテールと希少事象の理解は学術界と企業社会の両方で注目を集めている。

8. フラクタル都市：物理学で社会統合

都市を構成する二つの主要な要素、物理インフラと社会経済活動は、どちらもおおむね自己相似的なフラクタル・ネットワーク構造と考えられる。フラクタルはたいてい、ある特性を最適化したがる進化プロセスの結果だ。生命体のすべての細胞、あるいは都市すべての住民へのエネルギーと情報の供給、あるいは輸送時間最小化、エネルギー最小で任務を完遂する時間の最短化による、効率最大化の確保といったことだ。社会ネットワークで何が最適化されているのかは、あまりはっきりしない。例えばダンバーが見つけた階層的構造、あるいは数列の起源を理解するための、根本原理に基づいた満足のいく説明はない。たとえ社会脳という仮説が正しくても、社会グループのフラクタル的本質や、一五〇という数の起源は説明できない。そのような一般特性が、社会空間の最大限の充塡という概念と一体化した利己性——自分の資産と所得を最大化したいという、あらゆる個人や企業の欲求——が根本的な原動力だというさっきの主張に基づくのでは、と匂わせるものはある。社会ネットワークの定量的理論構築には、確かにまだまだ作業が残っており、多くの刺激的な課題が今後の探求を待っている。

都市の社会経済活動は、すべて人々の相互作用による。雇用、富の創造、イノベーションとアイデア、感染症の拡大、医療、犯罪、治安維持、教育、エンターテインメント、つまり実際に現代のホモ・サピエンスを特徴づけていて、都市生活の象徴となっているあらゆる活動が、人々の間で行われる絶え間ない情報、財、お金の交換によって、維持、創出されている。都市の責務はこのプロセスを公園、レストラン、カフェ、スポーツ・スタジアム、映画館、劇場、公共広場、プラザ、オフィス・ビル、集会ホールといった、社会接続性を促進、増大させるための適切なインフラにより、後押しして増やすことだ。

だからそうした活動を反映した、都市とスケーリング則の議論で登場したあらゆる社会経済的指標は、都市の中の人々のあいだのリンクや相互作用の数に比例する。もし各市民が他の全市民と相互作用できて、例えば一年間かければ都市内の他の全員と有意義につながれるなら、人々のあいだの相互作用の総数は単純な式で簡単に計算できる。都市の総人口に、都市のなかで各個人がつながれる人数を掛けた数だ。後者は単に総人口から一を引いた数になる。例えば、あなたが一〇人グループの一員ならば、九人としかつながれない。さらに、答えを二で割る必要がある。なぜなら、あなたとある相手とのリンクを、その相手とあなたとのリンクと別々と考えて計算してはいけないからだ。それらは対称的でまったく同じだ。

よってある都市の住民の対をなすリンクの見込み総数は、都市の総人口に総人口マイナス一を掛け、二で割ると得られる。これは面倒そうだが、実は単純だから、例を示しながら説明しよう。

例えばあなたとパートナーの二人だけなら、この式に従って2×(2−1)÷2＝2×1÷2＝1で、これが正しいのは明らかだ。あなたたち二人をつなげているのはただ一つのリンクだ。これにもう一人加えた3P状態を考えてみると、式によると3×(3−1)÷2＝3×2÷2＝3の独立した対の相互作用になり、これも正しいことは容易にわかる。AとB、BとC、CとAだ。今度は集団サイズを四人にするとリンク数は4×3÷2＝6で、三人に一人加えただけなのに、二倍になっている。集団サイズを四人から二倍の八人にすると、リンクの数は六から8×7÷2＝28に増え、これは四倍以上大きくなっている。これをさらに倍の一六人にすると、リンクの数は同様に、二八からおおむね四倍の一二〇にさらに増える。実際サイズが倍になるごとに、リンクの数はおおむね四倍になる。教訓は明らかだ。**人々のリンク数の増加は、グループの人数の増加よりもかなり速く、グループの人数の二乗の半分に非常に近い値になる**。

この人々とグループ・サイズの最大リンク数の、単純な非線形的二次関係は、非常に興味深い多くの社会的重要性を持っている。例えば私の妻ジャクリーンは、グループ全員で一つの会話を続けられるほうが夕食パーティは楽しいので、六人よりも多い夕食パーティへの参加は躊躇う(ためらう)。六人の場合6×5÷2＝15対の独立した会話が成される可能性があり、全員による単一の会話が生まれて続くためには、それらを「抑え込む」必要がある。これはギリギリ可能で、その理由は他のゲスト数である五人が、個人の平均的な身内のグループ・サイズにあたるダンバーの数だからだと考えたくもなる。一〇人がテーブルについたなら、途方もない四五もの二項式の可能性が生まれ、どうしても二つ、三つ以上の会話に割れて、小競り合い状態は避けがたい。もちろんそういう状態を楽しむ人も多いが、もしもある種の集団的親密さを望むなら、おおむね六人以上になるとつらいのは確かだ。

同じような話の流れで、私の祖父母の家族はつい最近までのほとんどの家族の通例として、比較的大人数で、総勢一〇人だった。八人の子供と二人の大人だ。その結果様々な年齢と人格を持った人々のあいだで四五もの同時進行の関係が存在し、多様性と相互作用を生み出していた。これらがダンバーのパターンに従って、各子供が両親に加えて兄弟のうち二、三人と強く結びつく場合、みんなが他の全員を均等に愛するのは無理で、確かに実際にもそうだった。一方で私の直近の核家族は妻と子供二人のたった四人の集団で、独立した関係は六対しかない。だから我が家の子供たちは、わずか五つの個別の関係にしか対応しなくていい。それに比べて私の親愛なる母の家族だと、人数はわずか二・五倍なのに、約一〇倍、正確には四四もの関係に対処する必要があった。小家族対大家族の是非の判断はともかく、この家族の力学の大きな差に衝撃を受けたら、二〇世紀を通じた世帯サイズの縮小で生み出された、そうした変化が持つ社会心理的影響についていろいろ考えたくもなる。

話を戻して、これが都市全体でならどう展開するか、少し見てみよう。もしも大家族の場合と同じく、みんなが他の全員と意義深く相互作用しあえるなら、上の議論を適用してすべての社会経済的計量は人口サイズの二乗でスケールするはずだ。これは指数二ということで、まちがいなく超線形的（一より大きい）だが一・一五と比べてもかなり大きい。だがこれは極端でまったく非現実的な状況だ。すべての住民が互いにひっきりなしに徹底的に相互作用しあう騒乱状態になり、超高速電動ミキサーにかけられたケーキ生地のなかのレーズンやナッツのように攪拌されているようなものだ。これは明らかに不可能だ――そして絶対に好ましくない。控えめなサイズの人口二〇万人の都市でも、ざっと二〇〇億以上の関係性が考えられ、各人が各関係に年間わずか一分間しか割かなくても、すべての起床時間を他人との関係に費やす必要があり、それ以外のことは何もできない。これをニューヨークや東京にまで、拡げるなんて無理だ。加えてダンバー数の制約から、一五〇人以上の人と意義深い関係を維持するのは難しい。数十万、数百万など論外だ。超線形的の指数を最大数である二よりずっと小さくしているのは、相互作用数が比較的少ないという制約だ。

この検証で、社会接続性や社会経済的量が人口に対し、なぜ超線形的にスケールするのか、無理なく説明できることがわかる。**社会経済的量は人々の相互作用やリンク総数**なので、彼らがどれくらい相関しているかで決まる。極端な例としてみんなが他の全員と相互作用があれば、指数二の超線形的べき乗則となる。だが実際は個人が関係を持てる強度と人数には大きな制限があり、このため指数値は二よりも大幅に小さい。

私たちが都市において、他人と維持できる相互作用の数と頻度が制限されている根本的な理由は、空間と時間による目に見えない制約だ。人はどうがんばっても、すべての場所に常にいることはできない。捉えにくいが明白な根本的制約は、人間のあらゆる相互作用と関係性は、必ず家、オフィス、劇場、商店、路上など物理的環境で起こるということだ。他人とどうコミュニケーションをとろうと、たとえそれが人工衛星経由の携帯電話で、光速で行われようと、あるいはあらゆる財や物資をネット通販で購入しようと、かならずどこかにいなければならない。建物の中の部屋で座っていようが、路上に立っていようが歩いていようが、あるいは地下鉄やバスに乗っていようが、どこにいても必然的にどこか物理的な場所に存在している。この明白な事実を強調するのは、インターネットの発達と急速な発展を遂げるネットワーク科学分野が、社会ネットワークはまるでもはや重力と物理世界の面倒な障害による束縛に囚（とら）われることなしに、何か宙に浮かんでいるような嘆かわしい誤解を生んできたからだ。以前私が紹介し74ページで図式化した、ハブやリンクとしての社会ネットワークという従来のイメージが良い例だ。これらの社会相互作用のトポロジー的表現は、ネットワーク理論に触発された抽象化で、個人をキッチン、コーヒーハウス、オフィス、あるいはバスで座って互いに言葉を交わすリアルな人々ではなく、物理性を欠いた超空間に浮遊する刹那的存在として描く。社会ネットワークの構造、組織、数学に関する最近の膨大な研究にもかかわらず、それらの直接的で不可欠な物理世界の汚れた現実との結合を、受容どころか認識している人すらほとんどいない。そしてその物理世界というのはまず何よりも都市環境なのだ。

そしてここで都市インフラが関わってくる。以前強調したように、都市インフラの役割は社会相互作用の強化促進にある。するとこれまた自明な論点が登場する。人は都市のどこかにいなければならないだけでなく、少なくともときには同じく重要なこととして、ある地点から別の場所に移動しなければならない。都市住民は静止していられない。彼らの可動性は都市の成長力と活力に不可欠だ。人は働きにオフィスや工場へ出勤し、睡眠と食事のために自宅へ帰宅し、食料を買いに商店に行き、娯楽を楽しみに劇場へと向かうなど、絶えず場所から場所へと動いている。一日や一週間といった時間スケールで見ると、都市の人々は実質的に持続的移動状態にあり、それは交通システムと分かち難く結びつき、制約されている。都市の上首尾な稼働に不可欠なモビリティと社会的相互作用は、社会とインフラのネットワークが持つ構造、組織、力学を織りなす空間と時間の制約——人は止まっていられないし、どこかにいなければならない——をまとめあげている。

第3章、第4章では生物における普遍的スケーリング則を説明し、ネットワークの包括的な数学特性に基づいて、生命システムの様々な側面を理解するための大ざっぱな理論を開発した。同様に都市の社会、インフラ・ネットワークの一般特性を持ち出す発想も、都市スケーリング則を生み出す大ざっぱな都市理論開発のためには数学に変換する必要がある。ここからは概念的枠組みとそこに含まれる本質的特性に焦点を絞り、えらそうで専門的な細かい議論に頼らず、その実現方法を説明しよう。

これに基づき個人を社会ネットワークの「不変端末ユニット」とみなそう。これはつまり、平均すると都市において各個人は、おおむね同じだけの社会、物理的空間で動いているということだ。これは「普遍的」なダンバー数が指し示すものと、先ほど考察した都市における移動活動に対する時空間的制限とがもたらす意味合いとも整合する。ご記憶のように、人間が活動する物理的空間は、私たちが居住し、働き、そして相互作用する住居、店舗、オフィスビルといった、インフラ端末ユニット（人々はその間を往き来する）へと供給する道路や公共サービス網などの空間充塡フラクタル・ネットワークに満たされている。これら二種類のネットワークの統合、すなわち空間充塡フラクタル的社会ネットワークに代表される社会経済的相互作用は、空間充塡フラクタル的インフラ・ネットワークに根ざしたものでなければならないという要件が、平均的都市居住者が都市で維持できる相互作用数を決める。すでに論じたように、社会経済活動の人口サイズに対するスケールを決めるのがこの数だ。

そもそも生命体としての都市という生物学的な比喩は、その物理特性からの印象で生まれている。

それは電気、ガス、水、車、トラック、人といった形のエネルギーと資源を運ぶネットワークが最も顕著で、こうした都市コンポーネントこそが心臓血管系や呼吸器系、あるいは草花や樹木の脈管系といった生物で増殖するネットワークに類似している。空間充塡、不変端末ユニット、最適化（移動時間やエネルギー利用などを最小化）の組み合わせで、一五パーセント・ルールに従う規模の経済を示す、非線形指数のべき乗則によってスケールするインフラ指標を持ったフラクタル性がこれらのネットワークに生じる。

これらの都市における人々の流動性と物理的相互作用空間への制約を、社会ネットワーク構造にも適用すると、重要で遠大な結果が生じる。平均的な都市の住民が維持する相互作用数は、都市サイズに対するインフラ・レベルのスケールと逆比例してスケールするのだ。言い換えると、インフラとエネルギー使用のスケーリングがどれだけ線形より低いかは、平均的個人の社会相互作用の数が線形をどれほど上回るかという水準と同じと予測される。だから社会相互作用、そしてすべての社会経済指標を支配している指数――善いもの、悪いもの、醜いものが、都市サイズに対して示すスケールの普遍的な一五パーセント・ルール――は、データが示す通り、エネルギーと資源のインフラと流れを支配している指数が一より小さい（〇・八五）分と同じだけ、一より大きい（一・一五）。図としては、図34～38の線の傾きが一を超えているが、それは図33で一を下回っているのと同程度なのだ。

このネットワークのスケーリング感で、物理的なものと社会的なものが反転しているのは偶然ではなく、ここから建物、道路、電気、ガス、水道のネットワークを持つ物理的都市のほうが、社会相互作用を持つ社会経済的都市の非線形逆比例として表現されたものとみなせる。都市とはまさにその人々なのだ。

都市サイズが倍になるごとに、社会相互作用や所得、特許、犯罪といった社会経済指標が約一五パーセント増大するのは、物理インフラとエネルギー使用の一五パーセント節約から生じたボーナス、あるいは報酬と解釈できる。社会相互作用の系統的増大は、都市の社会経済活動に不可欠の原動力だ。富の創造、イノベーション、暴力犯罪、大きな喧騒感と機会はすべて、社会ネットワークと個人間の相互作用拡大を通じて増殖し強化される。

しかしこれは、その裏返しとして、促進する触媒や社会化学のるつぼが都市なのだという解釈もできる。その場合、社会相互作用の増大は、創造性、イノベーション、機会を増やし、それによる配当がインフラの規模の経済の増大となる。気体や液体の温度が上がると、分子間の衝突率が上がるのとまったく同じように、都市サイズの増大は市民間の相互作用頻度と数を増やす。だから都市サイズ増大は、いわばその温度上昇と考えることができる。この意味でニューヨーク、ロンドン、リオ、上海は真に熱い都市で、とりわけそれは私の住むサンタフェと比べると顕著だ。もともとはニューヨークに対して使われた有名な「メルティング・ポット」（るつぼ）は、この隠喩をうまく言い表している。

このような調子で、サイズに関わりなく成功している都市の特徴は、それがその魅力的な都市景観、人々が集う場所、ユーザーフレンドリーで利用しやすい移動、コミュニケーション・システム、コミュニティの支援感覚、商業、文化、献身、統率力によって、多様な社会相互作用を促進、増強するための物理的環境、文化、状況の提供にある。都市は、互いを乗法的に増進しあう物理性と社会性のあいだの、絶えざる有益なフィードバック動態を刺激し融合させる、効率の良いマシーンだ。実際、次章で説明するように、経済と都市の特徴であり、私たちが従属とは言わないまでも病みつきになっている無限の指数関数的成長の究極の原因は、この倍々に増大するメカニズムにある。

増大した社会相互作用と社会経済活動、そして規模の経済拡大とのあいだに相関があるのは、特に意外ではないかもしれない。だが驚くのは、この基軸となる相互関係性が、見事な普遍的形式で表せる、単純な数学的規則に従っていることだ。**インフラとエネルギー使用の線形未満の特性は、社会経済活動の超線形性と正確に反比例している**。その結果、都市が大きくなればなるほど、同じ一五パーセントという割合で、各個人は稼ぎが増え、創造、イノベート、相互作用も高まる――そしてこれらすべてが、少ないインフラとエネルギー使用で賄われる。これが都市の類まれな能力だ。多くの人々がこれに惹きつけられるのも当然だ。

二つの間の相反関係に封入された、拡張された社会経済活動と、インフラの規模の経済との密接な結合の機構的起源は、それらに内在する、よく似たネットワーク構造の相反関係にある。社会、物理ネットワークは、フラクタル性、空間充塡、不変端末ユニットといった、共通の一般的特徴を共有しているが、根本的なちがいが幾つかある。大きな結果をもたらす重要なちがいのひとつが、ネットワーク内部でフラクタル的階層の下へと進むときのサイズと流れのスケールだ。[*18]

輸送、水道、ガス、電気、下水道といったインフラ・ネットワーク系では、管路、ケーブル、道路等のサイズと流れは個々の住宅、ビルにサービス提供する端末ユニットから、ネットワークを通じて、中央の資源、場所、あるいは保存庫へとつながる主要導管や幹線道路へと移る過程で、系統的に増える。これは人間の心臓血管系でサイズと循環が毛細血管から大動脈、そして心臓へと系統的に増えるのとまったく同じだ。これが線形未満スケーリングと規模の経済の起源だ。対照的に富の創造、イノベーション、犯罪などの原因である社会経済ネットワークでは、ダンバー数の階層について論じた際に説明したように、逆の作用が働いている。社会相互作用と情報交換の流れの強さは、端末ユニット間（すなわち個人間）で最大で、グループ構造の階層が家族やその他のグループからどんどん大きなクラスターへと上がるにつれて系統的に弱まるので、超線形的スケーリングと収穫逓増をもたらし、ライフ・ペースが加速するのだ。

第8章　結論と予測：流動性とライフ・ペースから社会接続性、多様性、代謝、成長へ

本章では、これまでの章で展開してきた大局的な都市理論の結論をいくつか検証する。理論は未完成ながら、都市体験の多くや、もっと広く日常的な社会経済活動への参加の経験が、この定量的枠組みに内包されていることを、いくつかの例を使って示そう。この点で、この理論は従来の、定性的で局所的、叙述的、非分析的で非機械論的な特徴を持つ社会科学と経済理論を、補完するものと思ってほしい。物理学的視点から重要なことは、定量的な予測を行って、それをデータ、時にビッグデータ、と突き合わせてみることだ。

この理論はすでに最初のハードルはクリアしている。つまりこれまで概観してきた多くのスケーリング則の起源に関する自然な説明にはなっている。また多様な指標と都市システムの普遍的特徴、そして都市の自己相似とフラクタル性についても説明できる。さらにこの分析は、住民の社会経済生活を含む、都市の構造とまとまりについて測定できるものの大半をカバーする、各種のスケーリング則に暗黙のうちに内包された、莫大な量のデータを集約し、説明している。

これだけでもかなりの成果だが、その程度ではすまない。それは都市と都市化だけでなく、経済と

成長、イノベーション、持続可能性の基本問題にも関わる、広範な領域へとこの理論を拡大するための出発点にすぎない。その重要な要素の一つが、理論から出てくる新しい予測をデータと突き合わせて検証確認することだ。例えば人々の社会接続性、都市内の人々の動き、ある場所の魅力を定量化する指標といったデータを見てみよう。都市のある場所を訪れる人が何人いるか？　そこを何度訪れ、どのくらい遠くから来ているか？　職業や企業の分布多様性は？　眼科医、刑事弁護士、店員、コンピュータ・プログラマー、あるいは美容師が、その都市に何人いるか？　そのなかでどれが増え、どれが減るか？　ライフ・ペースと果てしない成長加速の起源は？　そして最後に第10章の主要問題だが、これは持続可能なのか？

1. 加速するライフ・ペース

第7章で、都市サイズの増大がより一人あたりの社会相互作用を増やすと同時に、同じ割合でコストを下げることを示した。この力学は、都市サイズの増大に伴うイノベーション、創造性、果てしない成長の桁外れな増進に表れている。同時にそれは、現代生活にもう一つの大きな特徴をもたらした。そのペースが絶えず加速し続けているらしいのだ。

すでに論じたように、社会ネットワークを「不変端末ユニット」である個人から始まって、家族、親友、同僚から知人、仕事仲間、そして組織へとサイズが拡大するモジュール化したグループ化を経て、系統的に展開するレイヤー化された階層と考えるなら、各レベルで起こる相互作用の強度と交換される情報量は系統的に減少して、超線形スケーリングを見せる。通常、人は市役所や職場といったもっと大きな、顔の見えない共同体と比べて、家族、親友、同僚といった人々とのほうが密接に結びついており、そうした人々と相当な量の情報交換に多くの時間を費やしている。

インフラ・ネットワークだと逆の階層化が通例だ。サイズと流れは端末ユニット（家屋や建物）からネットワークを通じて上がるにつれて系統的に増大する。第3章で生命体の循環系と呼吸系を考察したときに示したように、この種のネットワーク構造による、生命体のサイズ増大に伴うライフ・ペース減速のさらなる結果として、線形未満のスケーリングと規模の経済が起きる。大きな動物は長生き、心拍速度と呼吸速度は遅くなり、成長、成熟、生殖により長い時間がかかり、一般的にゆっくりと生きる。生物時間はサイズが大きくなると、系統的に1／4べき乗則に従って長くなる。ちょこまかと動くネズミは多くの点で、単に張り切っている縮小版のゾウなのだ。

これら異なる二種類のネットワークの逆転関係を知れば、社会ネットワークでまさしく逆のふるまいが生じても特に違和感はないはずだ。ライフ・ペースは、サイズと共に系統的に遅くなるどころか、社会ネットワークの超線形力学がライフ・ペースを系統的に加速させるのだ。疾病は早く蔓延し、企業は頻繁に生まれては消え、取引は加速、人々の歩みさえ速まり、そのすべてが一五パーセント則に従う。これこそ、サンタフェよりもニューヨークのほうが生活は速いと感じられ、しかもそれが都市とその経済の成長に応じて、自分の子供時代と比べてすら加速したと感じられる根本的な科学的理由だ。

時間のこの実質的な加速は、サイズの拡大に伴って、社会相互作用がさらに相互作用を生み出し、アイデアがさらにアイデアを刺激し、富がさらに富を創出するという、社会ネットワークにおける絶え間ない正のフィードバック・メカニズムが引き起こす創発現象だ。それは絶え間ない攪拌(かくはん)の証で、これこそが都市の力学の本質であり、人々の社会接続性の乗法的増大をもたらす。これが社会経済的時間の超線形的スケーリングと系統的加速として表れる。生物時間が系統的かつ予測可能な形で、サイズの増大と共に1／4スケーリング則に従って拡大するのとまったく同様に、社会経済的時間は一五パーセント・スケーリング則に従って収縮する。共に根本にあるネットワーク幾何学と力学が規定する、数学的規則に従っているのだ。

2. 加速するルームランナーの上で生きる：破格の時間短縮マシーンとしての都市

非常に若い読者でも、人生がほぼあらゆる面で加速してきたという印象は拭いがたいはずだ。私にはまさにこれが当てはまる。私はもう七〇代半ばで、人生の大きなハードルや挑戦の多くは終わってしまったが、いまだに眼前のルームランナーに追い立てられ、それがますます加速しているように思う。いくらメールを削除し、いくら返信しようとも私の受信箱は常にいっぱいで、今年はおろか去年の確定申告さえ締め切りに追われ、是非参加したい、または参加すべきセミナー、会議、イベントが途切れることはなく、様々なアカウントや所属組織、アフィリエイトを通じて自分自身にアクセスするための果てしないパスワードを忘れないために奮闘している。みなさんも、これに似た事態になっていて、いくらがんばっても決して減らない、延々と続く締め切りプレッシャーがあるはずだ。大都市に住んでいて、子供がいたり事業を営んでいたりするなら、なおさらひどいはずだ。
この社会経済的時間の加速は、都市新世の現代生活につきものだ。それでも多くの人同様、ちょっと前まで人生はそれほど忙しくなく、プレッシャーも少なく、もっとリラックスしていて、考えたり熟考する時間があったのにという、ロマンチックなイメージを抱いている。ドイツの偉大な詩人、作家、科学者であり、政治家でもあったヨハン・ヴォルフガング・フォン・ゲーテはこの問題について、ほぼ二〇〇年も前に産業革命開始直後の一八二五年に次のように述べている。[*1]

今やすべてが極端だ。すべてが行動と同様に思考でも絶えず超越している。もはや誰も自分のことをわかっていない。誰も自分がそのなかで生きて機能している自然、あるいは自分が扱う素材を把握していない。純粋な単純さなど論外だ。単純化するものがありすぎる。若者たちは人生のあまりに早い時期からかき回されて、疾風（しっぷう）のような時間のなかで我を忘れている。富と迅速さが世界で称賛される……鉄道、速達、蒸気船、そして可能な限りあらゆる迅速なコミュニケーションを教育された世界は求めるが、それは単に自己への過剰な教育であり、それゆえに凡庸さに固執する。加えて、それは可もなく不可もない文化が（次の）共通（文化）になる、普遍化の結果である……

これは、ライフ・ペースの加速とその結果生じる文化と価値がごちゃまぜになった、いささか古風な表現の妙なコメントだが、心を捉える親しみ深さがある。

このようにライフ・ペースの加速は決して目新しくはないが、驚くのはそれが普遍的な特性を持ち、データ分析で定量化と検証ができるということだ。さらに創造性とイノベーションを増進し、社会相互作用と都市化の多くの効用とコストの源となる正のフィードバックの仕組みと結びつけることで、社会ネットワークの数学を使って科学的に理解できる。この意味で、都市は時間加速マシンなのだ。

社会経済的時間の収縮は、現代的存在の最も卓越した特徴で、影響も大きい。だが生活の隅々に浸透しているのに、しかるべき注目をほとんど受けていない。ここで私は時間の加速とそれに付随して起こる変化の例として、個人的な逸話を披露しよう。

私が初めてアメリカにきたのは一九六一年九月、カリフォルニア州のスタンフォード大学物理学科の大学院に入るためだった。ロンドンのキングス・クロス駅から蒸気機関車に乗ってリバプールまで行き、そこでカナダの蒸気船エンプレス・オブ・イングランドに乗ってほぼ一〇日かけて大西洋を横断、セント・ローレンス川を遡って、最終的にモントリオールで下船した。そこで一泊してからグレイハウンド・バスに乗り、途中シカゴのＹＭＣＡでの一泊を含め、バスを乗り継ぎ四日後にカリフォルニアにたどり着いた。旅の全行程は貴重な経験で、多くの次元、とりわけアメリカの生活の雑多さ、多様性、とっぴさを体験させてくれた。これにはその広大な地理的サイズの認識も含まれていた。五五年経っても、いまだに私はアメリカの意味と謎、そしてそれが表すものすべてに取り組み続けながら、その長旅で体験したすべてを消化しようと努めている。

私はあまり裕福ではなかったが、この道中は当時のほとんどの学生に典型的な旅だった。ロンドンからロサンゼルスまで全部で二週間以上かかり、友人の家に居候してからパロアルトに車で送ってもらった。現在ならば最も貧しい学生でもロンドンからロサンゼルスまでの旅を二四時間以内に終えるだろうし、ずっと短時間でたどり着く人がほとんどだろう。今では直行便なら約一一時間で、一九五〇年代末でも金銭的な余裕さえあればロンドンからロサンゼルスまで一五時間以内で楽に飛行できた。だがこの同じ旅を一〇〇年ほど前にしようとしたなら、数ヵ月かかったはずだ。

これはここ二、三〇〇年で旅にかかる時間がいかに劇的に縮小されたかを示す、赤裸々な例の一つにすぎない。世界は縮小した、というのは陳腐な言い草だ。もちろん世界は縮小などしていない——ロンドンとロサンゼルスの距離はいまでも八八〇〇キロメートルだ。縮小したのは時間で、これは個人から地政学まで生のあらゆる面に大きな影響を与えてきた。一九一四年、英国王ジョージ五世専属の有名なスコットランド人地図製作者ジョン・バーソロミューは、『経済地理アトラス』を発表した。これは世界中のありとあらゆる場所の、経済活動、資源、健康、天候状態のデータなどの一大集成だった。[*2] 彼のユニークな図の一つが、地球上の様々な地点までの所要時間を示した世界地図だった。これはなかなか啓発的だった。例えばヨーロッパの端から端までは、移動時間約五日分離れていたが、今ではこれはわずか数時間に縮まっている。同様に大英帝国の範囲は一九一四年時点で移動時間数週間以上あったが、幻となったこの大英帝国を、今や一日以下で横断できる。中央アフリカ、南アメリカ、オーストラリアまで当時は四〇日以上、シドニーまでさえ一ヵ月以上かかった。

だが移動時間は、時短イノベーションの目も眩(くら)むような拡散が可能にしたライフ・ペースの桁外れな加速の一例でしかない。私の生涯だけでも、旅におけるジェット機や超特急列車、コミュニケーシヨンにおけるパソコン、携帯電話、インターネット、ホームショッピング、ファストフード、ドライブスルーによる食物と用具の供給、家事補助における電子レンジ、洗濯機、食器洗い機、戦争におけるガス室、じゅうたん爆撃、核兵器といったものへの移行を経験してきた。そしてこれらの登場以前に、蒸気機関、電話、写真、映画、テレビ、ラジオがもたらした革新についても考えてほしい。

これら驚くべき発明の大きな皮肉の一つは、それらがすべて生をより簡便で扱いやすくして、私たちにより多くの時間を与えると約束していたことだ（残酷な破壊兵器は例外かもしれないが）。実際、私が若者だった頃、評論家や未来学者たちはそういった時間短縮から予想される輝かしい未来について語り、手に入った余暇をどう過ごすかがよく話題にのぼった。原子力から得た安価なエネルギーとこれらの素晴らしい機械が、私たちの肉体作業と頭脳労働をすべてこなし、週の労働時間は短縮し、家族や友人と良き生活を楽しむ時間がたっぷり持てるとされた。それは前世紀の貴族の貴婦人と紳士たちが送っていた、退屈な特権的生活に似ていなくもなかった。一九三〇年、偉大な経済学者ジョン・メイナード・ケインズはこう書き記している。

つまり創造以来初めて、人類は己の本物の、永続的な問題に直面する――目先の経済的懸念からの自由をどう使うか、科学と複利計算が勝ち取ってくれた余暇を、賢明にまっとうで立派に生きるためにどう埋めるか。

そして一九五六年、チャールズ・ダーウィンの孫、チャールズ・ダーウィン卿は来るべき余暇の時代について、『ニュー・サイエンティスト』誌に次のように書いている。

　最大労働時間を週五〇時間とする。科学技術者が週に五〇時間働いて発明してくれるおかげで、世界中のそれ以外の人々はわずか週二五時間しか働く必要はない。この長い余暇を持つ社会構成員は、余計なことをしないよう、残りの二五時間を、ゲームをして過ごすしかない……人類の大多数は本当に余暇の楽しみの選択を受け入れることができるだろうか、あるいは大人にも小中学生の全員強制参加ゲームのようなものを与える必要があるのか？

　彼らはまったくまちがっていた。彼らが予見する主な課題は、人々を死ぬほど退屈させないために、何をさせればよいかということだった。私たちに与える時間を増やすどころか、「科学者を週五〇時間働かせる」ことでもたらされた「科学と複利」は、実際は私たちの時間を減らした。都市化によって生まれた乗法的に増大する社会経済的な相互作用は、必然的に時間の短縮を招いてきた。死ぬほど退屈するかわりに、死への加速がもたらす不安発作、精神衰弱、心臓発作や脳卒中を防ぐことが現実的な課題になっている。

　たぶんまったく別の意味で、実はダーウィン卿は自分でも気がつかずに、部分的には正しく理解していたとも言えそうだ。いずれにしても、テレビとIT革命が私たちの社会に与えた最大の影響は「大人に小中学生の全員強制参加ゲームのようなものを与えた」ことらしい。フェイスブック、ツイッター、インスタグラム、セルフィー、メールなど、あらゆる娯楽メディアは、私たちの生活を占有する暇つぶしではないか？　まあ確かに他の意義があって、生活の質はまちがいなく上げているが、その中毒性の誘惑に抗うのは難しい。それらを「全員強制参加ゲーム」に進化したもの、あるいはマルクスの言う「民衆のアヘン」の二一世紀版として宗教に変わったのだと考えたい誘惑に駆られる。いずれにしてもこれらは社会的時間の加速に寄与した、昨今のイノベーションの最たるものだ。

以下では、ネットワーク・スケーリング理論にヒントを得た成長理論を紹介し、持続する果てしない成長の維持には、イノベーションとパラダイムシフトがますます速いペースで行われる必要があり、それがさらなる時間の加速に貢献することを示す。だがそれを論じる前に、ビッグデータを使ったものを含め、いくつかはっきりした例を示そう。それにより、ライフ・ペースの加速など理論の定量的な予測を裏付け、検証したいのだ。

3．通勤時間と都市サイズ

一九七〇年代、イスラエル人の交通技術者ヤコブ・ザハヴィはアメリカ運輸省、後に世界銀行のために、都市輸送に関する実に興味深い報告書をいろいろ書いた。それは都市が成長し続けて交通渋滞が当たり前になりつつあったときに、交通とモビリティに関する個別問題への対処を助けるものだった。期待通り、これらの報告書は豊富なデータに基づいたかなり詳細なもので、個別の都市輸送問題の解決を狙っていた。だが標準的な専門技術者としての視点に加えて、意外なことにザハヴィは自身の調査結果を、まるで理論物理学者のように、大ざっぱな大局的枠組みとして提示した。自ら「移動モデルの統一メカニズム」と壮大な名前を冠した彼のモデルは、都市の物理的、社会的な構造のいずれも、さらには道路ネットワークのフラクタル的特質も考慮していないが、平均的個人の対所得比で見た移動経済コスト最適化（大ざっぱに言って、旅行者は自分が支払い可能な最速の移動手段を選択する）に、ほぼ全面的に基づいている。彼のモデルは一般的には評価されず、学術誌にも刊行されなかったようだが、その興味深い結論の一つは都市伝承の仲間入りをして、ライフ・ペースの加速という問題に意外な展開をもたらした。

アメリカ、イギリス、ドイツと幾つかの発展途上国を含む国々の都市データを使って、ザハヴィは平均的個人が毎日移動に費やす時間は、都市サイズ、あるいは移動手段に関係なくおおむね同じという、驚くべき結果を発見した。どうやらどこの誰でも、毎日移動に一時間ほど費やすらしい。家から職場までの平均通勤時間は、都市や移動手段とは無関係にざっと片道三〇分だ。

だから自動車や電車で高速に移動する人も、バスや地下鉄を使う人も、自転車や徒歩でゆっくり移動する人も、平均すると誰もが通勤に往復一時間かけている。つまりここ二〇〇年ほどの飛躍的なイノベーションによる移動速度の増大は、通勤時間の短縮ではなく、通勤距離の増大に貢献してきた。人々はこれらの進歩を生かして、遠く離れたところに住み、長い通勤距離を移動するようになった。結論ははっきりしている。都市サイズはある程度まで、人々を、三〇分をあまり超えない時間で職場まで運ぶ輸送システムの効率によって決まるのだ。

ザハヴィの魅力的な所見は、ウィーンの国際応用システム解析学会（ＩＩＡＳＡ）の上級科学者のイタリア人物理学者チェーザレ・マルケッティに強い影響を与えた。ＩＩＡＳＡは地球気候変動、環境影響、そして経済持続可能性の問題で大きな役割を果たしており、マルケッティの興味と貢献の対象もそうした分野でのものだった。彼はザハヴィの研究に触発されて、一九九四年に日常の通勤時間がほぼ不変であることを詳細に述べた長い論文を発表して、実際に真に不変なのは彼が露出時間と呼んだ、日々の移動時間なのだという考えにたどり着いた。*3 だからたとえある人の通勤時間が一時間以下でも、その人は本能的に、それを健康のための散歩やジョギングといった他の活動によって補っているのだ。これを裏付けるために、マルケッティは皮肉を込めて「終身刑で刑務所にいる、やることも行くところもない囚人でさえ、戸外で一時間散歩している」と言っている。

歩行速度は時速約五キロメートルだから、典型的な「歩行都市」の範囲は直径約五キロメートルで、これは約二〇平方キロメートルにあたる。マルケッティは、「ローマ、あるいはペルセポリスなど一八〇〇年までの古代大都市の城壁で、直径五キロメートル、あるいは半径二・五キロメートル以上のものは存在しない。いまだに歩行都市である現在のヴェネチアでさえ、結合した中心街の最大規模はちょうど五キロメートルだ」と言っている。馬車鉄道、乗合馬車、電車、蒸気機関車、そして最終的に自動車の導入によって、都市サイズの拡大が可能になったが、マルケッティによれば、それは一時間ルールによって制限されているという。自動車なら時速四〇キロメートルで移動できるから、都市、そしてより一般的に大都市圏は直径四〇キロメートルまで拡大可能で、これが通常大都市の大半の管轄領域となっている。これは約一二へクタールに相当し、歩行都市の五〇倍以上だ。

古代ローマ、中世の町、ギリシャの村落、あるいは二〇世紀のニューヨークなどどこに住んでいようと、共同体の構成員が毎日移動に使う約一時間という驚くべき不変数は、最初に発見したのがザハヴィだったにもかかわらず、マルケッティ定数として知られるようになった。おおよその目安として、それが都市設計や構造に重要な意味を持つのは明らかだ。都市計画者が自動車のない環境優先コミュニティを設計し始め、都心から自動車を締め出す都市が増えるにつれ、マルケッティ定数による制限は、都市機能を維持するために考慮すべき重要事項となる。

4．加速する歩行のペース

ザハヴィとマルケッティは、歩行、あるいは自動車など任意の移動手段について、移動速度は都市サイズによって変わったりはしないと仮定した。先ほど見たように、マルケッティは住民の主要移動形式が歩行である都市のおおよそのサイズを、平均時速五キロメートルと想定して見積もった。だが多様な移動手段を持つ大都市では、個人が効率よく群衆の一員となって、社会ネットワーク力学が作用する人通りの多い場所で歩行は行われる。私たちは、無意識下で他人の存在に影響を受け、加速するライフ・ペースに染まって、無意識のうちに店、劇場へ、あるいは友人と会うために急いでいる自分に気づくことになる。小さな町や都市では歩行用道路が混むことはほとんどなく、一般的なライフ・ペースはかなりゆったりしている。ここから歩行速度は都市サイズに応じて加速しそうだし、それが一五パーセント則に従っているのではと憶測したくなる。なぜなら加速の基本メカニズムは、一部は社会相互作用によって動かされているからだ。

おもしろいことに、データを見ると、歩行速度は都市サイズに対して、本当におおむねべき乗則で

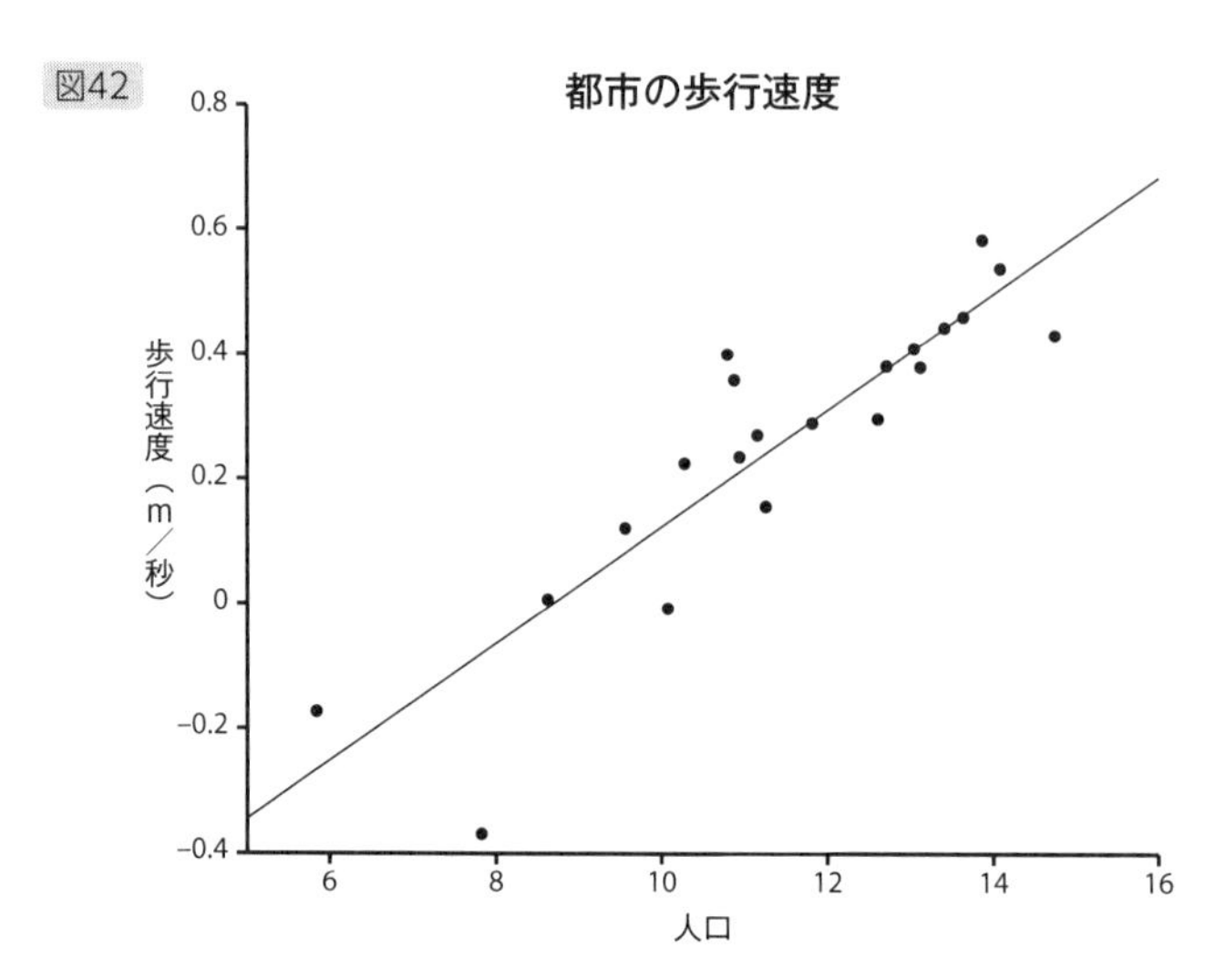

図42　ヨーロッパ各都市の平均歩行速度スケーリング。

加速しているが、その指数は標準的な〇・一五より少し小さく、〇・一〇に近い（図42参照）。これはモデルが単純すぎることと、社会相互作用がこのお茶目な影響の部分的原因でしかないことを鑑（かんが）みれば、驚くにはあたらない。データによると、興味深いことに平均歩行速度は人口わずか数千人の小さな町から、平均歩行速度が時速六・五キロメートルの人口一〇〇万人を超える都市までは、ほぼ指数二で加速している。この飽和状態、すなわちかなり大きな都市でも歩行速度が目立って大きくならないのは、人間が快適に速く歩くことに対する生物的制約に原因がある可能性が非常に高い。

　この隠れた力学の思いも寄らない表現の一つが、イギリスの都市リバプールに最近導入された歩行者用追い越しレーン

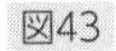
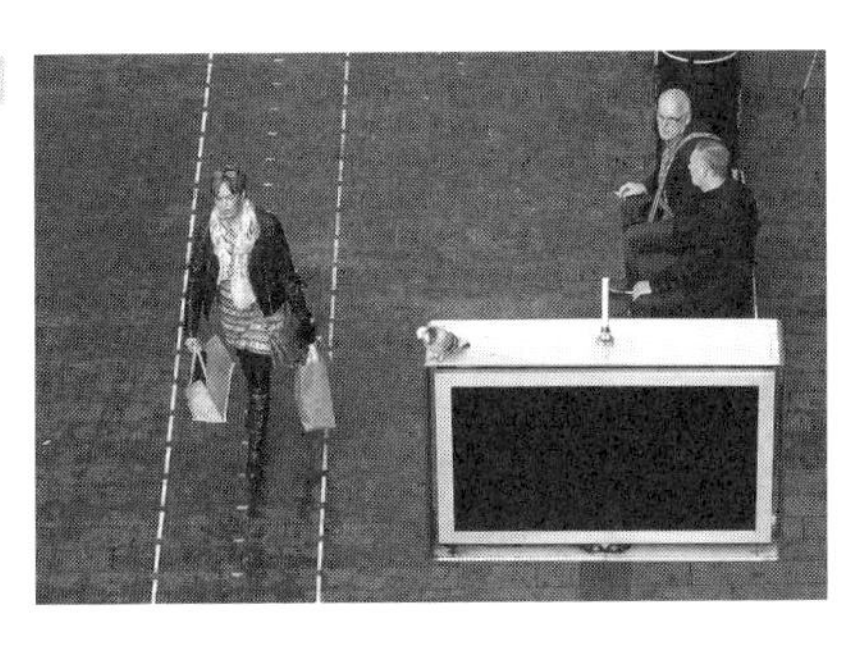

図43　イギリス、リバプールの歩行者用追い越しレーン。

だ。遅い歩行者に苛だつ人があまりに増えたため、市は歩行者用追い越しレーンを導入したようだ（図43）。写真には驚くべきライフ・ペースの加速を表す次のような説明文が添えられている。「調査対象の半数の人々が、他の歩行者によって〝遅い〟歩行ペースを強いられるために、都心でのショッピングを控えている」。これによって、世界中の都市からリバプールに関心が集まり、多くがその顰みに倣おうとしているので、大都市の中心街でこの興味深い現象にもっとお目にかかるはずだ。

5．ひとりぼっちじゃない——人間行動検出器としての携帯電話

高度につながりあう二一世紀世界の最も革命的な表れが、携帯電話の途方もない普及だ。インターネットと組み合わさった、安価で高機能なスマートフォンへの容易なアクセスは、ライフ・ペースの加速と時間短縮に大きく貢献してきた。ツイッター、SNS、Eメールという形で瞬時に伝搬される短文が、念入りに書かれたかつての手紙や、親密な面と向かった会話は言うに及ばず、何と従来の電話コミュニケーションさえ駆逐してしまった。この驚くべきイノベ

ーションの意味と、意図せぬ影響については後で再び論じるが、ここでは主に科学の小さな片隅に大変革をもたらし始めた、携帯電話のほとんど正当に評価されていない側面に焦点を絞りたい。

ご自分のプロバイダーがあなたのすべての通話やSNSについて、いつ、どのくらいの時間、どこから、どこにいる誰と話し、誰にメッセを送ったか……そして場合によっては高い確率で会話の内容をも記録していることは、おそらくご存じだろう。これは莫大な量のデータで、今日ほとんど全員がこういったデバイスを使用しているがゆえに、原理的には社会相互作用とモビリティに関する空前の詳細な情報を与えてくれる。今や地球人口よりも多い携帯電話が使われている。アメリカだけでも、毎年一兆回以上の通話が行われ、人は平均で通常三時間以上自分の携帯電話を見ている。世界中でトイレに行く回数の二倍ほど携帯電話を触っている——これが人々の優先順位について物語ることは実に興味深い。

これは最貧諸国にさえ大きな恩恵をもたらした。既存のテクノロジーをいっきに飛び越えて、固定通信回線の設置と維持にかかる莫大な費用に比べ、ごくわずかなコストしかかからない、二一世紀のコミュニケーション・インフラをすぐに採用できたからだ。固定回線の大半は、モバイル技術のサービスエリアのスケールに太刀打ちできなかった。携帯電話使用の割合が最も高いのが、発展途上諸国なのも驚くにあたらない。

だから携帯電話の膨大なデータセットの分析は、社会ネットワークと、人と場所との空間関係、そしてその延長として都市の構造と力学について、新たに検証可能な定量的洞察を与えてくれる可能性を持つ。この携帯電話などのＩＴ機器がもたらした意外な影響は、これで私たちの抱えるすべての問題が解決できるという少しばかり過大な展望と共に、ビッグデータとスマートシティの時代の始まりを告げた。これは都市インフラだけにとどまらなかった。そうした展望は健康と公害から犯罪や娯楽まで、生活のあらゆる様相に及んだ。これは私たち自身が、モバイル機器、モビリティ、健康記録などを通じ、意図せず生み出した膨大なデータの利用に基づく、「スマート」産業の急速な勃興の一側面でしかない。確かに、この発展途上のパラダイムは強力な新ツールを与えてくれた。良識を持って利用すれば、企業や起業家たちがさらに多くの富を創る新手段となるだけでなく、有益な結果をもたらすことはまちがいない。だが後で私は何よりもこのアプローチのおめでたさと危険性に対して、強い警告を発するつもりだ。[*4]

ここでは都市理解のための理論的枠組みの出現による予測と結果を科学的に検証するための、携帯電話データの活用方法に専念したい。都市、さらに社会システムが複雑な適応システムであるという事実と同時に、社会科学における定量的に検証可能な理論開発の以前からの障害のひとつが、信頼性のあるデータの大量入手と対照実験の難しさにあったことは明らかだ。物理学と生物学が今のような素晴らしい進歩を遂げたのは、提案された仮説、理論、モデルからの、ある明確に定義された予測と結果を検証するために、研究対象のシステムを操作改変できたという理由が明らかに大きい。

最近ヒッグス粒子を発見したジュネーブの大型ハドロン衝突型加速器のような、巨大粒子加速器は、こうした人工的に制御した実験の典型的な例だ。粒子間の超高エネルギー衝突による多くの実験分析の結果を、高度な数学理論と組み合わせることで、物理学者は長年にわたって物質の基本的な原子構成要素の特性を発見、測定し、さらにそれらの相互作用力もつきとめた。これによって二〇世紀最大の業績の一つである、素粒子標準モデルが開発された。これは電気、磁力、ニュートンの運動法則、アインシュタインの相対性理論、量子力学、電子、光子、クォーク、グルーオン、陽子、中性子、ヒッグス粒子など多くを含む、私たちを取り巻く世界の驚異的な領域を、一元化した数学的枠組みに取り込んで、統合し、説明する。その枠組みの詳しい予測は、一連の現在進行中の実験検査によってしっかりと検証されてきた。

同じくらい注目に値するのが、そのような実験によって精査されたエネルギーと距離が、ビッグバン以降の宇宙の進化を左右した現象を明らかにしたことだ。これらの実験では、宇宙の始まりの文字通り最後に起こる事象を人工的に再現する。その結果から得た理論的枠組みは、星雲がどうやって形成され、なぜ天体はそう見えるのかということに対して、信頼できる定量的理解を与えてくれた。天体や宇宙に対して直接実験ができないのは明らかだ――それらは現状に甘んじるしかなく、一回限りの事象で、実験室の実験のようには繰り返せない。観測するしかない。地質学、それを言うなら社会科学のように、天文学でも理論は起こるべくして起こったことを、理論の方程式や物語に従って、それを検証できる適切な場面を探し、事後的に説明することでしか検証できない。その意味で天文学は歴史科学だ。これはまさにニュートンがケプラーの惑星運動の法則から、重力と運動の法則を導き出したときの方法だ。それは、世界の物体の動きを説明するために開発された。彼は宇宙そのもので直接実験はできなかったが、運動についての予測をケプラーの観察や計測値と比較して、正しいか確認した。これまで数百年のあいだ、このやり方は天文学と地質学の両方で、めざましい成功を収めてきた。おかげで宇宙と地球の成り立ちについて理解していると確信している。このような歴史科学の場合、精緻な観察結果を、代用的な状況での従来型の適切な実験とうまく融合させることで、成功が導き出される。

社会システムでも、いろいろな困難は明らかながら、社会科学者たちは仮説を引き出して検証するために、ひときわ豊かな想像力で同じような定量的実験を考案したし、実際それで社会の構造と動態の本質を見抜いてきた。その多くは様々な問題についてのアンケート調査と回答によるもので、被験者と接触する実験チームの役割から生じる制約をどうしても受ける。結果的に、十分広い範囲の人々と社会状況については、比較的小さなサンプリング以上のデータを入手するのが非常に困難で、結果と結論の信頼性と普遍性という問題が生じかねない。

携帯電話や、フェイスブックやツイッターといったソーシャルメディアからのデータが、社会的行動の調査で持つ利点は、これらの問題を大きく軽減できるということだ。そういったデータの利用には、独自の嫌な問題が出てくるのは確かだ。携帯電話使用者は全人口をどのくらい代表しているか、携帯電話通話は社会相互作用をどの程度代表しているのか？　これらの問題には議論の余地があるが、こうした形のコミュニケーションが今や社会行動の支配的特徴なのは明らかだし、だからそれは私たちがどのように、どこで、いつ相互作用しあっているのかを明らかにする、定量的な手段を与えてくれるのだ。

6．理論の検査と検証：都市の社会接続性

カルロ・ラッティはイタリア人建築家、デザイナーで、MIT建築学科でセンシャブル都市ラボという人気を呼びそうな名のチームを率いている。私が初めてカルロに会ったのは、ミュンヘンで年に一度開催されるDLD会議の同じ企画に参加したときだった。これはTEDのようなものを目指しているが、アートとデザインを重視して範囲を絞っている。TEDや世界経済フォーラムのダボス会議と同様に、基本的に人脈形成のための数日にわたるカクテルパーティで、「ここにしかない」という雰囲気の濃密なトークプログラムを繰り広げて、未来文化、ハイテク商取引、「イノベーション」のイメージを打ち出そうとしている。興味深い、影響力さえ持った多様な人々が参加し、時には本質を捉えた素晴らしい洞察を持つ発表もあるが、それが無内容で皮相的な戯言を見事なパワポにくるんだだけの、大量のプレゼンテーションに埋もれている。今の世の中はそういうもので、この手の偉そうなイベントはたくさんある。それらには欠点もあるが、分野を横断して、実業家、起業家、科学技術者、アーティスト、作家、メディア、政治家そして場合によっては科学者を、新しい革新的な、時として突拍子もなく挑発的なアイデアに触れさせ、そしてもちろん他のそういった人々との接触をもたらすという重要な役割も確かに果たす――これは空間と時間は縮小されているが、都市と少し似ている。ちなみにTED同様に、頭文字DLDが何の略か覚えている人はまずいない。確か、二つのDはどっちも「デザイン」のDだったはず。頭文字表記もまた世の中の流れ、ライフ・ペースの加速の表れの一つだ。2M2H。LOL。

カルロは科学者ではないが、都市理解への科学的視点導入に夢中で、携帯電話データが理論を検証し、都市力学の様々な面を研究する素晴らしい手法だと、何とか私に納得させようと努めた。私は懐疑的だった。その主な理由は携帯電話の利用が、社会の相互作用と流動性を測定するための信頼できる代用手段として認められるほど、十分広範囲、多様、かつ代表的とは思えなかったからだ。だがカルロは簡単に諦める人物ではなかった。私は桁外れな増大を見せる携帯電話使用の統計に、次第に注意を払い始めた。とりわけ発展途上国では、人口の九〇パーセントもが携帯電話を利用しており、私はカルロや同様の主張をしている人々が正しいことをだんだん認めるようになった。多くの研究者がこの新たな情報源を利用し始め、その多くがネットワーク構造と力学の調査、そして疫病や考えの拡散といったプロセスへの洞察を得るためにこれを利用していた。

私たちのスケーリング研究に触発されて、カルロは数人の若い優秀な物理学者や科学技術者を雇って携帯電話データの活用を追求し、サンタフェ研のルイス・ベッテンコートと私と共に、理論の基本予測の一つを検証するための共同研究に着手した。都市スケーリングの最も興味深い様相の一つは、その普遍的性質にある。これまで見てきたように、所得や特許数から犯罪、疾病発生率まで一見無関係に見える社会経済的量は、都市サイズに応じておおむね同じ指数一・一五で超線形的にスケールする。様々な都市、都市システム、指標に共通するこの驚くべき特徴が、人々の相互作用の度合いを反映し、その起源が社会ネットワークに共通する普遍的構造にあることを前章で論じた。世界中の人々は歴史、文化、地理にかかわらず、非常によく似た行動をとる。だから手の込んだ数学理論を使わなくても、この考えを元にすれば、都市の人々の相互作用の数は、どの都市システムでもすべての多様な社会経済的量が明確に指数約一・一五で超線形的にスケールするのと同じように、都市サイズに応じてスケールすると予測できる。つまり都市サイズが二倍になるごとに、賃金や特許数、あるいは犯罪や疾病など、社会経済活動が系統的に一五パーセントずつ増加するのは、予測される人々の相互作用の一五パーセント増加に伴うものであるはずだ。

では人々の相互作用の数をどうやって測ればよいのだろうか？　従来の方法は紙の調査に頼っていたが、これには手間暇がかかりすぎ、必然的に範囲が限られているので、標本抽出バイアスは避けられない。たとえこれらの問題を克服できたとしても、数百もの都市からなる都市システムすべてでそのような調査を行うのはとんでもない作業で、おそらく実現不可能だ。一方で、最近になって携帯電話ネットワークから自動的に収集した、世界の人口を代表する大きな割合をカバーする、大規模データセットが入手可能になったことで、すべての都市の社会力学と組織を系統的に研究するための、空前の可能性が開けた。幸運なことに、私たちのＭＩＴの同僚たちはすでに、数十億の匿名化された通話記録（通話者の氏名や電話番号はわからないことを意味する）からなる、そうした大データセットにアクセスしていた。当然、そこには単なる一度限りの通話も含まれていたので、一定期間中に二人の通話者のあいだで、折返しコールのあった通話のみカウントした。これにより、通話者間の総相互作用数、総通話数、各都市内の総通話時間が抽出された。[*5]

私たちの分析は二つの独立したデータセットに基づいている。ポルトガルの携帯電話データと、イギリスの固定回線データだ。結果を図44〜46に示した。都市内の人々の一定期間内の交流総数を、その都市の人口サイズに対して対数目盛で示した。ご覧の通り、どちらのデータセットも標準的な直線を見せ、どちらも予測通り一・一五に非常に近い同じ指数のべき乗スケーリングを示していて、仮説と見事に一致している。一目でわかるように、都市の社会経済的スケーリングの普遍性を示す第７章

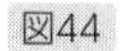

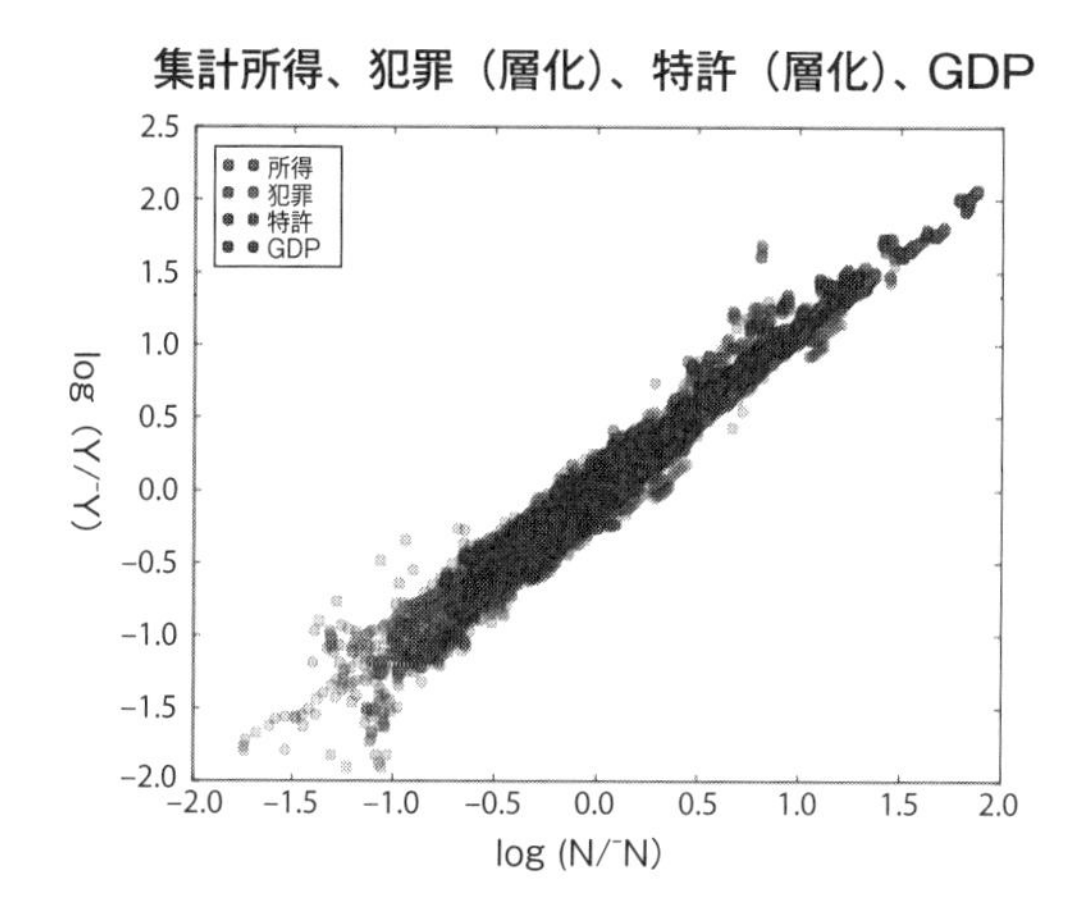

図44　図34 - 38の4つの都市指標——所得、犯罪、特許、GDP——を再スケールして、それらが指数約1.15でスケールするのを示したもの。

図45

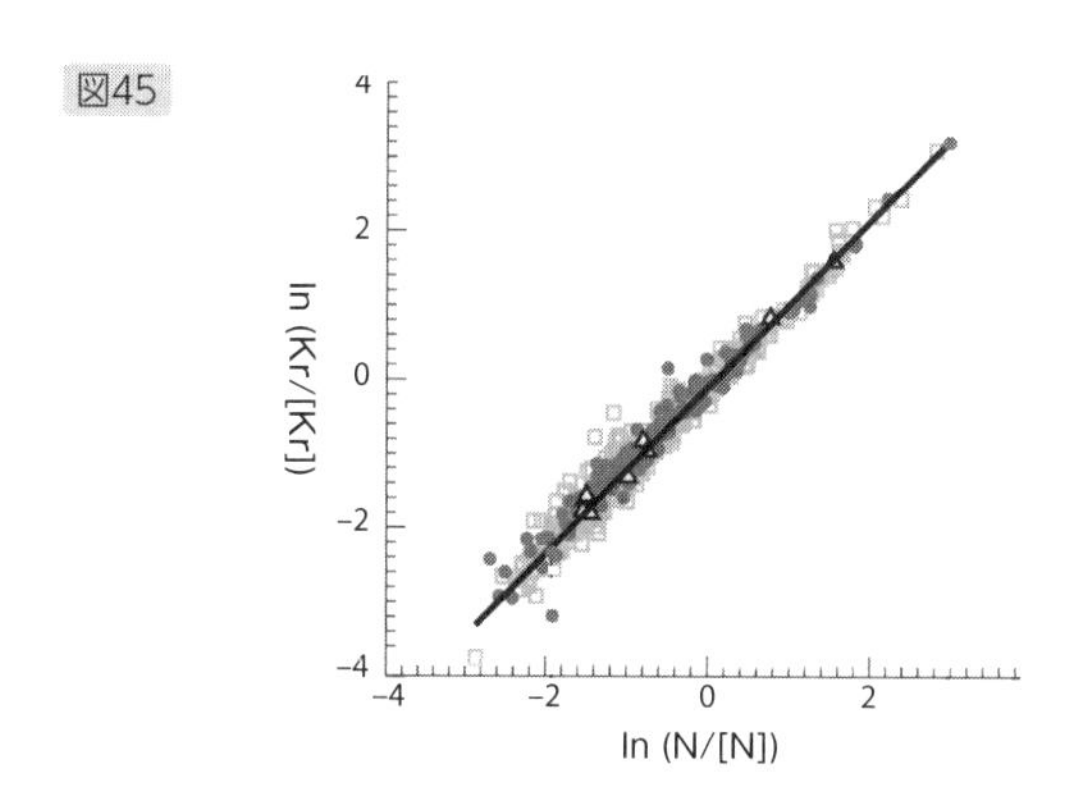

図45　人々の接続性を、ポルトガルとイギリスの都市全体の個人間相互通話数で測定したものは、理論による予測通り、他の都市指標とほぼ同じ指数を示している。

図46

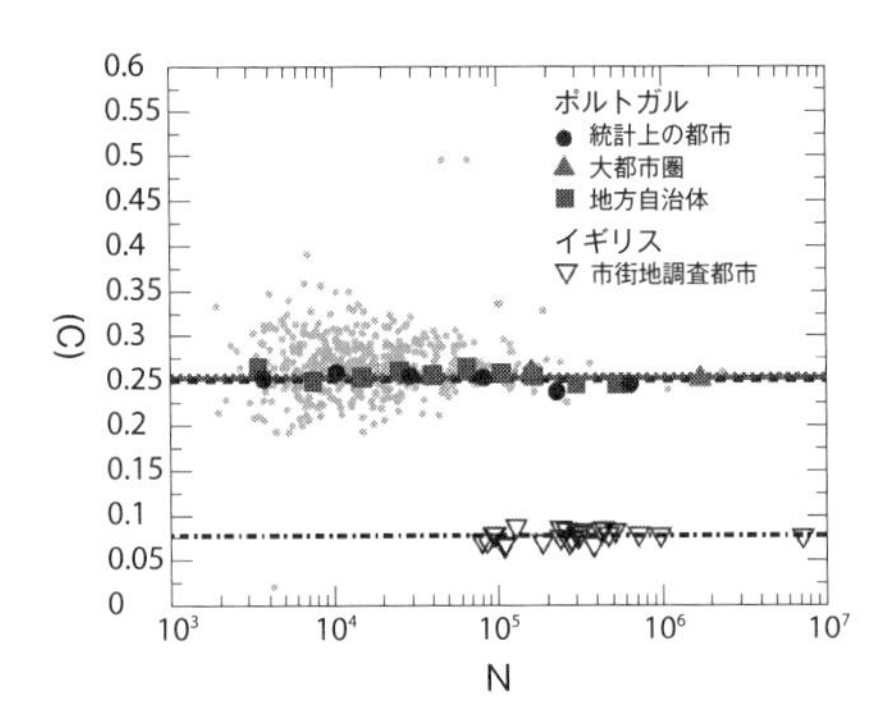

図46　個人の友人からなるモジュール集団のサイズは、都市サイズにかかわらずほぼ同じ。

の図34～38に基づく複合グラフを並置した。これらのまったくちがう指標のサブセット――GDP、所得、特許産出、犯罪――を同じグラフに描いて、どれも適切に再スケールすれば、同じようにスケールしていることがわかるのを示した。

この結果は、社会相互作用が確かに都市特性の普遍的スケーリングの根底にあることを裏付ける、文句なしの確証だ。さらなる確証は、人々が通話の相互作用に費やす時間の総計と全通話の総数が、やはり都市サイズに応じて系統的にスケールするということだ。これらの結果は、ライフ・ペースの加速が、都市サイズ増大に伴う社会ネットワークにおける接続性増大と、正のフィードバック増強によって生じることも立証している。例えばポルトガルでデータが収集された一五ヵ月を通じて、人口五六万人のリスボンの平均的住民は、人口わずか四二〇〇人の地方の小さな町リクサの平均的住民の約二倍の時間を相互通話に費やしている。さらに一回限りの返信のない通話数を分析に含めると、スケーリング指数は系統的に増える。つまり商品宣伝や政治勧誘といった、個別の勧誘通話数も都市の大きさに比例して増えるということだ。大都市の生活は、ますますくだらない無意味さに遭遇することも含めて、小さな町よりすべての面で高速で激しいのだ。

実際は、すべてとは言えない。個人接触相手——友人たち——の中で、相互に友人となっている人がどのくらいいるか調査してみると、その答えはまったく意外なものだった。一般に個人の社会ネットワーク全体は、親密な家族、友人、同僚から、車の整備士や便利屋といった比較的離れたゆるい関係まで、非常に多様な人々のグループに及んでいる。これらのなかに互いに知り合いで関わり合っている人も多いが、大半はそうでもない。例えば、あなたが自分の母親と、最も仲のよい仕事の同僚の、いずれとも親密な関係を持っていても、年老いた親愛なるご母堂はその同僚と話したことがないだけでなく、その存在すらろくに知らないかもしれない。ある人のすべての社会ネットワーク——全接触相手の総和——のなかで互いに話したことがあるのは何人？　このサブセットがその人の「拡大家族」と社会モジュールのサイズを決める。大都市では、他人へのアクセスもずっと増えるから、拡大家族もやはりそれ相応に大きくなり、他の社会経済的計量とまったく同じように超線形的にスケールしそうなものだ。私もそう考えた。だが大変驚いたことにデータによるとまったく逆で、これはまったくスケールしない。互いに関係を持つ個人の知人のモジュール集団はおおむね不変だ——都市規模による変動がない。平均的個人の「拡大家族」のサイズは、例えば人口五〇万人以上のリスボンでも、人口が五〇〇〇人にも満たない小さな町リクサより特に多くはない。大都市でも私たちは小さな町や村と同じく、堅く編み込まれた集団の中で暮らしている。これは第7章で話したダンバー数不変と少し似ており、たぶん同じく大集団のなかでの社会情報処理にうまく対応するための、人間の神経構造進化をめぐる基本的な何かを反映しているのだろう。

だが同じモジュール集団でも、大都市と村とでは大きな質的ちがいがある。現実の村では人々はその小さなサイズに起因する、純粋な近接性によって与えられたコミュニティに限定されているが、都市ではより大きな人口が可能にする、段ちがいに大きな機会と多様性を活かして、自分の「ムラ」を選択し、興味、職業、民族、性的嗜好といった面で自分と似た人々を捜し出す余地がずっと大きい。生の様々な面をめぐる多様性が与えてくれる、この自由な感覚は都市生活の大きな魅力の一つであり、世界規模の都市化が急速に進んだ大きな貢献要素の一つだ。

7. 都市における移動の極度に規則的な構造

都市の途方もない多様性と多次元性は、都市とは何かについての特定の側面を描き出すため、多くのイメージと比喩を生み出してきた。歩行都市、テクノ都市、グリーン都市、エコ都市、田園都市、脱工業化都市、持続可能都市、復元力都市……そしてもちろんスマートシティも。この手のものは無数にある。どれも都市の重要な特質を表してはいるが、シェークスピアの「人々なくして何の都市か？」という修辞学的問いに込められた本質的特徴を捉えているものはない。都市のイメージと比喩のほとんどが、その物理的足跡を持ち出し、社会相互作用の果たす中心的役割を無視する傾向がある。この重要な要素は釜、るつぼ、ミキシングボウル、あるいは反応炉としての都市といった、別の種類の比喩で表される。そこでは社会相互作用の攪拌が触媒となって社会、経済活動を促進する。人々の都市、共同体都市、文化人類都市だ。

その中で人々が絶えず攪拌、融合、扇動されている大きな桶という都市のイメージは、世界のどんな大都市でも直感的に感じられる。それは都心や商業地区における人々の絶え間ない、時として狂乱的でさえある、気体や液体中の分子に非常に似たほぼ無作為に見える動きに最も顕著だ。分子衝突と科学反応がもたらす温度、圧力、色、匂いといった、大部分の気体、あるいは液体の特性とまったく同じように、都市の特性も人々の社会的衝突や化学反応から生まれる。

比喩は便利だが時として誤解を招くことがあり、これもそういった例の一つだ。見かけに反して都市の人々の動きは、気体中の分子や原子炉の中の素粒子のようなランダムな動きとは似ても似つかない。むしろ圧倒的に系統的で指向性がある。軌跡がランダムなものはごくわずかだ。移動手段が何であろうと、ほぼすべてが特定の場所から別の場所への意図的移動だ。その大半が家から仕事、店、学校、あるいは映画館などへの移動……そしてその逆の復路だ。さらに移動者の大半は、最短時間で最短距離の最速ルートを求めている。理想的には、これはみんな直線に沿って移動したがることになるが、明らかな都市の物理的制約を考えればこれは不可能だ。蛇行する道や鉄道をたどるしかないので、一般的にどんな空間移動もジグザグのルートがつきものだ。だが大ざっぱなレンズを通して、すべての人々のすべての移動を十分長い時間で平均して大きなスケールで見ると、特定の二点間の推奨ルートは直線に近くなる。つまり平均的な人々は実質的に、ハブの役割を果たす特定の目的地を中心にした円のスポークに沿って、半径状に移動しているということだ。

この仮定から都市の人々について、とても単純だが、非常に強力な数学的結果を導き出せる。都市内の場所について考えてみよう。これは繁華街や街路、ショッピングモール、商業区域といった「中心地」でもいいし、どこかの住宅地域でもかまわない。数学定理は、この場所をどのくらい遠くから何人の人が何回訪れるかを予測する。もっと具体的に言うなら、それは**移動距離と訪れる頻度の両方の二乗に反比例してスケールする**。

本書でずっと論じてきたように、数学的には逆二乗の法則は、単純なべき乗則スケーリングの一種でしかない。その意味で都市内移動の予測を、特定の場所に移動する人の数は、移動距離と訪問頻度の両方に指数マイナス2のべき乗則でスケールすると言い直せる。だから移動する人の数を、訪問頻度一定として移動距離に対して、あるいはその逆に移動距離を一定として訪問頻度に対して対数表示で描くと、いずれの場合も傾きマイナス2の直線になる(マイナスの傾きは単に直線が右肩下がりという意味だ)。あらゆるスケーリング則同様に、ここでは日々の変動、あるいは平日と週末の差をならすために六ヵ月、あるいは一年といった十分長い期間の平均を想定している。

図47を見ればすぐわかるように、これらの予測はデータによって見事に裏付けられている。観測されたスケーリングはきわめてバラツキが少なく、しかも傾きは予測されたマイナス2と驚異的に一致している。とりわけ見事なのは、予測された同じ逆二乗の法則がまったくちがう文化、地理、発展段階の世界中の様々な都市で見られることだ。同一の性質は北アメリカ(ボストン)、アジア(シンガポール)、ヨーロッパ(リスボン)、アフリカ(ドーハ)のどこでも見られる。さらにこれらそれぞれの都市地域をもっと細かい場所に分解しても、同じ逆二乗の法則がこれらの都市内部でも表れている。

例として図48、49にボストンとシンガポールのそれぞれで、市内の様々な場所をサンプリングして示した。

理論の仕組みを示すために、単純な例を一つ挙げよう。四キロメートル離れたところから一ヵ月で平均一六〇〇人の人々がボストンのパーク・ストリート付近を訪れたとしよう。同じ頻度で二倍の八キロメートル離れたところからそこを訪れる人は何人いるだろう？　逆二乗の法則によると1/4 $(=1/2)^2$ すなわちパーク・ストリートを八キロメートル離れたところから月に一度訪れる人はわずか四〇〇人（1/4 × 1,600）しかいない。では五倍離れた二〇キロメートルなら？　答えは1/25 $(=1/5)^2$ 月に一度訪れるのは、わずか六四人（1/25 × 1,600）しかいない。これでわかっただろう。だがこれだけではない。同様に、訪問頻度を変えたらどうなるだろう。例えば、四キロメートル離れた場所から、パーク・ストリートを今度はもっと頻繁に、月に二度訪れる人が何人いるか知りたいとする。これもまた逆二乗の法則に従って、その数は1/4 $(=1/2)^2$ 倍、すなわち四〇〇人だ。同様に、もしも同じ距離離れたところから今度は五回訪れる人の数が知りたいなら、その答えは六四人（1/25 × 1,600）になる。

これはパーク・ストリートを五倍遠い（二〇キロメートル）ところから月に一度訪れる人の数と同じだ。よって、四キロメートル離れたところから月に五度訪れる人の数は、五倍遠い（二〇キロメートル）ところから月に一度訪れる人の数と同じ（この例の場合、いずれも六四人）になる。この結果は、私が説明のために選んだ具体的な数によるのではない。それは移動の驚くべき一般対称性の一例だ。**特定の場所への移動距離と訪問頻度の積が同じなら、訪問する人の数も同じだ。**さっきの例だと、最初の場合は四キロメートル×月五回＝二〇、二番目なら二〇キロメートル×月一回＝二〇となる。この不変性は都市のどんなエリアへの移動距離、訪問頻度にも当てはまる。これらの予測はデータが実証しており、図48、49の様々なグラフにも表れている。そこでは移動時間と頻度の積が同じなら、訪問パターンが変わらないことがはっきり見てとれる。

　都市における移動と輸送の途方もない複雑さと多様性を考えると、この予測がいかに驚くべき予想外のことかを強調したい。ニューヨーク、ロンドン、デリー、あるいはサンパウロといった都市における人々のカオスにも見えるランダムで多様な移動と流動性を考えるとき、隠された秩序と規則性についての単純すぎる図式はどうしても、あり得そうもないバカげた話に思えてしまう。各個人のある場所への最適化ルートによる往復移動のランダムな決定は、たとえそれが歩行、地下鉄、バス、自家用車、あるいはそれらすべてによるものであろうと、台所の蛇口をひねったとき、無数の個々の分子のランダムな動きがなめらかで揃った流れをもたらすように、一貫した集団的流れになると予測されているのだ。

　以前説明したように、携帯電話データは人が誰と何分通話したかだけでなく、どこで、いつ通話したかという詳細な情報も提供してくれる。実のところみんな、いつでも居場所を追尾し続けているデバイスを持ち歩いているのだ。それはまるで、室内のすべての分子にタグをつけて、位置、速度、誰とぶつかったか等々がわかるようなものだ。小部屋でも1兆×1兆×1万$(10)^{28}$個以上の分子があるため、これはビッグデータの親玉のような代物となる。だが実際にはこの情報は使い勝手が良くない。とりわけ平衡状態にある気体についてはそうだ――データが必要以上に得られてしまう。統計物理学

図47

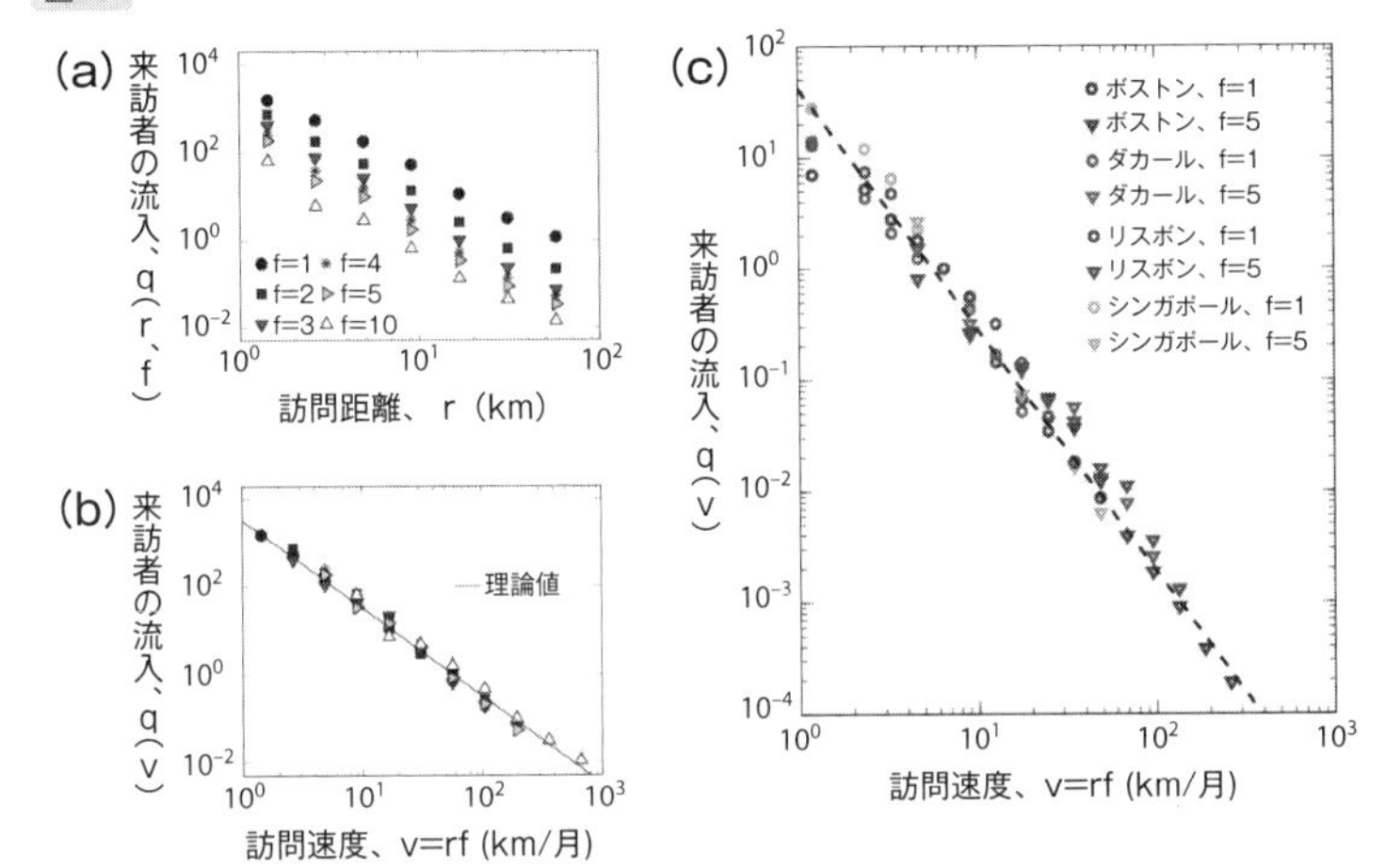

図47 (a) ボストンにおいて、様々な距離から特定の場所に移動してくる人々の流れを様々な固定頻度（月 f 回）ごとに示したものは逆比例に一致する。
(b) データは（a）と同じだが、異なる頻度と距離のすべてが、単一の変数である頻度に距離を掛けたものに対してグラフ化すると単一直線になる。
(c) （b）と同様に来訪者変動が世界中のまったく異なる都市で、予想通り同一の逆二乗の法則に従うことを示している。

と熱力学の強力な技法の発達で、温度、圧力、相転移など、気体の巨視的特性を、個別分子の運動のぐちゃぐちゃした詳細を知らなくても、理解、説明できるようになった。一方都市については、そのような情報には非常に価値がある。なぜならそこでの分子に相当するのが私たち自身だからというだけでなく、気体とちがって都市はエネルギーと情報の両方を交換しあう入り組んだネットワーク構造を持った、複雑な適応システムだからだ。携帯電話データはこれらのネットワークの構造と力学を究明し、理論的予測を定量的に検証する強力なツールとなる。

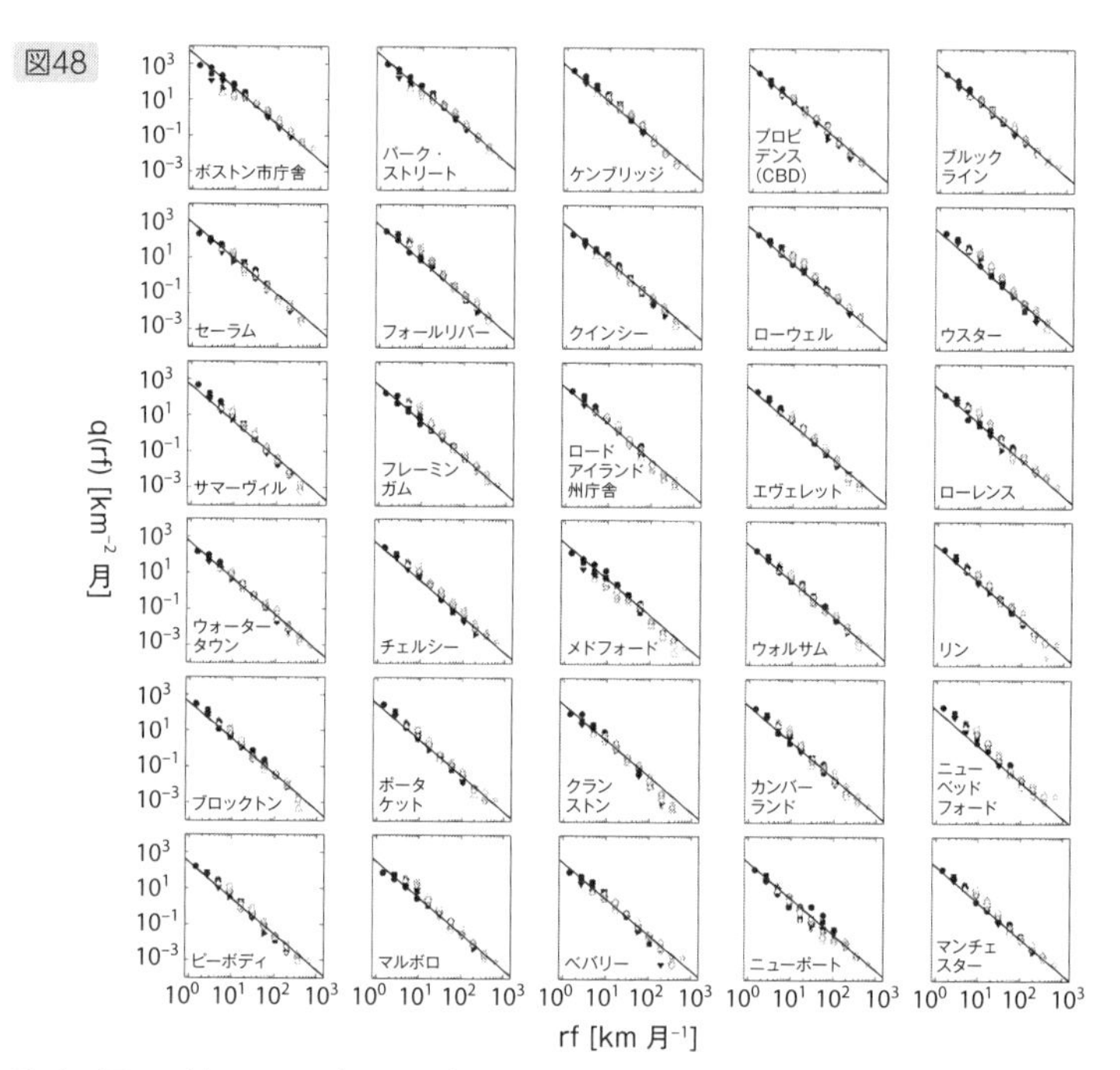

図48　図47（c）と同じグラフだが、場所はボストンの複数の地点。

これは、計画と開発のための強力なツールになれる。都市の個別地域への人々の出入りを見積もる枠組みを与えてくれるからだ。新しいショッピングモール建設、あるいは新たな住宅開発には、十分かつ効率的な輸送ニーズを満たすために、正確な、あるいは少なくとも筋の通った交通と人々の流れの見積もりが必要だ。この大半はコンピュータモデルを利用して行われており、確かに非常に有用だが、シミュレーションは大きな統合された都市の系統的動態を無視して特定の場所に絞られる傾向があり、またほとんど基本的原理に基づいたものではない。

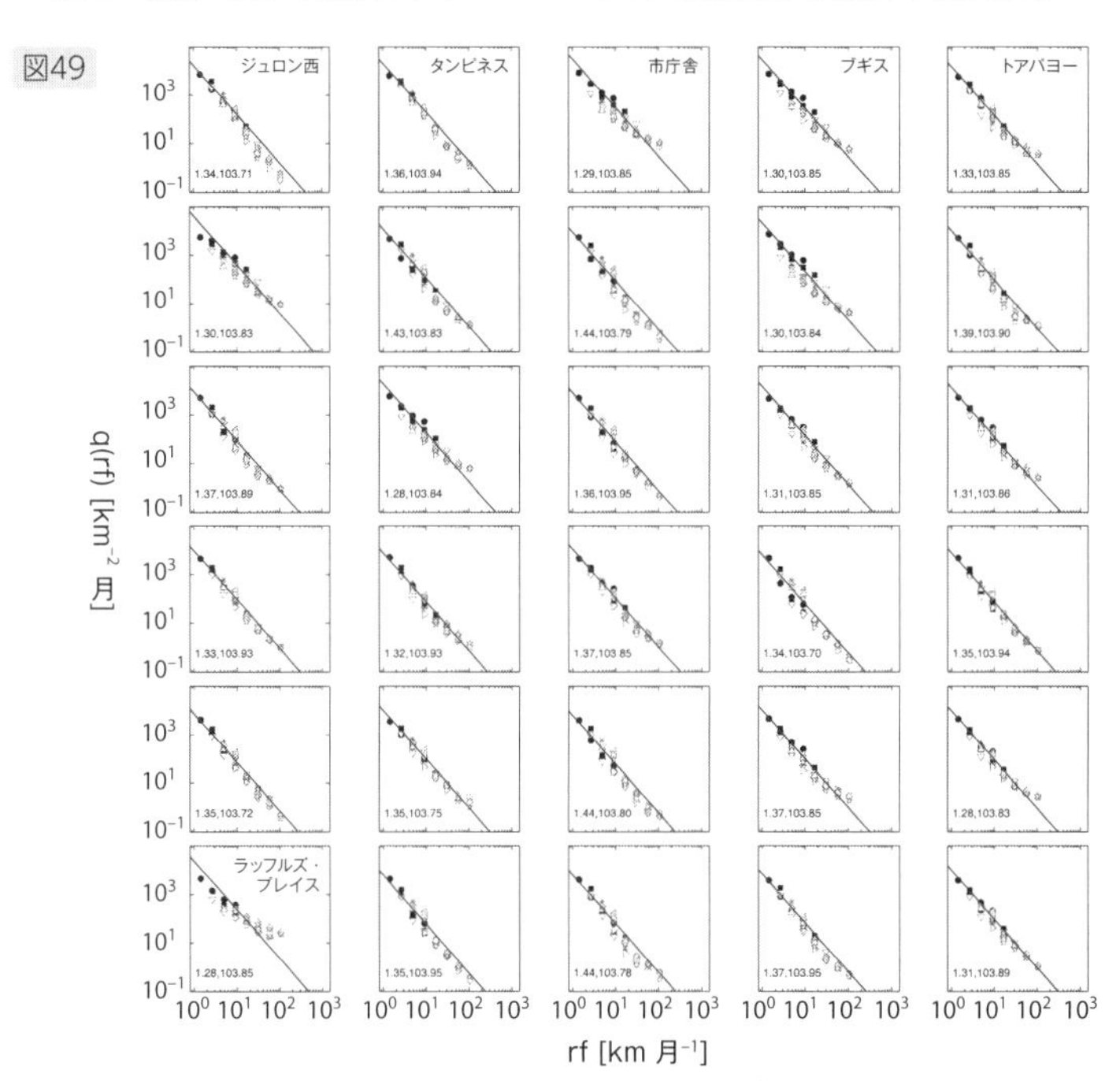

図49　同様にシンガポールの各地点：理論では直線になると予測している。

理論検証に使われた大量の携帯電話通話のデータセットは、スイス人エンジニア、マルクス・シュレイパーと、彼と共同研究したハンガリー人物理学者ミヒャエル・スゼルによって首尾よくもたらされた。将来を嘱望された若きポスドクである二人はMITでカルロ・ラッティに雇われていたが、二〇一三年にサンタフェ研で私たちに加わり、この共同研究を開始した。彼が研究中の多くのプロジェクトのなかでも格別興味深いものの一つが、ルイスと行っていた、ビルの高さと容積が都市サイズとどういう関係にあるかという分析だった。マルクスはその後、故郷であるチューリッヒのＥＴＨに移って、未来都市ラボと呼ばれる大共同プログラムに携わっている。これはシンガポールを本拠にしたプロジェクトで、現地政府の支援を受けている。

8. 優等生と劣等生

サッカーチーム、テニス選手は言うまでもなく、都市、学校、大学、企業、州、あるいは国など何であろうと、みんなランキングには興味を惹かれる。もちろんこの根底には、測定基準とランク付けの方法の選択がある。どんなふうに質問をして、人口のどの部分を標本抽出するかが、調査や世論調査の結果を強力に左右し、それが政治や商業に重大な影響をもたらす。そういったランキングは政府や産業における個人、立案者、政策決定者の意思決定に影響を与え、ますます大きな役割を果たしている。都市や州が、世界や国のレベルで、健康、教育、税、雇用、犯罪についてどんな順位につけているかは、投資家、企業、行楽客によるその地域の認識に大きな影響を与えかねない。

スポーツで常に議論されている問いの一つは、史上最も偉大な選手、あるいはチームはどれかというう、どう見ても客観的には答えられない問いだ。問題は単にどの指標が「偉大さ」の代替として正当かということだけでなく、それがたいてい、まるでちがうものを、多くの場合ちがう期間について比較しているという点だ。これについて第2章で紹介した、重量挙げについての論考に戻って、動物の肢の強さはその体重に対して指数２／３で、線形未満でスケールするという、ガリレオの先駆的考察を思い出してほしい。この予測は図7に示されるように、重量挙げチャンピオンのデータで裏付けられている。私はこのスケーリング曲線を、どの指標を計測すべきかについての基準として見るべきだという考えを導入した。あの図はある体重の理想的な重量挙げチャンピオンがリフトすべき重量を教えてくれる。同様に図1に示した代謝率に関する指数3／4のスケーリング則は、あるサイズの理想的生命体の代謝率はいくつであるか「べき」かを教えてくれる。この場合「理想」とされているのは、第3章で説明したようにエネルギー利用、動態、そしてネットワーク構造の形状に関して「最適化」されたシステムだ。

この枠組みは、科学に基づいた能力測定実施の出発点として利用された。六人のチャンピオンのうち四人が、その体重とスケーリング則による予測で、リフトすべきとされる重さをリフトしていた。一方で、ミドル級が予測よりもより良い成績だったのに対し、ヘビー級は予測よりも低かった。よってヘビー級が誰よりも大きな重さをリフトしても、科学的視点から見ると、彼はすべてのチャンピオンのなかで最も弱く、ミドル級が最強になる。

このようなスケーリングに基づいた定量的な科学的枠組みが発展可能な状況下では、ランキングや様々な競技全般の比較のための、有意義な指標が作れる。重量挙げ、漕艇、ランニングなどの機械的スポーツは、潜在的にこうした手法が使えそうだが、サッカーやバスケットボールといったチーム・スポーツではずっと難しい。だからスケーリングからの逸脱は、個々の能力の原理的測定基準と、重量挙げの場合のように、サイズに比してなぜミドル級が予測以上でヘビー級が予測以下なのかを定量的に調べる出発点になる。

この能力ランキング戦略は、単純にサイズのちがいから起こる大きな変動を取り除くことで、土俵を実質的にならし、各競技者の個々の本質的スキルを明白にする。以下でこの考えを都市に適用するが、その前にそれが重要な計画、開発ツールとして潜在的にどの程度利用可能か示すために、それを都市の力学分析と併せて利用してみよう。

図48、49に示されているように、都市における特定の場所への移動データは、理論による予測と見事に一致している。だがボストンのグラフをよく見ると、空港とアメリカンフットボール・スタジアムという二つの特殊な場所があって、大きくはずれている。両方の場所の特別な役割を考慮すると、まさしく、かたや旅のため、かたやアメフト観戦に行くためと、非常に限定された理由で利用する特定の比較的狭いサブセットの人々を引き寄せているので、さほど意外ではないかもしれない。

空港のデータはそれでも予測値のまわりにかなり固まっているが、最もずれたデータを示しているのは、近距離か、あるいは比較的訪れる頻度が少ない人だ。実はこのサブセットは、空港を利用する人の大多数を占めている。対照的に、遠方から来る人々、あるいは空港をきわめて頻繁に利用する人々は、予測したスケーリング曲線に非常にうまく一致しているが、利用者のなかでは少数派だ。これらの利用パターンの全般的傾向と分散の両面の認識と理解は、空港への、そしてその内部の移動の流れと、それらがどう都市内の移動全体と結びつくかを計画、管理するために明らかに重要だ。

シンガポールには、一つだけそのような外れ値がある。それはラッフルズ・プレイスと呼ばれている、この都市国家の金融地区の中核だ。またここは、大きな交通ハブでもあり、大規模観光地への入り口にもなっている。来訪者数のデータは実際まあまあ上首尾にスケールしているが、指数が予測されたマイナス2と見事に一致しているシンガポールのその他の場所に比べて、指数は大幅に小さい。

さらに、シンガポールの他の地域に比べてスケーリングのまわりの変動がずっと大きい。つまり近場から来るか、来訪頻度が少ない人は予想より少なくて、予想よりもより遠くから来るか、頻繁に来る人が多いと解釈できる。これはおそらく小さな島国で、中核地区であるラッフルズ・プレイスが地理的中心から離れていて、海岸に接しているというシンガポールの特異性に原因があるのかもしれない。

ボストンの空港とスタジアムのように、ラッフルズ・プレイスが都市の他の場所で見られる主要な移動パターンから逸脱していると認識するのは、個別の特殊な場所や都市全体についても、計画、設計、輸送と移動の管理のために重要だ。同じくらい重要なのは、これを全都市システムという文脈で、定量化して理解できるということだ。

9．富、イノベーション、犯罪、回復力の構造：個別性と都市ランキング

都市にどのくらい富、創造性、安全性を期待できるだろう？　どの都市が最も創造的、暴力的か、あるいは富の創造が最もうまいか、どう決めようか？　経済活動、生活費、犯罪率、ＡＩＤＳ症例数、あるいは住民の幸福度で見た都市の順位は？

従来の答えは一人あたり指標をパフォーマンス指標にして、都市を順位付けすることだった。賃金、所得、国民総生産（ＧＤＰ）、犯罪、失業率、イノベーション率、生活費指標、疾病率と死亡率、貧困率に関する公的統計と政策文書のほぼすべてが、世界中の行政機関と国際機関によって、総数と一人あたりの両方の指標としてまとめられている。さらに、よく知られている世界経済フォーラムや

『フォーチュン』、『フォーブス』、『エコノミスト』といった雑誌による、都市パフォーマンスと生活の質の総合指標は、主にそういった指標を単に線形に組み合わせただけだ。[*6]

私たちには、これらの都市特性について定量的なスケーリング曲線があるし、それらの根底にある力学についての理論的枠組みもあるから、パフォーマンスを評価し、都市をランク付けするための科学的根拠の考案をずっとうまくできる。

都市のランキングと比較に必ず利用されている、一人あたりの指標は特にひどいものだ。なぜならそれは、あらゆる都市特性について、人口規模に対して線形にスケールするというのを暗黙のうちにあらゆるベースラインまたは帰無仮説にしているからだ。つまり理想化された都市は、そのすべての市民の活動の線形的な総和にすぎないと仮定し、その最も本質的特性と存在の核心、すなわちそれが非線形的な社会的、組織的相互作用によって集合的に起こったものの凝集だということを無視している。都市は典型的な複雑適応系であり、単に建物、道路、住民、お金といった個々の要素の単純な線形総和を大きく超えた存在だ。これは指数一・〇〇ではなく一・一五の超線形的スケーリング則で表される。この人口サイズ二倍毎に起きる、すべての社会経済活動の約一五パーセント増大は、行政管理者、政治家、計画者、歴史、地理的位置、文化と無関係に起こるものだ。

よってある特定の都市のパフォーマンス評価の際には、人口規模だけで達成されたことに比べて、どれだけ成果を挙げたか見極める必要がある。最強の重量挙げチャンピオンを、肉体強度の理想的スケーリングで予測される能力からの逸脱で決めようという議論と同じように、個々の都市のパフォーマンスはその様々な指標が理想的スケーリング則からどのくらい逸脱しているかで定量化できる。この戦略は都市の組織と力学について、その都市の真に局所的な特徴と、すべての都市に共通する全般的なものとを分けて考える。その結果、同等の都市と比べてどうちがうのか、地元政策が効力を発揮するまでにどんなタイムスケールが関係しているのか、経済発展、犯罪、イノベーションがその都市でどんな関係にあるのか、どのくらいユニークか、そして似たような都市の同類と見ていいのはどの程度かといった、あらゆる都市に関する幾つかの基本的問題に取り組める。

同僚のルイス、ホセ、デビーはそういった分析を、三六〇の大都市統計圏（ＭＳＡ）からなるアメリカの全都市システムの指標すべてについて実施した。[*7] 結果の一例を図50に示した。二〇〇三年のアメリカの都市における、個人所得と特許出願のスケーリング関係からの偏差が、各都市の順位に対して縦軸に対数目盛で示されている。これらの偏差を「スケール調整済み都市指標（ＳＡＭＩ）」と呼ぼう。グラフの真ん中の水平線はSAMI＝0を示し、都市サイズによる予測からの逸脱はない。ご覧の通り、どの都市も予想値から多少は逸脱している。左側はパフォーマンスが平均以上を意味し、右側は平均以下を意味する。これは、その都市があるサイズであるために実質的に保証されている水準を超えた、個別性と独自性の有意義なランキングだ。分析を事細かに掘り下げるより、結果の顕著な点をいくつか指摘しよう。

まず、従来の一人あたりの指標を使うと、ＧＤＰがトップ二〇に入っている最大級の都市のうち七つが、この発明数でもトップ二〇に入る。だが私たちの科学に基づいた計量では、これらの都市はトップ二〇に一つもランクインしていない。言い換えれば、データを人口規模の一般的な超線形影響について補正してみると、これらの都市は大して好調とは言えないということだ。こうした都市の市長たちは、自分たちの政策が経済成功をもたらしたのは、一人あたりGDPのランキング上位が証明している通りだと自分の力を誇って自慢してみせるが、ここから見ると誤解を招く印象を与えているらしい。

この視点がおもしろいのは、ニューヨーク市は全体としてまったく平均的な都市となり、サイズから予想されるよりも少しだけ裕福で（所得ランク八八位、GDP一八四位）、大して創造的でもないが（特許一七八位）、驚くほど安全だ（暴力犯罪二六七位）。一方でサンフランシスコは最も例外的な都市で、裕福で（所得一一位）、創造的で（特許一九位）、かなり安全である（暴力犯罪一八一位）。本当に傑出した都市は小さめなのが通例で、所得ならブリッジポート（ニューヨークの銀行家やヘッジファンド・マネージャーたちが郊外に住むため）、特許ならコーヴァリス（ヒューレット・パッカードの研究所、誉れ高いオレゴン州立大学がある）とサンノゼ（シリコンバレーが含まれる――これ以外に何か言うことがある？）、安全性ならローガン（モルモン教の文化のおかげ？）とバンゴー（なんででしょうねえ？）などがそれにあたる。

これは単年（二〇〇三年）だけの話だから、これが時間と共にどう変化するか知りたくなるだろう。残念ながらこうした指標のどれも、容易にアクセス可能なデータは、一九六〇年よりも前のものはほとんど手に入らない。しかしここ四〇年から五〇年のデータをカバーした分析から、幾つかの興味深い結果が明らかになっている。図51は、幾つかの典型的な都市で、個人所得についての偏差の推移を示したものだ。おそらく最も顕著な特徴は、基本的変化が比較的ゆっくりと起こっていることだ。ブリッジポートやサンノゼといった一九六〇年代に予想以上の成果をあげた都市は、現在でも裕福で革

図50

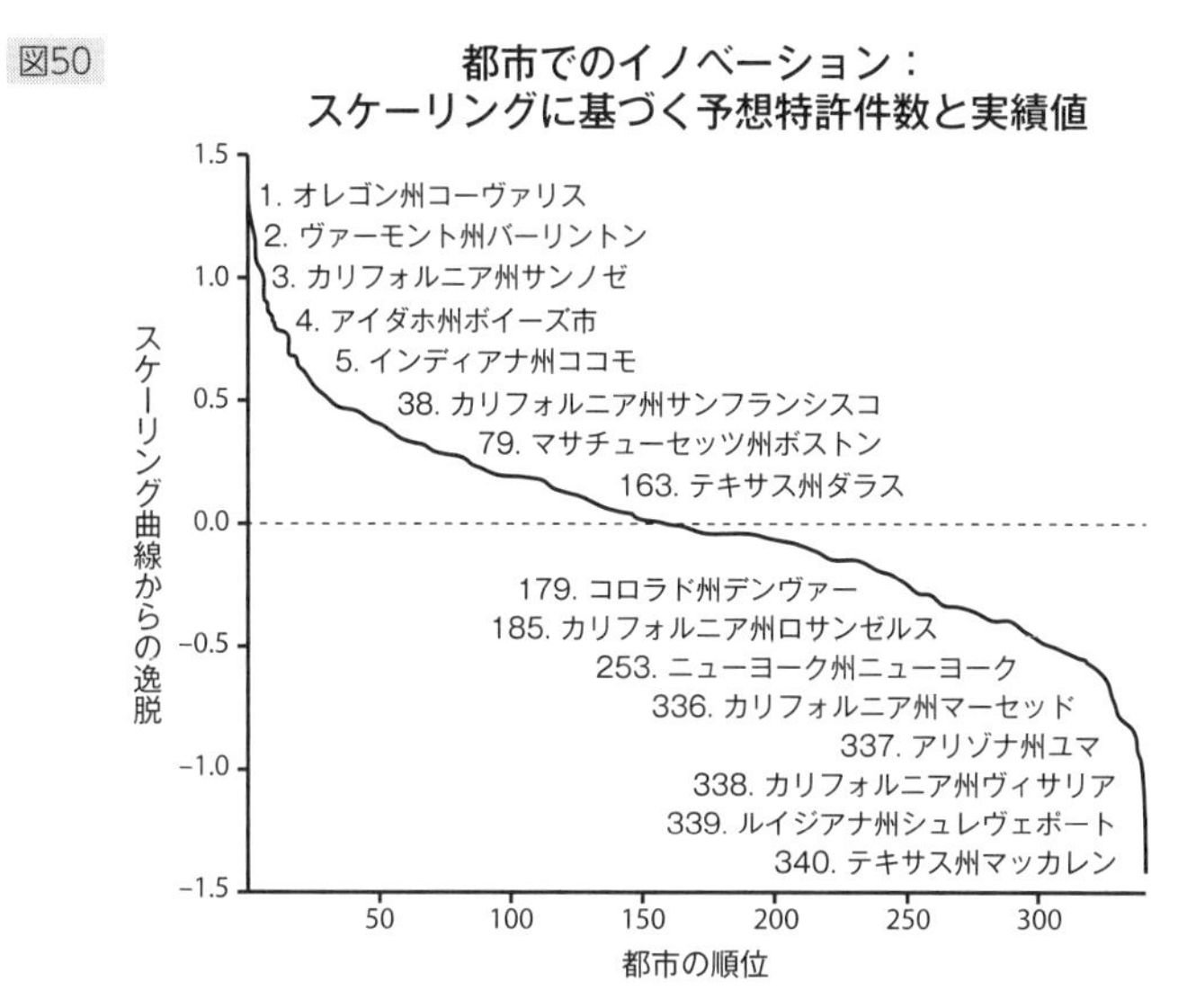

図50　アメリカの都市の2003年の特許産出数の都市サイズのスケーリング則の予測からの偏差を都市ランクに対して示した。左側トップがコーヴァリスで予想以上の能力を示した都市、右側は予想以下の能力で最下位はマッカレン。

図51

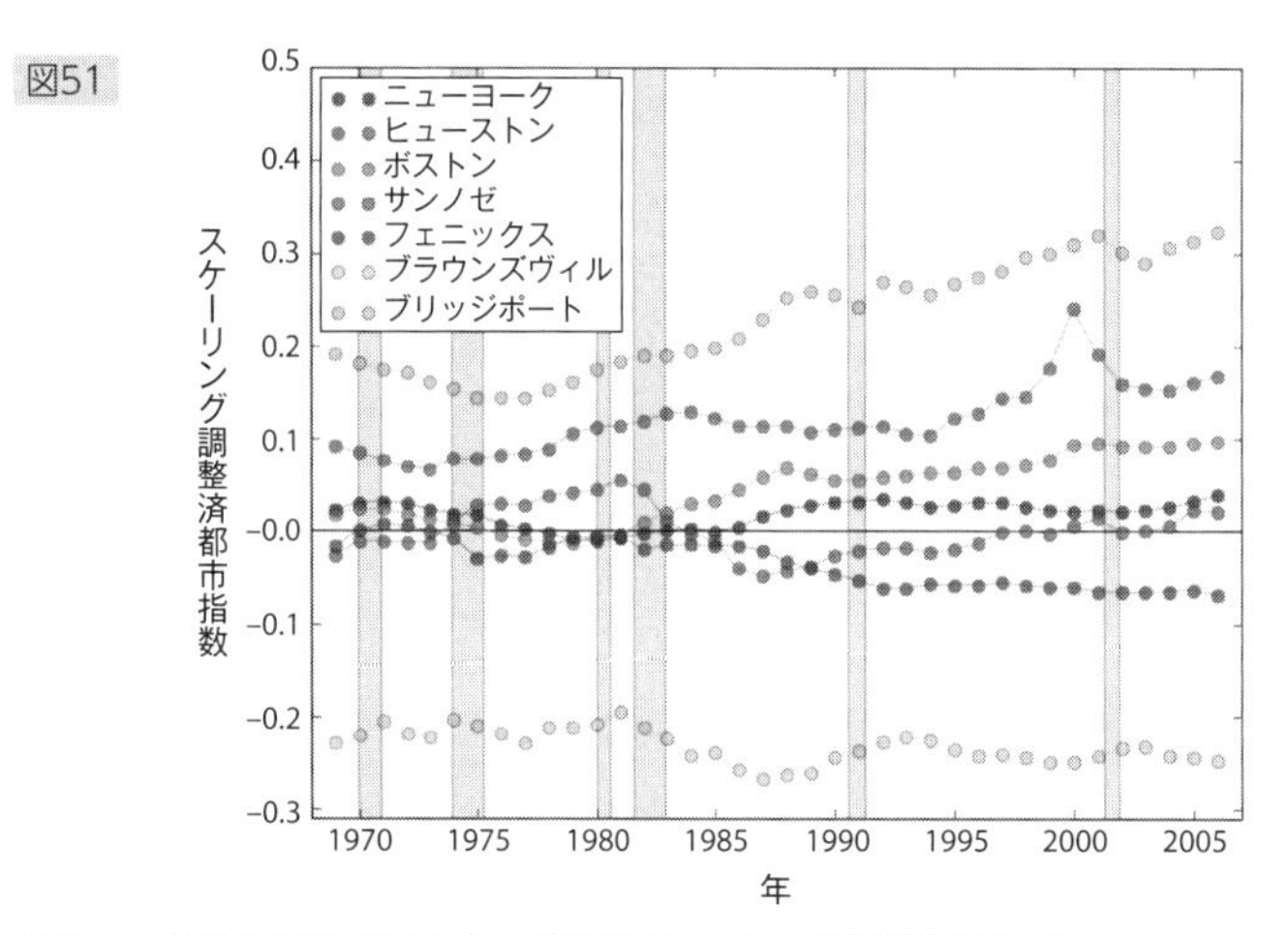

図51　これらの偏差（SAMIs）の時間展開は、長い持続性を示している。

新的なままだが、ブラウンズヴィルといった一九六〇年代に予想以下のパフォーマンスだった都市は、いまだにランキングの最底辺付近にある。だから、たとえ都市システム全般で人口が増え、全体のGDPと生活水準が向上しても、相対的な個別都市のパフォーマンスはそれほど変わらない。ざっと見て、すべての都市は共に盛衰する。あるいは単刀直入に言えば、一九六〇年代に好調だった都市はおそらく今も好調で、低迷していたならおそらく今も低迷しているということだ。

都市がスケーリングによる予測に比べて優位／劣位となったら、それが何十年も続く傾向がある。この意味で、良かれ悪しかれ都市はひどく堅牢で回復力に富んでいる――なかなか変化せず、死に絶えることもない。デトロイトやニューオーリンズ、あるいはもっと熾烈な例としてドレスデン、広島、長崎を考えよう。どれも程度の差こそあれ、実存的な大危機とされるものを切り抜けてきた。どの都市も好調だし、当分の間は亡びそうにない。

優位性持続の見事な例が、誰もがいたがる場所、シリコンバレーを内包するサンノゼだ。ここが富の創出とイノベーションの面で、予測を大きく上回るのはまあ当然だ。だが驚くべきは図51にはっきり示したように、サンノゼがすでに一九六〇年代から予測以上で、しかもその逸脱が現在とほぼ同じくらいだったことだ。これはまた、一九九九年から二〇〇〇年に見られた短期的な技術的、経済的のバブル増大と崩壊を経て、その後長期的な基本傾向に再び落ち着いたにもかかわらず、この予想以上のパフォーマンスが四〇年以上維持・強化されたことを示している。別の見方をしてみよう。一九九〇年代末の比較的小さな上昇を別にすれば、サンノゼの持続的成功は、シリコンバレーが生まれる前からすでにしっかり決まっていた。だからシリコンバレーがサンノゼの成功を生み出し、従来の社会経済的ランキングの上位に押し上げたのではなく、逆にサンノゼの文化とＤＮＡには無形の何かが存在し、それがシリコンバレーの目を見張る成功を育てたことが示唆される。[*8]

大きな変化の実現には何十年もかかる。これは都市政策と指導層にとって深刻な問題だ。都市の未来に関する決定を下す政治過程のタイムスケールは、せいぜいわずか数年間なので、多くの政治家にとって二年は永遠だ。最近では、彼らの成功は政治圧力と選挙過程の要求に応えるべく、即座の利益と瞬時の満足に依存している。二〇年から五〇年の時間枠で考えて、重要な成果を真に長期的な遺産として残すための戦略に注力する余裕のある市長はごくわずかだ。

10．持続可能性への序曲――水に関する短い余談

先進世界の人々はインフラの大半を当然と考え、キッチンの蛇口をひねる度に出てくる清潔で安全な飲料水などの利便性を提供するためのスケールとコストをほとんど認識していない。これは巨大な特権で、第7章で論じたように人間の寿命が一九世紀末から飛躍的に伸び始めた最大の理由の一つだ。こうした基本サービスを世界中の全員に提供するのは、地球都市化の非常に大きな課題だ。安全な水はますます社会軋轢（あつれき）の原因になりつつある。とりわけ気候が変わり、予測もつかない深刻な干ばつや大洪水の時期が生じて、そのいずれも上水道システムを損なうからなおさらだ。これは多くの発展途上国ですでに大きな問題になっていて、アメリカでもミシガン州フリントなどで上水システムの深刻な問題としてその兆しが見え始め、西部の多くの州で深刻な水不足が起きている。

私はニューメキシコ州の人口約一〇万人の小都市サンタフェに住んでいるが、通常は半乾燥高地砂漠気候で、年間降水量はわずか三五五ミリメートルだ。当然水は非常に高価で、使い過ぎには高い罰金が科せられる。サンタフェは、アメリカでも水道料金が最も高い都市の一つだ――全米平均の約二・五倍で、次に高い都市よりも約五〇パーセント高い。驚いたことにその第二位の都市とは、年間降水量一〇一六ミリメートルの霧雨のシアトルだ。同じくらい意外なのは、サンタフェの水道料金が最も安い都市の約六倍ということだが、その都市とはソルトレークシティーで、年間降水量はわずか四二〇ミリメートルしかない。さらに奇妙なのは、人口約四五〇万人のフェニックスや、二〇〇万人足らずのラスベガスといった砂漠都市は、年間降水量はフェニックスでわずか二〇三ミリメートル、けばけばしいラスベガスに至ってはわずか一〇二ミリメートルしかないのに、水道料金はソルトレークシティーよりも少しだけ高いだけだ。いやはやまったく！

こういった浪費はどこにでもある。例えばサンタフェのほぼ一〇〇倍の人口を持つロサンゼルスやサンフランシスコといったカリフォルニアの巨大都市、あるいはスタンフォード大学を擁し、贅沢なくらい植物が多いパロアルト、あるいはグーグル本社のマウンテン・ビューも、年間降水量はサンタフェとほぼ同じで三五五ミリメートルだということを多くの人は知らない。それらの水の大半は、芝生や庭の景観を年間降水量が二三三七ミリメートルのシンガポールのように保つために使われている。

良いニュースはアメリカ、そして全世界の都市コミュニティの大半がこの問題に敏感になり、上水は恐ろしい勢いで枯渇しそうな貴重な生活必需品で、当然のものと思ってはいけないと認識し始めたことだ。その多くが大規模な節水政策を導入し始めているが、多くの「緑」に関する保全手段同様に、規模が小さすぎ、遅すぎるかもしれない。

問題はこれらすべてのコミュニティで、非常に遠距離から輸送され、場合によっては非常に深い帯水層から汲み上げられる、豊富な水を人工的に供給するための工学インフラに莫大な資源が投入されてきたことだ。そこには、これらの資源は無尽蔵でいつまでも安価だという暗黙の仮定があった――かなり怪しい仮定だ。都市化と持続可能性の問題がこれまで以上に急を要するようになると、水に関する政策と経済は、二〇世紀の石油やその他のエネルギー資源とまったく同様に、ますます対立の種となるはずだ。そして石油の場合と同様に、いずれは水のアクセスと所有をめぐり、大規模な紛争も起こりかねない。

おもしろいことに、石油とはちがって地球には、基本的に多大な人類全体を永久に支えられる十分な太陽エネルギーがあるのとまったく同様に、十分以上の水が存在する。この単純な事実に技術的、社会経済的戦略を適用することが、人類の存続には絶対不可欠だ――もっと前から再生可能な太陽エネルギーと海水淡水化の推進を進めるべきだった。人類は目先のことしか考えず偏狭すぎて、サミュエル・テイラー・コールリッジの有名な詩「老水夫行」の水夫たちのように、集団的な渇きの悪夢に悩まされる運命にあるのか？

水、水がそこら中
そしてすべての甲板は縮んでしまった
水、水がそこら中

一滴も飲むことはできないが

科学と都市に戻る前に、大都市の水システムとそれがもたらす結果のスケール感を示したい。ニューヨークはほぼすべての流行発信源として正当にも有名だが、業績の一つであまり評価されていないのがその上水道システムだ。その品質と味は他の市政機関の水のみならず、高級なボトル詰めされた水を上回るとも言われており、コストも最小限で済み、使い捨てプラスチック容器という馬鹿なゴミもない。次にニューヨークに行ったら、ボトルを蛇口の水で満たすだけで、数ドルを節約すると同時にずっと優れた製品が得られる。

水は数百キロメートルも北の分水域からこの都市に供給され、それは主に重力による流れによって供給されるので、汲み上げに必要な莫大なエネルギーを節約できる。上水道システムは二〇億立方メートルの貯水容量を備えており、一日四五〇万立方メートル以上の清潔な飲料水を九〇〇万人以上の住民に供給できる。これは非常に大きな数字で、そのサイズを認識するには、あの馬鹿げた小さな五〇〇ミリリットルのペットボトル約一〇万本分の水を毎秒供給していると考えればいい。この驚くべき成果を実現するため、水は貯水池から、実際は地中深くにあるコンクリート製のトンネルである巨大な「パイプ」へと送られる。二本の古いトンネルを増補するための、五〇億ドルをかけた新トンネル建設計画が進行中だ。それは最終的に全長一〇〇キロメートル、深さは最深二四四メートル、その貯水槽側出口側の直径は七・三メートル（ゴジラの頸動脈）になる。水がネットワーク階層を通じてニューヨーク大都市圏全域に供給される過程で、管路は次第に小さくなり、最終的に道路の下に埋められた上水管へと至り、その直径は建築密度によって一〇センチメートルから三〇センチメートルになる（当然、マンハッタン中心街が最も太いパイプになる）。水はこれら主水管から各家庭に二・五センチメートルのパイプで分配されて、さらにそれが約一・二五センチメートルに縮小してキッチンやトイレへと至る。

このニューヨークの上水道の階層形状は、当然のことだが、都市サイズによって全般的なスケールが変化する点を除いて、世界中のすべての都市水道システムと同じだ。この雛形は人体の循環系に非常によく似ており、両ネットワークは空間充填的で、両システムの端末ユニットはおおむね不変だ。サンタフェの水道システムはニューヨークに比べてかなり小さいが、私の家に水を供給している二・五センチメートルのパイプとトイレに水を供給している一・二五センチメートルのパイプが、ニューヨークと同じなのは、ヒトの毛細血管のサイズがネズミやシロナガスクジラとほぼ同じなのと同様だ。このフラクタル性はニューヨークの水道網システムの総管路延長にも反映されている。貯水池から通りの主管までを加えると、それはおおむね一万五〇〇キロメートルになる。別の言い方をすれば、システムのすべての水道管の端から端までの全長は、ニューヨークからロサンゼルスまで行って戻ってくる長さがある。これは相当な長さに思えるが、ヒトの循環系の血管の全長と比べればたいしたことではない。それを端から端まで延ばすと、これまたニューヨークからロサンゼルスまで行って戻ってくるほどの長さがあり、それが私たちの体の中に収まっているのだ。

11. 都市における経済活動の社会経済的多様性

回復力やイノベーション同様に、多様性は成功した都市の特徴としてもてはやされる流行語となり、やたらに使われている。確かに個人、民族性、文化活動、事業、サービス、社会相互作用の絶え間なく変化し続ける混合は、都市生活の決定的特徴の一つだ。この主要な社会経済的要素が、都市における様々な業種の豊富さとなる。すべての都市には、必然的に似通った必要不可欠な中核的業種――弁護士、医師、レストラン、ゴミ収集業者、教師、行政官など――がいるが、海事弁護士、熱帯病専門の医師、鍛冶工、チェス販売店経営者、核物理学者、ヘッジファンド・マネージャーといった特化した小分類業種を持つ都市は非常に少ない。

おかげで業種の多様性定量化には潜在的に問題がある。どんな系統的な分類法も、個別のカテゴリー分類は恣意的になりがちだし、どんな業種も定義を明確にすれば、いくらでも細分類可能だからだ。例えばレストランは高級料理、ファストフード等に分類できるが、さらに料理、価格、質などの複数のレベルで分類できる。アジア、ヨーロッパ、アメリカなど広義の分類もあるが、例えばアジア料理なら、中国、インド、タイ、インドネシア、ベトナム等に分類可能で、中国料理自体も広東、四川、点心などにさらに分類可能だ。教訓ははっきりしている。都市の多様性はそれを把握するための解像度に左右されるという意味で、スケール依存的だ。これはルイス・フライ・リチャードソンが様々な海岸線と国境の長さを測ろうとしたときに初めて認識し、ブノワ・マンデルブロによるフラクタル概念の考案につながった問題と、本質的にそれほど変わらない。

幸運にも正式な業種分類の試みは、少なくとも北アメリカでは、アメリカのほぼすべての事業所記録（二〇〇〇万件以上）を含む、膨大なデータ集合の整備によってすでに行われている。これはアメリカ、カナダ、メキシコによる素晴らしい協力の成果で、北アメリカ産業分類システム（ＮＡＩＣＳ）と呼ばれている。[*9] 事業所とは、事業が行われている単一の物理的な場所なら何でもいい。だからウォルマートの店舗、あるいはマクドナルドのフランチャイズ店など、国内チェーンの一部である個々の事業が、個別の事業所としてカウントされる。事業所はしばしば経済分析の基本ユニットとみなされる。イノベーション、富の生成、起業家精神、雇用創出はすべてそういった職場の形成と成長を通じて表れるからだ。ＮＡＩＣＳの分類体系は、最も細かい産業分類として六桁のコードを採用している。最初の二桁は最も大きな事業分類を表し、第三桁がその下位部門といったように、経済実態を非常にきめ細かいレベルまで捉えている。

私の同僚のルイス、ホセ、デビーは、ポスドクのヘジン・ヤンの主導で、これらのデータを分析した。ヘジンは韓国ソウルで統計物理学を学び、博士課程を修了するためにサンタフェ研に入った。彼女は私たちの共同研究に参加する前は、言語の起源と構造について研究していた。それが今や技術イノベーションについての専門家として名声を確立し、現在はオックスフォード大学の新経済思考研究所（ＩＮＥＴ）――投資家ジョージ・ソロスが資金提供した新プログラム――の特別研究員を務めている。

他の都市指標分析でも見たように、データは驚くほど単純で予想外の規則性を見せる。例えば各都市の事業所総数は、事業内容を問わず人口サイズに線形に比例している。都市サイズが二倍になると、平均して二倍の事業所がある。比例定数は二一・六で、都市規模にかかわらず、一つの事業所で約二二人が働いているわけだ。あるいは少しちがう言い方をするなら、小さな町でも巨大都市でも、都市人口が二二人増えるたびに、平均で新規事業所が一つできる。これは意外に小さな数で、事業や商売をしている人々を含め、ほとんどの人にはまったくの驚きだ。同様にデータを見ると、これらの事業所で働いている従業員の総数もまた人口サイズに応じておおむね線形にスケールしている。これまた都市サイズとは無関係に、各事業所には平均約八人の従業員がいる。この平均従業員数と、サイズと性質がまったく異なる各都市の平均事業所数の注目すべき不変性は、単に従来の見識に反するのみならず、一人あたりの生産力、賃金、GDP、そして特許産出の増大を含む、すべての社会経済活動の根底にある超線形的な集積効果という観点から見ても、かなり不可解だ。[*10]

これを深く理解し、都市の事業特性を明らかにするには、都市に事業が何種類あるか考えるといい。これは、ある生態系に動物が何種類存在するかと問うのに似ている。最も単純で大ざっぱな都市の経済多様性の指標は、都市の様々な事業所の数を人口サイズの関数として数えれば得られる。NAICSのデータセットで定義された多様性が、すべての分解能レベルで、人口サイズに応じて体系的に増大することをデータが裏付けている。残念ながら、この分類方式では最も大きな都市の経済多様性の全域は捉えられない。例えば北イタリア料理と南イタリア料理のレストランといった、非常に関係の近い事業所を識別できないからだ。だがデータを外挿してみると、もしもできるだけ精細な分解能で多様性を計測できるなら、それは都市規模に対して対数的にスケールするはずだという強い示唆が得られる。

ほとんどの指標が従っている通常の標準的べき乗則の作用と比べて、この増え方は人口サイズに対してきわめて遅い。例えば人口が一〇〇倍に増え、仮に一〇万人から一〇〇〇万人になると、事業所数も一〇〇倍になるが、その多様性はわずか二倍にしかならない。少し言いかたを変えると、都市サイズが二倍になれば事業所も二倍になるが、新種の事業はたった五パーセントしか増えない。このような多様性の増大のほとんどが、専門特化と、労働者と顧客の両面で多くの人々を取り込んだ相互依存の進化に反映されている。これは、多様性の増大は専門特化の増大と密接に結びついており、これが一五パーセント則に従った生産性上昇の主要な原動力となることを示している点で、重要な所見だ。

経済多様性評価のきめ細かい方法の一つは、もっと深く掘り下げて、個々の都市の事業風景に貢献している事業所の、具体的な構成要素タイプを検証することだ。各都市に弁護士、医師は何人いて、レストラン、建設会社はいくつあるか、そしてそのうち何人が企業弁護士、整形外科医で、いくつがインドネシア・レストラン、あるいは配管業者か？　そういった分析の一例として、図52にアメリカ都市の事業所数上位一〇〇業種の数を示した。これらはジップの法則を論じた際に、言語における単語と都市システムにおける都市の頻度分布に使用した、典型的な順位対サイズの形式で描かれている。

講演の際、このグラフを見せる前に、ニューヨークで最も事業所が多い業種は何かと聴衆に尋ねる。これまでニューヨーク自体で営業している事業所や企業の指導者を含め、正解した人はいない。問題に対し、きちんと原理のある単純な分析アプローチをするだけで、実にいろいろ学べるのだ。

実はニューヨークで最も多いタイプの事業所は医院だ。なんとも異様な話だ。医師は私のような老いぼれが住む、巨大な高齢者居住地域があるフェニックスでも第五位、サンノゼでも第七位（これはあの若い強迫神経症的な、いかにもカリフォルニアらしいジョガーと健康おたくたちのことを考えれば、おそらく特に意外ではないかもしれない)。ニューヨークで医師の次が弁護士事務所で、続いてレストランというのは、納得できる。実はレストランはすべての都市で高位につけ、例えばシカゴ、フェニックス、サンノゼでは第一位だ。高級なフォーシーズンズ・ホテルのレストランであろうと、ファストフードのマクドナルドであろうと、外食がアメリカ人の社会経済活動の重要な要素なのは明らかだ。概して、こういったランキングが都市について何を語るか考えるとおもしろい。例えばフェニックスではレストランの次に不動産が第二位につけているが、これはこの都市の急発展を考えればおそらく当然だし、シリコンバレーを抱えるサンノゼでは予想通りコンピュータ・プログラミングが第二位だ。弁護士とレストランが高位につける理由ははっきりしているが、ニューヨークにこれほどたくさん医師がいるのは、なぜだろう? ビッグアップルの暮らしは、ストレスが多く不健康なのか? これがおもしろければ、お気に入りの他の都市の経済活動を同じように分解したものが、ウェブに掲載した私たちの論文の補足資料にある。都市の運営者やそれを目指す人々、都市開発に投資している人にとって、都市の事業構成のこうした細部は、明らかに重要なインプットになる。

スケーリング則に表れる、内在する普遍的な性格に対し、こうした業種の順位対サイズ分布は経済活動の構成で示される、各都市の個性や独特の特性を反映したものだ。それは各都市の特質であり、明らかにその歴史、地理、文化に依存している。だから、個別の都市に見られる独得の業種構成にもかかわらず、分布の形と形態は数学的に全都市で同じだというのは、なおさら驚くべきことだ。あまりに同じなので、理論的に啓発された単純なスケール変換を行うと、ランクの豊富さは、あらゆる都市に共通の、独得に普遍的な曲線に集約される。これを示したのが図53だ。アメリカ中の都市で、多

図52

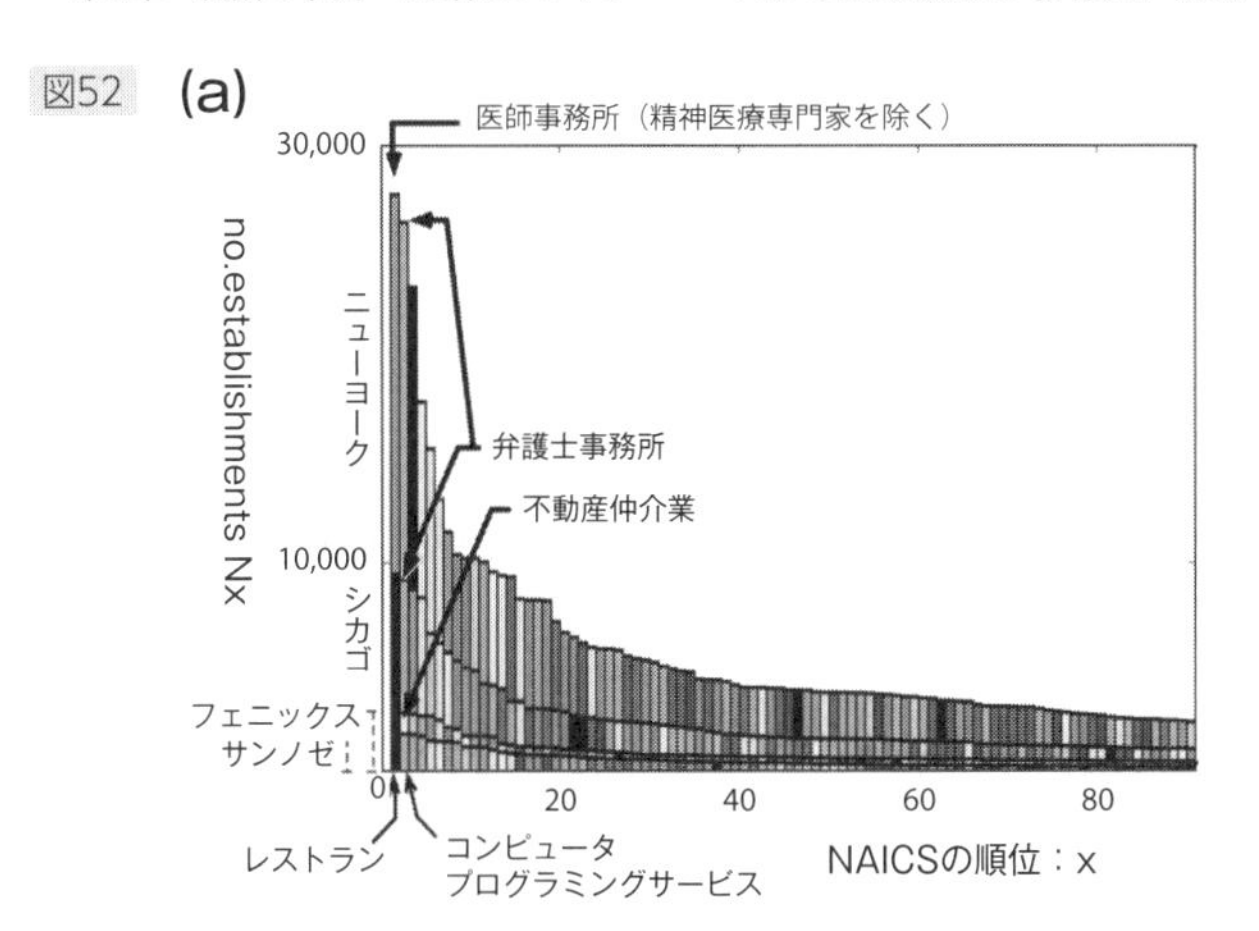

図52　ニューヨーク、シカゴ、フェニックス、サンノゼの事業所数を降順（普及しているものからまれなものへと）にランキング。事業所の業種はNAICS分類に基づく。

図53

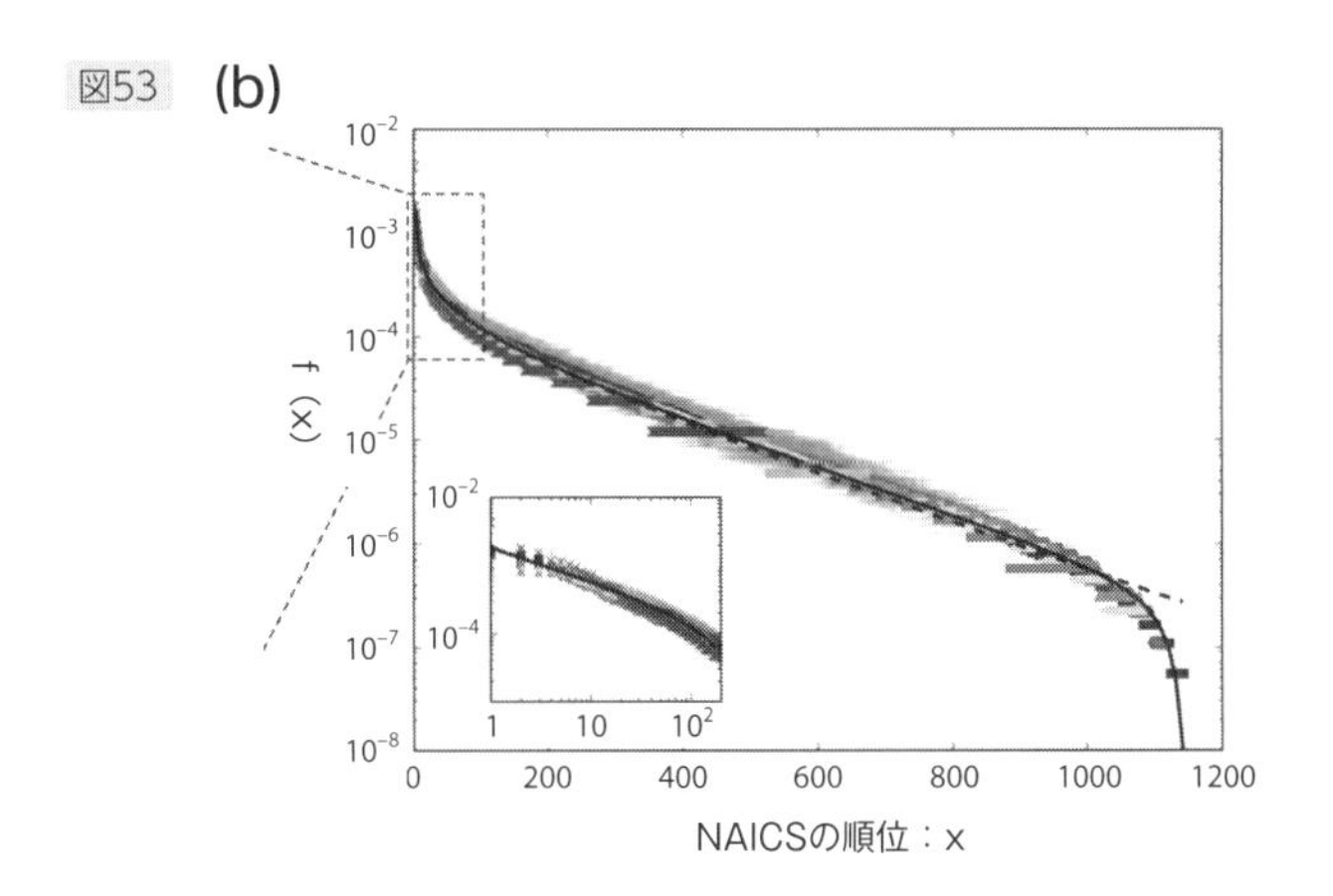

図53　アメリカの都市圏統計地域の全366都市について、事業タイプの一人あたりの数量を順位別に表した曲線。ニューヨーク、シカゴ、フェニックス、デトロイト、サンノゼ、シャンペーン＝アーバナ、ダンビルについて明示。はめ込みのグラフは最初の200業種を対数目盛でグラフ化。ジップの法則に似たべき乗則に従っている。

様な所得、密度、人口水準、さらにはきわめて開きのある独得で多様な文化を考えたとき、この普遍性は実に驚きだ。

とりわけ満足なのは、この予想外の普遍性が、多様性の実際の普遍曲線の形態や対数スケーリング同様に、すべて理論から導き出せることだ。この普遍性は、都市のあらゆる事業所の総数が、細かい業種構成や都市に関わりなく、人口サイズに対して線形的にスケールするという制約からきている。図53の分布関数のヘビのような数学的形状は、言葉や遺伝子から種や都市まで、様々な分野での順位対サイズ分布の理解にうまく利用されてきた、非常に一般的な力学メカニズムの変種により理解できる。それは「選好アタッチメント」、「累積優位性」、「金持ちはより金持ちに」、あるいは「ユール＝サイモン・プロセス」といった多くの名で知られている。それは、システムの新しい要素（この場合は業種）が追加される確率は、その種類のものがすでにどれだけあるかに比例するという、正のフィードバック・メカニズムに基づいている。すでに種類が多ければ、その種類はさらに追加され、頻出する種類は、頻度の低い種類より、ますます高い確率で増える。[*11]

よく言われる二つの例が役に立つかもしれない。成功している企業や大学は、最も優秀な人々を惹きつけ、その結果もっと成功をおさめ、それによってさらに優秀な人々を惹きつけて、さらに大きな成功をおさめる。あるいは裕福な人々は有利な投資機会を惹きつけ、それがさらに大きな富を生み、それを投資することでもっと裕福になる。そこから「金持ちはより金持ちに」というキャッチフレーズが生まれ、普段は口にされることはないが、必然的にその裏返しとして、「貧者はより貧乏に」なることが示唆される。あるいは、新約聖書のマタイ福音書によればイエスが見事に述べたように、持てる者はより多く与えられ、大量に保有する。持たざる者は、すでに持っているものさえ奪われてしまう。

この驚くべき宣言は、一部のキリスト教原理主義者たちなどによって、野放図な資本主義の正当化に使われてきた——金持ちに与えるために貧者から奪うのを指示する、いわば反ロビン・フッド的スローガンだ。だがイエスの言葉は「選好アタッチメント」の好例だが、この引用ははたして文脈を無視している。イエスが実際は物質的な富ではなく、天国の神秘の認識について言及していたことは都合よく忘れられている。彼は古代のラビが「知識を増やさない者は、それを減らしてしまう」と表現した勤勉さ、知識の集積、そして探求と教育の本質そのものを霊的に表現したのだ。

最初に選好アタッチメントの本格的な数学的考察を行ったのは、スコットランドの統計学者ウドニー・ユールで、彼は一九二五年にこれを使って、顕花植物の属あたりの種の数のべき乗分布を説明した。選好アタッチメント、あるいは累積優位の現代における社会経済バージョンは、ハーバート・サイモンが手掛けたので、今ではそれはユール＝サイモン・プロセスと呼ばれる。なお、サイモンは傑出した多才な人物で、二〇世紀で最も影響力を持った社会科学者の一人だ。彼の研究は認知心理学、コンピュータ科学、経済学、経営学、科学哲学、社会学、政治学の分野にまで及んだ。いくつか重要な科学下位分野の創始者でもあり、人工知能、情報処理、意思決定、問題解決、組織論……そして複雑系への彼の影響力も最近になって大いに高まってきた。彼は学究キャリアの大半をピッツバーグのカーネギーメロン大学で送り、経済組織の意思決定プロセスについての有力な研究により、ノーベル経済学賞を受賞した。

上記の事業多様性の実証的、理論的分析は、あらゆる都市は大きくなるにつれて、事業生態系の発展で、同じ根本的な力学を見せることを示した。当初、小さくて経済活動のポートフォリオが限定されている都市は、急いで新事業と機能を創り出さねばならない。大小問わずどんな都市でも、これらの基本的活動が経済的な核となる。どんな都市も弁護士、医師、店主、小売商人、行政官、建設業者などが必要だ。都市が成長してこれらの基本的な中核活動が十分に揃うと、新たな機能が導入されるペースは劇的に落ちるが、完全になくなることは決してない。個々の構成要素が十分大きくなると、その結果生まれた才能と機能の結合が、事業の展望を拡大する新たな変化を生み出して、エキゾチックなレストラン、プロスポーツチーム、高級店といった特化した施設を生み出し、経済生産性の拡大をもたらす。

個別の業種が、個々の都市で何位に入るか（例えばなぜニューヨークでは医師が一位で、サンノゼでは七位なのか等）はこの理論では予測できないが、都市の成長と共にランキングがどう変化するかは予測できる。一般的に、人口サイズに対して事業所数が超線形的にスケールする業種は、系統的に順位が上がり、線形未満でスケールする業種は系統的に下がる。例えばＮＡＩＣＳの大分類レベルでは、農業、鉱業、公益事業といった従来からある部門は線形未満でスケールする。この理論によれば、これらの産業の順位と相対的な事業所数は、都市サイズが大きくなると下がる。一方で専門的、科学的、技術的サービスなど情報・サービス事業、企業・事業経営は超線形的にスケールするので、都市サイズよりも急速に増えるはずで、実際にそうなっている。具体例として、弁護士事務所数を考えてみよう。これは標準的な一・一五に近い指数で超線形的にスケールし、都市が大きくなると系統的に一人あたりの弁護士数も増える。選好アタッチメント・モデルによれば、都市が大きくなるにつれ弁護士の順位も、おおむね指数〇・四のべき乗で上がるはずで、実際にそうなっている。*12 このような予測はどの業種に対しても、どんな粒度でも行える。

このように、各事業カテゴリーの事業所数が都市サイズに対してどうスケールするかを表すスケーリング指数は、様々な事業部門の不均衡な成長を捉えて、単純に事業所を数えるよりも、あるいは「専門家」による産業部門の特徴に関するしばしばきわめて主観的な判断よりも、ずっと系統的なやり方でそれらをパラメーター化している。このアプローチの重要な特徴の一つは、都市と事業所は複雑適応システムであり、それゆえ切り離された個別の主体ではなく一つの統合システムとして捉えるべきだと考えることだ。国の都市経済全体を構成するすべての都市と完全な事業部門一式を対象にすることで、この分析は各都市の経済の仕組みを都市システム全体の仕組みとつないでいるのだ。

12. 都市の成長と代謝

本書の一貫した主要テーマは、エネルギーと資源のインプットと変換がなければ、何も成長しないということだ。これは第4章で、個別生命体であろうがコミュニティであろうが、生物システムの成長を定量的に理解するために提示した普遍的理論の基本原則だ。根本概念を思い出そう。食物が摂取され、消化され代謝されて利用可能な形になって、ネットワークを通じて細胞に供給され、そこで既存の細胞の修復と維持に割り当てられたり、死んだ細胞を置き換えたり、そしてバイオマス全体に加えるために新たに作ったりするために割り当てられる。この一連の過程は生命体、コミュニティ、都市、企業、果ては経済まで、すべての成長が起こる基本的な鋳型だ。大まかに言うと、取り込まれた代謝エネルギーと資源は、細胞、人、インフラなどの、すでにあって劣化したものの置換、そしてシステムに加えられてサイズを大きくするための新たな存在の創造を含む、全体の維持と修復で分配される。だから成長に使えるエネルギーは、単純に供給できるエネルギー率と、維持に必要なエネルギー率の差だ。

供給側では生命体の代謝率は細胞の数に対して（ネットワークの制約がもたらす包括的な指数3／4のべき乗で）線形未満でスケールするのに対し、需要はおおむね線形で増える。よって生命体のサイズが大きくなると、線形スケーリングは線形未満スケーリングより早く大きくなるため、最終的に需要が供給を追い越して、その結果、成長に利用可能なエネルギーは継続的に減少し、最後にゼロになって成長は停止する。言い換えれば成長はサイズが大きくなり、維持と供給のスケールが不一致になることで止まる。だから成長が止まり、生物システムが第4章の図15〜18で示したように、制約シグモイド成長曲線を描くのは、代謝率の線形スケーリングと、それに伴うネットワーク性能の最適化から生じた規模の経済によるものだ。線形未満スケーリング、規模の経済、成長の停止の根底にあるのと同一のネットワーク機構が、サイズの大型化に伴って生物のライフ・ペースを系統的に減速させ――最終的に死をもたらす。

今度はこの枠組みを、まず都市から始めて社会組織の成長に当てはめよう。普遍的な枠組みだから、容易に企業や経済全体にも拡張可能で、それについては次章で論じる。第7章で説明したように、都市は二つの包括的要素で構成される。建物、道路等として表れる物理的インフラと、アイデア、イノベーション、富の創出、社会資本として表れるその社会経済的力学だ。これらは両方ともネットワーク系で、それらの相互接続性と相互依存性が、対応する線形未満、超線形的スケーリング則のおおよその相補性をもたらす。すなわち前者でサイズが二倍になるごとに一五パーセント減少するのは、後者の一五パーセントの増大とほぼ等しい。

生物によく似ていて、生物としての都市という比喩を生むのが、この最初の要素である物理的インフラだ。だがこれまで何度も強調してきたように、都市はその物理性以上の存在だ。だから成長を促し都市を維持する供給側のインプットとしての代謝率の概念を拡げて、社会経済活動を含める必要がある。都市で使われ生み出される電力、ガス、石油、水、素材、製品、芸術品等に加え、富、情報、アイデア、社会資本を付け足そう。もっと基本的なレベルとして、物理的であろうと社会経済的であろうと、これらはすべてエネルギー供給によって稼働、維持されている。建物の暖房、物資と人の輸送、商品の製造、そして、ガス、水、電気、すべての商取引、儲けたり失われたりするすべてのドル、すべての会話と出会い、すべての通話とSMS、すべてのアイデアと思考の稼働にはエネルギーが必要だ。さらに、食物を細胞への供給と生命維持に利用可能な形に代謝する必要があるのと同じように、流入してきて都市が消化するエネルギーと資源も、富の創造、イノベーション、生活の質といった社会経済活動の供給、維持、成長に利用できる形に変換する必要がある。偉大な都市計画者ルイス・マンフォード以上に雄弁にこれを語った者はいない。[13]

都市の主な機能は力を形に、エネルギーを文化に、無機物をいきいきとした芸術のシンボルに、生物的繁殖を社会創造性に変えることだ。

都市の社会代謝と捉えられるこの特別な過程は、人間が一日に摂取する食料のわずか二〇〇〇キロカロリー、すなわち一〇〇ワットから、二〇〇万キロカロリー、すなわち一日あたり約一万一〇〇〇ワットの標準的な生体代謝率の増加の原因となっている。よって食料摂取の実際のエネルギー含量が都市の全エネルギー収支に占める割合は、全消費のうちのごくわずか——一パーセント以下——で、たとえそれが明らかに都市生活の重要な要素であっても、先ほどの考察にそれを含めなかった理由はそこにある。ほとんどの都市で飲食業が弁護士さえ抜いて最も事業所の多い業種であることを前節で見たので、これは矛盾しているように思えるかもしれない。ポイントは、食物に関わる膨大なエネルギーは、食物そのものだけでなく農場から店、そして家や口までの供給網全体の製造、輸送、配布、マーケティングでも消費されていることだ。

ある都市の総代謝に貢献している多様で無数の要因を考えれば、ドルであろうとワットであろうとその値を確定するのはきわめて難しいのは明らかだし、私の知る限りそれが厳密に試みられたことはない。[14] これが都市、そして広くは経済の機能と成長の基本であることを考えれば、これはかなり驚きだ。多様な活動の広い範囲の膨大なデータの収集分析の必要性に加えて、実際に何を都市の社会代謝の一部として数えるべきかという問題もある。独立した貢献要素は何か？　例えば犯罪、政治、特許、建設、投資、研究のエネルギー費用も、独立した貢献要素として含めるべきか、それともそれらの間には明らかな重複と相互接続性があるから、それは二重計上になるのか？

だが成長を理解するために、スケーリング理論の概念的枠組みを使えば、この課題をうまく解決できる。重要な点は富の創造とイノベーションを含む、成長の根底にある社会代謝へのすべての社会経済的貢献が、共通指数約一・一五の古典的な超線形べき乗則に従っておおむね同じようにスケールすることだ。すべての構成要素がこのようにスケールすることで、都市の総社会代謝率も同様に指数一・一五で超線形的にスケールする。これがスケーリング的視点の素晴らしいところだ――成長の軌跡を究明するために、都市代謝への個々の貢献の詳細を知る必要はない。なぜならそれらはすべて、都市生活を構成する社会的インフラ・ネットワークの統一された同一の動態を通じて、相互接続し相関しているからだ。

代謝の超線形スケーリングは、成長にとって大きな意味を持つ。生物の場合とは対照的に、成長と共に都市が生み出す代謝エネルギーの供給は、その維持に必要な要求量よりもより速く増大する。その結果、社会代謝率と維持に必要な割合の差である成長に利用可能なエネルギー量は、都市が大きくなると増え続ける。都市は大きくなればなるほど、成長も加速する――果てしない指数関数的成長の古典的しるしだ。実際、数学的分析によれば超線形的スケーリングによる成長は実は指数関数よりも速い。実は超指数関数的だ。

たとえ成長方程式の概念的、数学的構造が、生命体、社会性昆虫コミュニティ、都市で同じでも、結果はかなり異なる。**生物を支配する線形未満スケーリングと規模の経済は、安定した有限の成長とライフ・ペースの減速をもたらすが、社会経済活動を支配する超線形スケーリングと規模の経済の増大は、無限の成長とライフ・ペースの加速をもたらす。**

社会接続性の乗法的増強と超線形スケーリングの原因である、社会ネットワークに本来備わっている持続的な正のフィードバック・メカニズムが、必然的に無限の超指数関数的成長、そして付随してライフ・ペースの加速をもたらす。ここ二〇〇年間で都市が地球上で爆発的に増大するなかで、発達してきたのがこれだ。世界中の幾つかの例を図54〜59に示した。それには旧世界都市（ロンドン）、新世界都市（ニューヨーク、オースティン、カリフォルニア州の諸都市とメキシコシティ、そしてアジアの都市（インドのムンバイ）が含まれる。ここで私が強調したい大事な点は、超線形スケーリングが動かす成長方程式が、これらのグラフに見られる包括的な超指数関数的成長数式と一致する予測結果をはじき出す数式を導き出していることだ。

ただ、ロンドンとニューヨークの両方で縮小と停滞の時期があることに注目。これらの結果については第10章で再び論じる。そこでは無限成長の話を、イノベーション・サイクルとライフ・ペースの加速、そしてこれらが持続可能性という重要な問題にどのような影響を与えるのかということに絡めて、もっと大きな文脈のなかで取り上げよう。

図54

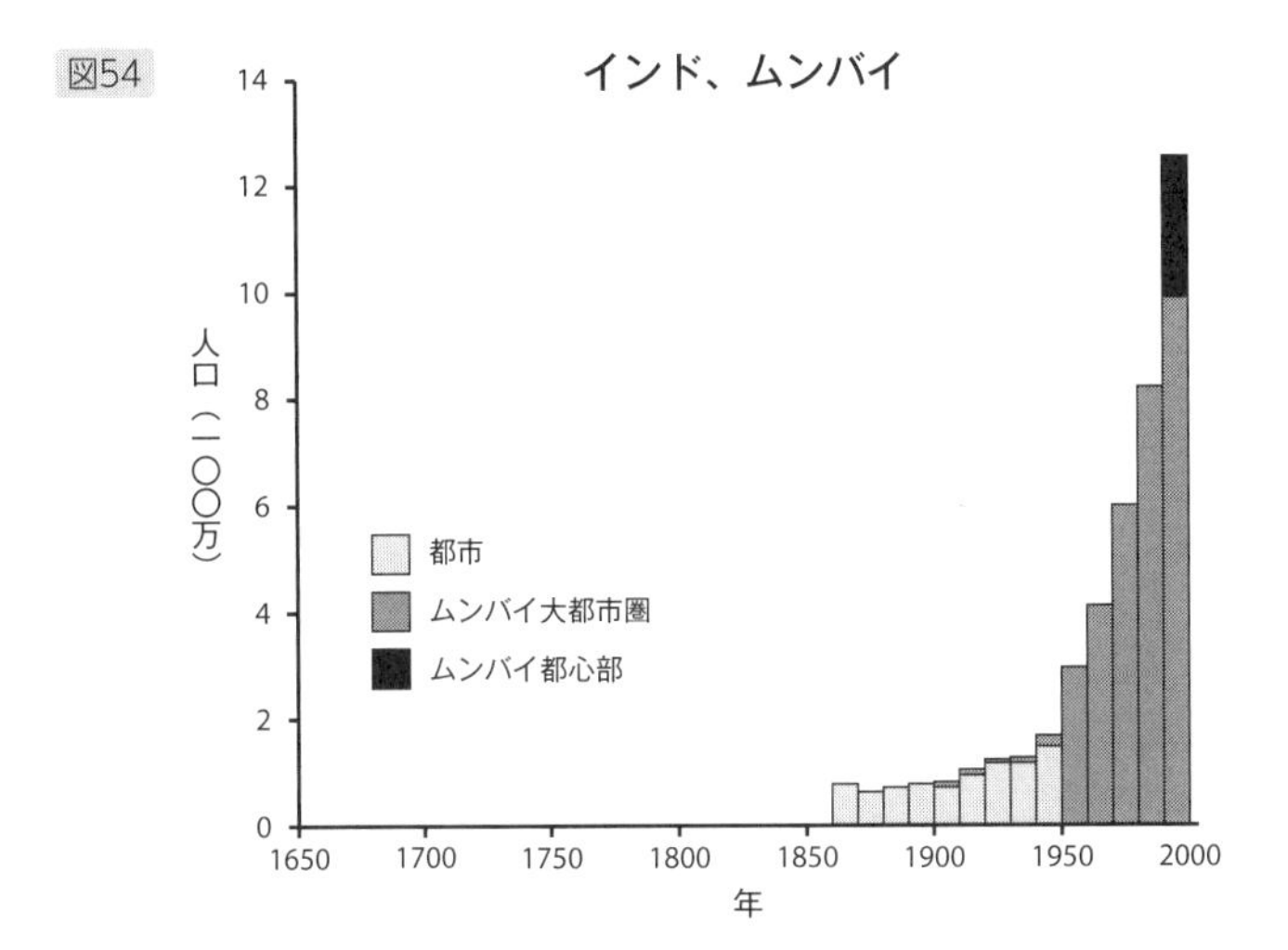
インド、ムンバイ
人口（一〇〇万）
14
12
10
8
6
4
2
0
都市
ムンバイ大都市圏
ムンバイ都心部
1650
1700
1750
1800
1850
1900
1950
2000
年

図55

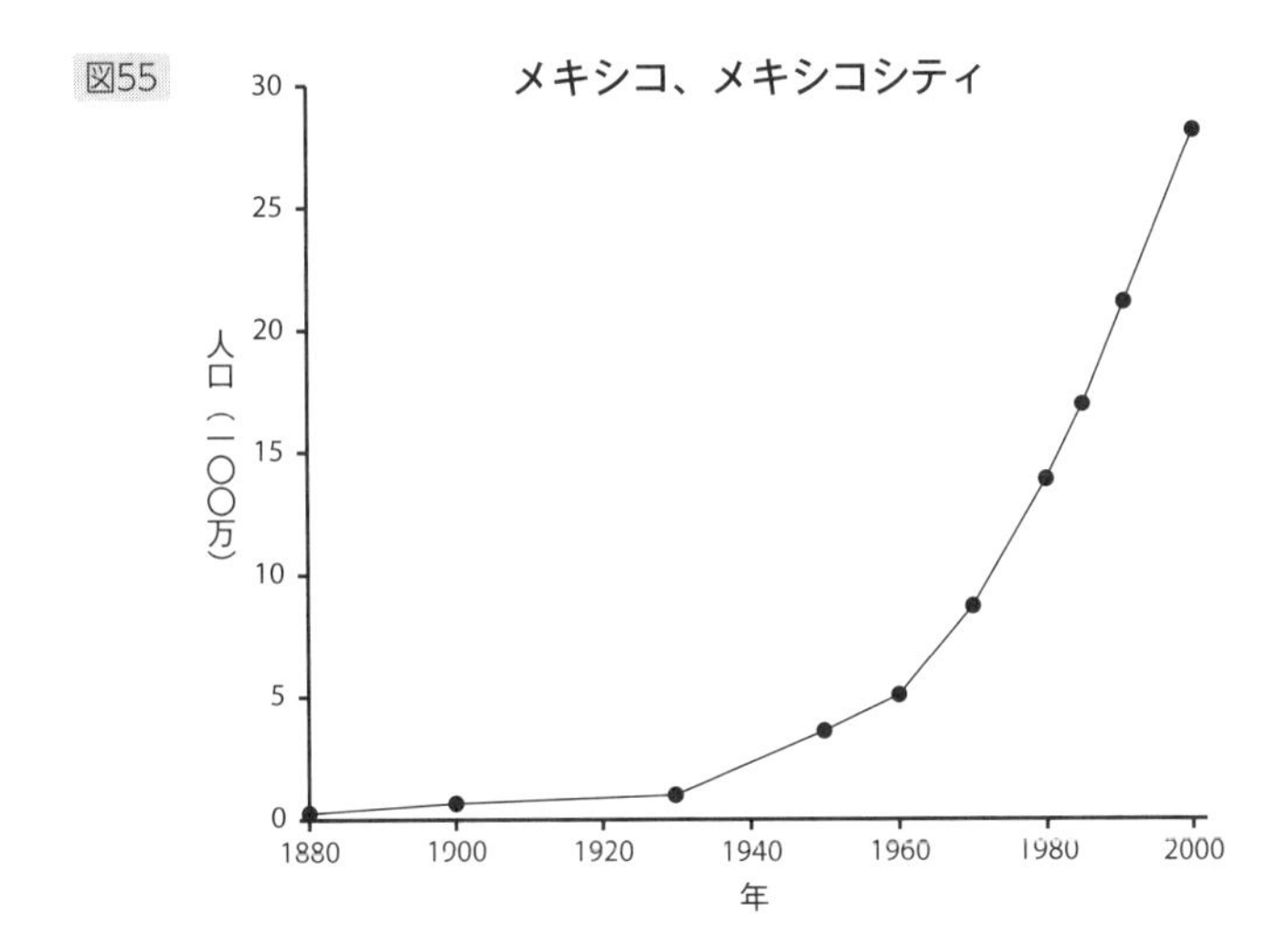
メキシコ、メキシコシティ
人口（一〇〇万）
30
25
20
15
10
5
0
1880
1900
1920
1940
1960
1980
2000
年

図56

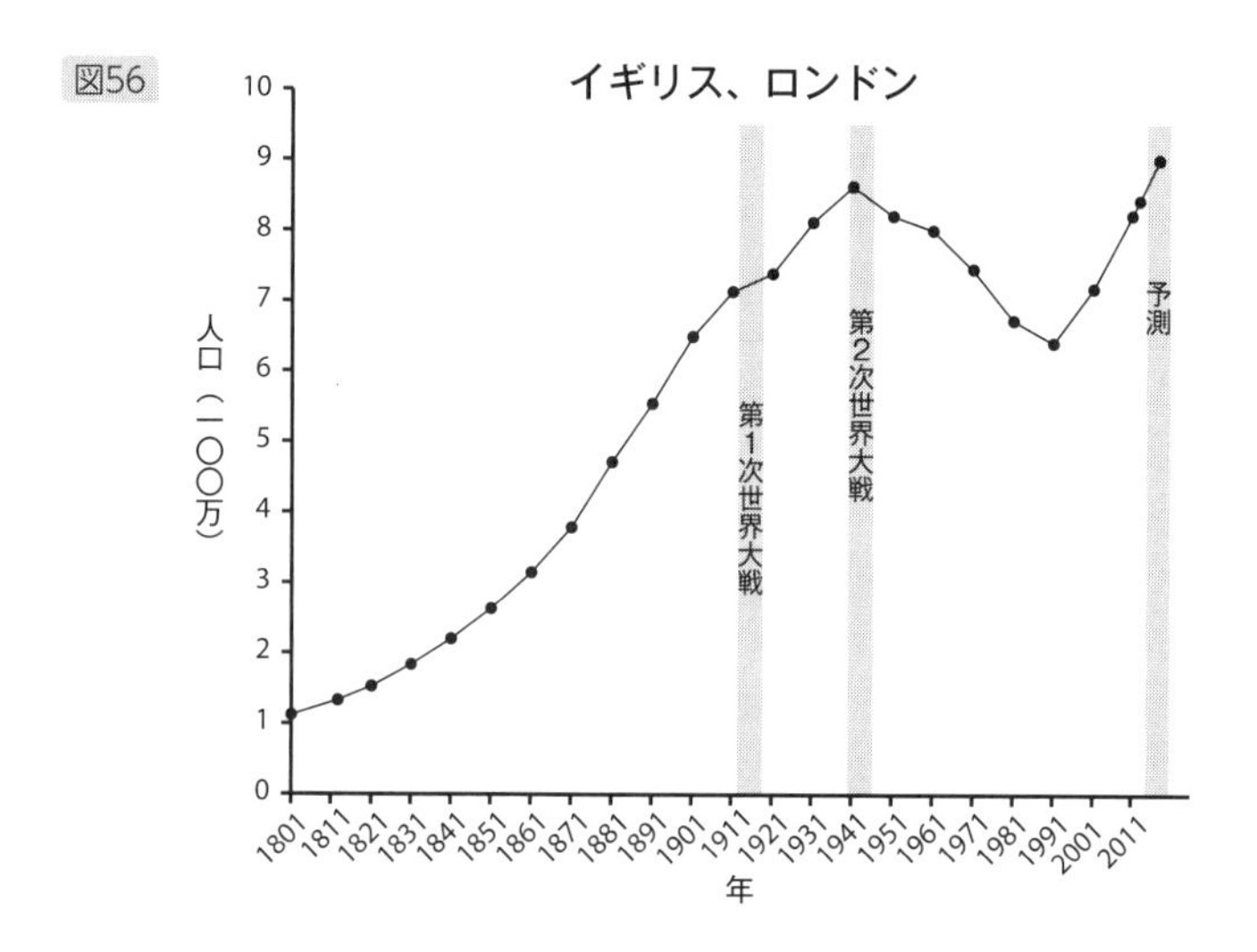
イギリス、ロンドン
人口（一〇〇万）
10
9
8
7
6
5
4
3
2
1
0
第1次世界大戦
第2次世界大戦
予測
1801
1811
1821
1831
1841
1851
1861
1871
1881
1891
1901
1911
1921
1931
1941
1951
1961
1971
1981
1991
2001
2011
年

図57

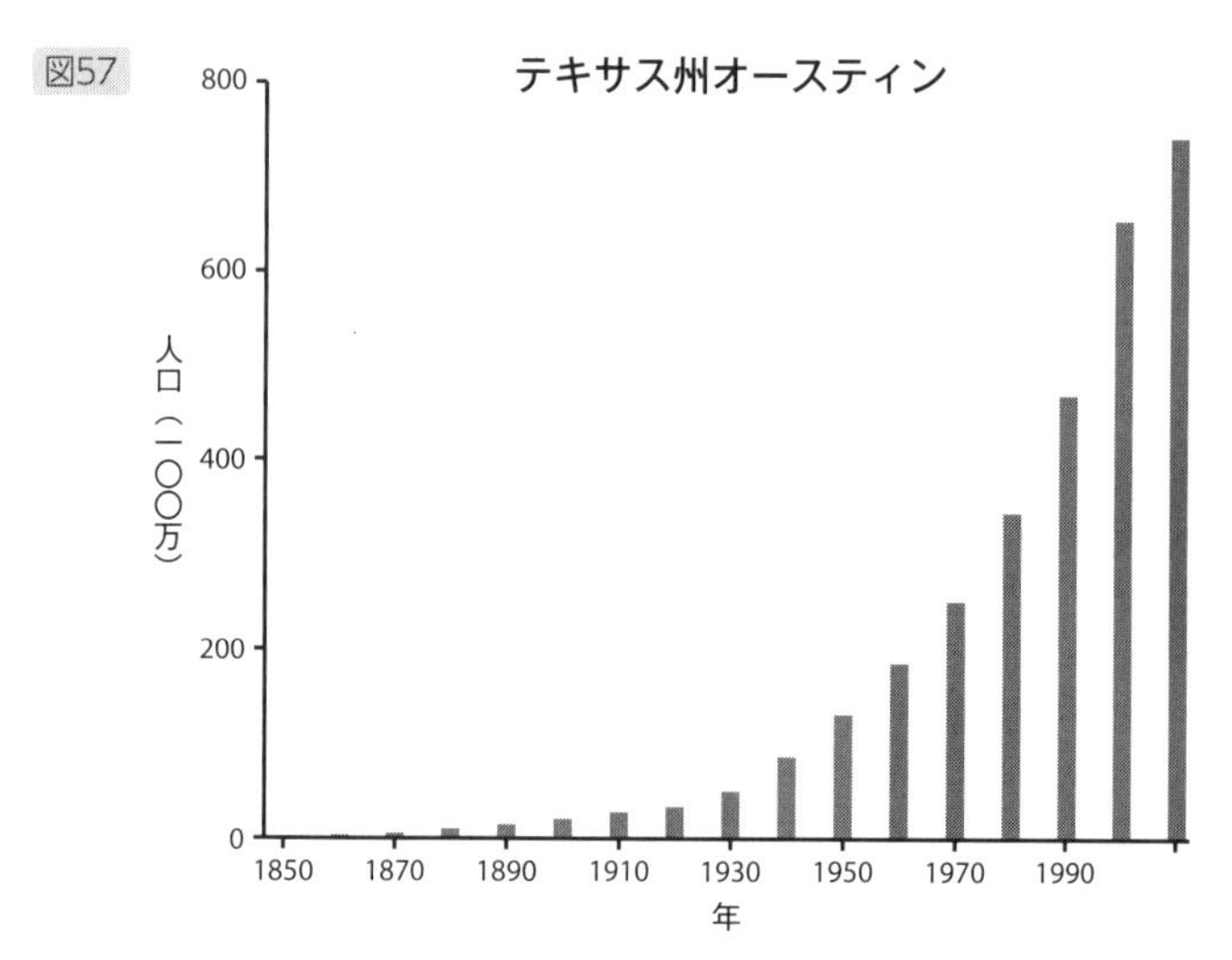
テキサス州オースティン
人口（一〇〇万）
800
600
400
200
0
1850
1870
1890
1910
1930
1950
1970
1990
年

図58

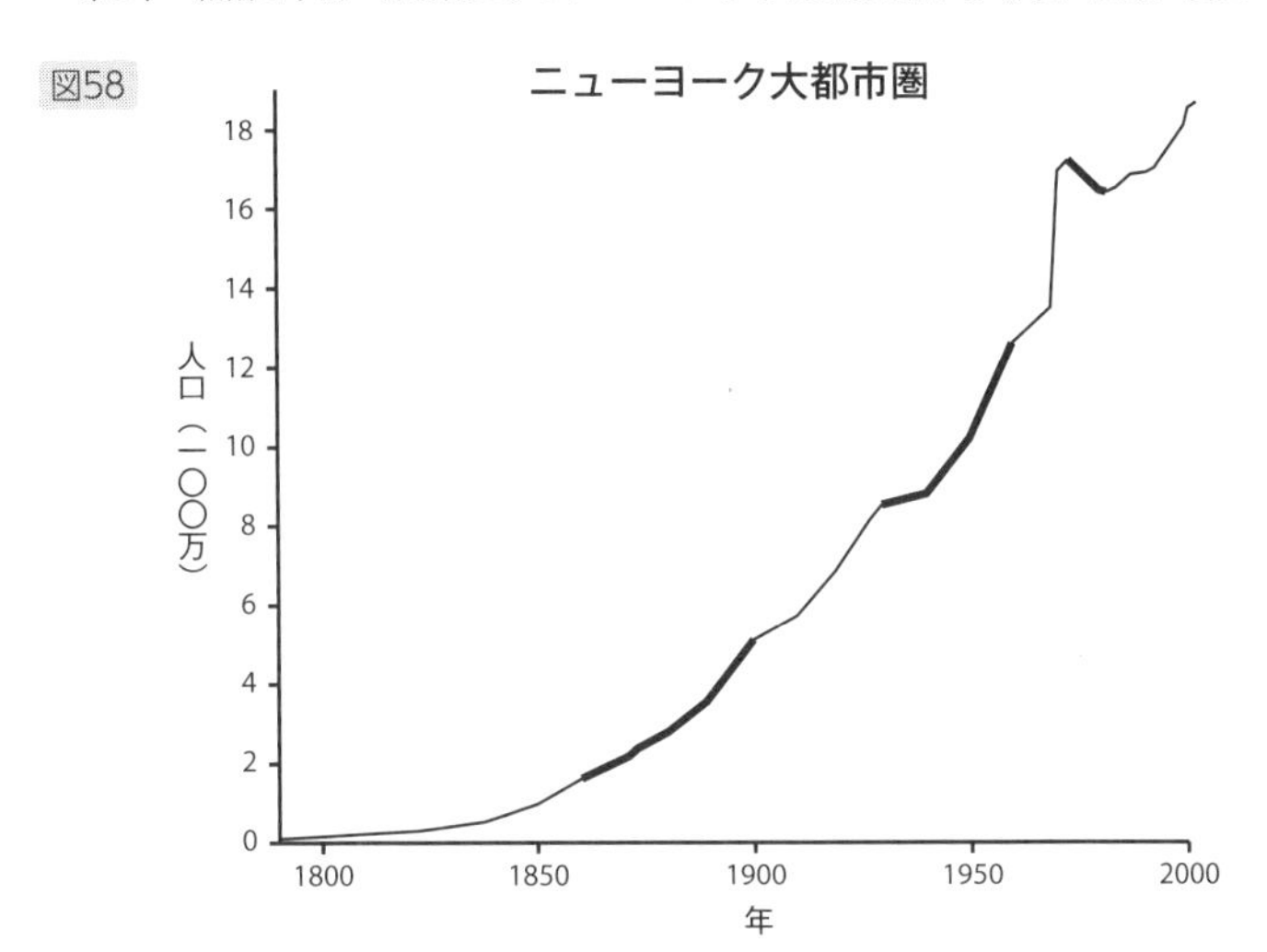

図59

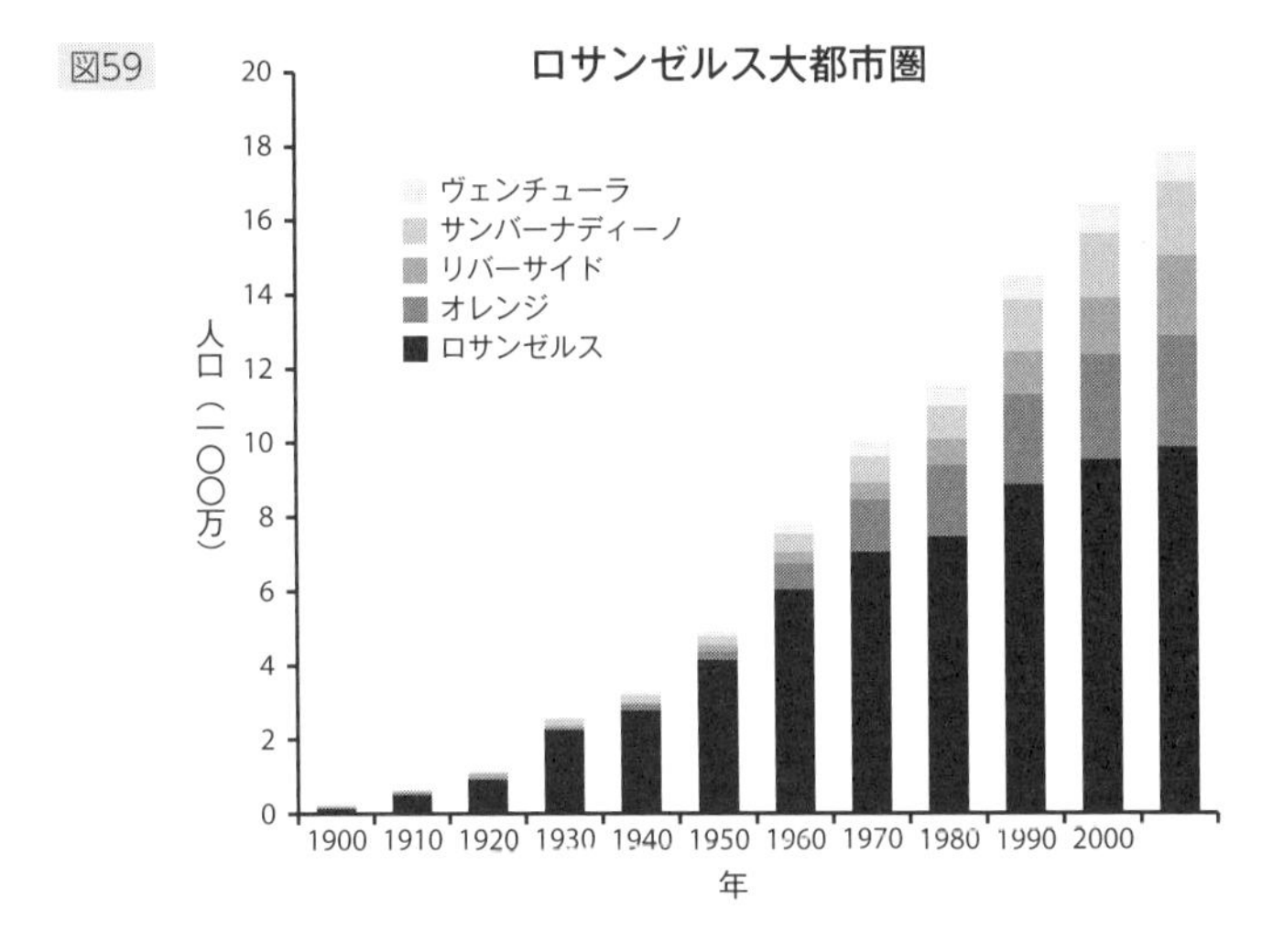

図54-59　無限の超指数関数的成長の普遍性を示す、世界中の様々な都市の成長曲線。順にムンバイ、メキシコシティ、ロンドン、オースティン、ニューヨーク大都市圏、ロサンゼルス大都市圏。1850年以前の信用できるデータは存在しない。

第9章　企業科学を目指して

企業は人や家族同様に、都市と国の社会経済生活の基本要素だ。イノベーション、富の生成、起業精神、雇用創出は、すべて事業所、会社、法人の設立と成長を通じて表れる。これらすべてを総称して「企業」と呼ぶことにする。経済を支配しているのは企業だ。例えばアメリカのすべての公開企業の総価値――専門用語で合計時価総額――は二一兆ドル以上で、GDP総額より一五パーセント大きい。ウォルマート、シェル、エクソンモービル、アマゾン、グーグル、マイクロソフトといった最大企業の資産価値と年間売上高はいずれも五〇〇〇億ドル近くで、小数の企業が全市場の大半を占めていることがわかる。

　私たちが先だって発見した、個人所得（パレートの法則）と都市（ジップの法則）の順位とサイズの頻度分布に関する新事実を鑑みれば、この偏りが企業の時価総額、あるいは年間売上高の順位と同様のべき乗則分布の反映であるのもうなずけるだろう[*1]。これは第8章の図41ですでに示した。だから、極端に大きな企業は非常に少数だが、非常に小さな企業は膨大で、それらのあいだのすべてが単純な系統的べき乗分布に従っている。アメリカにはほぼ三〇〇〇万の独立事業所があるが、その大半が民営で、従業員はごくわずかで、上場企業はわずか約四〇〇〇社で、これらが経済活動の大半を担っている。

するとと、都市と生命体と同様に、企業が売上、資産、経費、利益といった測定可能な指標についてスケールしているのではと当然思えてくる。企業はサイズ、個性、業種を超えた系統的規則性を示すのか？　その場合、前章で発展させた「都市科学」と同じように、定量的で予測的な「企業科学」があり得るのか？　起業がどのように成長、成熟し、最終的に終わるのかという、起業の生命史一般の定量的特性の理解は可能なのか？

都市と同様に、企業についてはアダム・スミスと近代経済学創始にまで遡る、膨大な論文が存在する。その大半は定性的で、たいてい特定の企業や事業部門の事例から収集されたものを元に、企業の動学的、組織的特性を直観的に得ている。歴史的に企業は、共同作業の規模の経済を活かすために人々を組織し、それによって生産者やサービス提供者と消費者間の生産やサービスの取引コスト削減を行うのに必要なエージェントとして見られてきた。利潤を最大化して市場シェアを増やすためにコストを最小化しようという衝動は、財やサービスを多くの人々に手頃な価格で提供することで、近代市場経済の創造に並外れた成功を収めてきた。潜在的な危険性、悪用、意図せぬ副作用にもかかわらず、この自由市場の教義は、世界中に空前の生活水準をもたらしてきた。これは潜在的には手厳しく単純化したビジョンであり、しばしば質を無視し、さらにもっと重要な点として、なぜ企業は利益と報酬を最大化したいのかという根源的な動因を超えて、なぜ企業が存在するのかという基本的な補完要素としての企業の社会的責任の明白な役割を無視したものだ。

企業に関する論文のほとんどは経済学、金融、法律、組織研究の見地から発展してきたが、近年は生態学と進化生物学からの視点が増えてきた。成功した投資家やCEOが著した、自分の成功の秘密を明かした一般向け文献も多く、各種の論文はそうしたものから類推して、何がある企業を成功させ、何が他を失敗させるのかを説明し、説教しようとする。程度の差はあるが、これらすべては企業の本質、動態、構造について洞察を提供はするが、どれも本書で述べたような意味での、問題に対する科学的な見方を提示していない。*[2]

企業理解のために従来提案されてきたメカニズムは、大きく三種類に分類できる。取引費用、組織構造、市場競争だ。これらは相互に関係しているのに、別々に扱われることが実に多い。前章で開発した枠組みの言葉を使うと、これらは次のように表現できる。（1）「取引費用」の最小化は、利益最大化などの最適化原則がもたらす規模の経済を反映している。（2）「組織構造」は、事業を維持、成長させるための情報、資源、資本を動かす企業内のネットワーク系だ。（3）「競争」は、市場生態系固有の進化圧力と選択過程をもたらす。

自動車、コンピュータ、ボールペン、保険ポートフォリオは、複雑な組織構造を創らないと大規模生産できない。そして競争市場で生き抜くには、構造に適応性が必須だ。都市同様に、これにはエネルギー、資源、資本――企業の代謝――を、イノベーションと創造性を促すための情報交換と統合する必要がある。この意味であらゆるスケールの企業が古典的な複雑適応システムであり、検討したいのはスケーリング・パラダイムに根ざしたその枠組みだ。それらの成長、寿命、組織を理解するための従来の見方の補完として、定量的、機構的理論をどの程度まで進展させられるだろうか？

企業の特質の研究に、経済活動と企業の歴史のあらゆる領域を網羅する大きなデータセットを使用したものは、驚くほど少ない。これらのほとんどは複雑系の概念に触発された研究者が行ったもので、その良い例が、企業サイズ分布が系統的なジップの法則に似たべき乗則に従っているという発見だ(図41参照)。この洞察はコンピュータ社会科学者ロバート・アクステルによるもので、彼はカーネギーメロン大学で公共政策とコンピュータ科学を学び、そこで前出の偉大な多才研究者ハーバート・サイモンから影響を受けた。

バージニア州のジョージ・メイソン大学に在籍し、サンタフェ研の外部研究員でもあるアクステルは、膨大な数の要素で構成されたシミュレーション・システムに使う、「エージェント・ベース・モデリング」の第一人者だ。[*3] 基本的にこの手法は、企業、都市、人など個別構成因子間の相互作用を司る簡単な法則と、それらがどのように発達するかを規定するアルゴリズムを組み合わせ、その結果生じた系をコンピュータで走らせるものだ。高度なバージョンでは学習、適応、繁殖の規則さえ取り込んで、現実に近い進化プロセスをモデル化している。

強力なコンピュータの発達によって、エージェント・ベース・モデリングは、テロリスト組織の構造、インターネット、交通パターン、株式市場の動向、パンデミック、エコシステム(生態系)の動態、そして事業戦略といった、生態、社会システムにおける多くの問題の実態について洞察を得るための標準的なツールになってきた。ここ数年間で、アクステルはエージェント・ベース・モデリングを使って、六〇〇万社以上の企業と一億二〇〇〇万人以上の労働者を網羅して、アメリカ企業の全エコシステムをシミュレーションしようとしてきた。この野心的プロジェクトは、シミュレーションを制約する入力、およびその結果検証の両方で国勢調査に大きく依存している。

最近、彼はオックスフォード大学教授ドイン・ファーマー、イェール大学の著名経済学者ジョン・ゲアナコプロスを含むサンタフェ研コミュニティの他の優秀なメンバーとチームを作り、このプロジェクトを経済全体のシミュレーションにまで拡げている。これは真に野心的で、金融取引や工業生産から不動産、財政支出、税、事業投資、海外貿易や海外投資、そして消費者心理まで、ありとあらゆるデータ入力が必要だ。こうした経済全体の統合シミュレーションによって、減税か財政支出を増やすか、そして最も重要な点として、ティッピングポイントや目前の危機を予見して潜在的な不況や後の破綻さえも回避するための、経済的刺激の様々な戦略を評価する現実的な試験台が提供されるかもしれない。[*4]

恐ろしい話だが、実際には経済の実際の仕組みについてこうした詳細なモデルが存在せず、政策はたいてい、こう機能するはずだというかなり局所的で、時として直観的な考えで決められる。経済は常に進化し続ける複雑適応系で、その多様な相互依存する要素をますます細かい半自律的なサブシステムに分解すると、誤解や危険でさえある結論へと至る可能性があるのは、経済予測の歴史が証明している。長期の天気予報同様にこれは悪名高いほど難しい課題で、経済学者に公平を期すなら、システムが安定している比較的短期の予測だと、かなりうまく予測できている。従来の経済理論は、経済がおおむね均衡状態であることに大きく依拠している。難しいのは大きく外れた事象、大きな転換点、臨界点、破壊的な経済的台風や竜巻の予測で、こちらでは予測成績はかなり悲惨だ。

ベストセラーとなり、大きな影響を与えた『ブラック・スワン――不確実性とリスクの本質』の著者ナシーム・タレブは、経営と金融を学んできたのに、あるいはむしろそれだからこそ、経済学者たちに対してとりわけ厳しい態度をとってきた[*5]。彼はニューヨーク大学、オックスフォード大学を含む幾つかの有名大学に籍を置いて、大きく外れた事象を受け入れ、リスクの理解を深める重要性に注目してきた。彼は古典的な経済学思考について、とんでもない表現で容赦ないほど率直に糾弾してきた。例えば「数年前、私は経済学についてあることに気づいたが、それは経済学者が何一つまともに理解できていないということだ」。彼はノーベル経済学賞を廃止しろとさえ訴えた。経済理論が与える損害は破壊的だからというのだ。私はタレブの考えと議論には賛同できないところもあるが、このような声高な異端児による異議申し立ては、とりわけ正統派の実績が不十分なのに、そのご託宣が人々の生活に大きな意味を持つなら、重要で健全なことだ。

エージェント・ベース・モデリングの大きな美徳は、システム全体を理想化されたかけらの寄せ集めではなく、統合された存在として扱うことで、これら大きな問題の幾つかに対処するための別の枠組みをもたらす可能性にある。それは当初から、経済は通常は均衡状態にはなく、多数の構成部分間の相互作用がもたらす、新たな特性を持つ創発システムであることを認識している。

しかし、幾つかの重大な欠点がある。まずは、重要な入力は主体がどのように行動、相互作用し、決定を下すかというルールの仕様で、多くの場合これは根本的な知識や原理ではなく、直観に基づくしかない。さらに、細かいシミュレーション結果を解釈し、システムの各種要素やサブユニット間の因果関係を見極めるのは、非常に難しいのが通例だ。だから特定の出力を決める重要な要因の影響と、そのようなシステムに共通の一般原則による結果のちがいは不明瞭だ。エージェント・ベース・モデリングの根底にある哲学を極端に推し進めると、莫大な数のまったく別で無関係に見える結果を、少数の基本的な一般原則、法則に落とし込むことが最重要課題である従来の科学的枠組みとは正反対になってしまう。生物学では自然選択の原則を、細胞からクジラまですべての生命体に適用し、物理学ではニュートンの法則を自動車から惑星まであらゆる運動に適用する。これとは対照的にエージェント・ベース・モデリングの狙いは、個別の系それぞれにほぼ一対一のマッピングを行うことだ。構造と力学を制約する一般法則と原理は二次的なものでしかない。例えば、ある企業のシミュレーションには、すべての個別労働者、管理者、取引、売上、コスト等々が含まれ、それゆえに各企業は、通常はその系統的な動向や大きな全体像との関係性を明確に考慮することなく、独立したほぼ唯一無二の存在として扱われる。

両方のアプローチが欠かせないのは、明らかだ。一般行動を形作る全体像と支配力を反映した、「普遍的」法則と系統的行動様式の一般性と節約の原理が、各企業の個性と独自性を反映した詳細なモデリングと一つになるのだ。都市の場合、その計測可能な特性の八〇から九〇パーセントが人口サイズを知るだけで決まることをスケーリング則が明らかにして、残りの一〇から二〇パーセントがその個性と独自性の指標で、その場所の歴史、地理、文化的特性を取り込んだ詳細な研究によってしか理解できない。この発想に基づき、企業が従う法則を明らかにするために、この枠組みをどこまで利用できるか検討しよう。

1. ウォルマートはビッグ・ジョーズ・ランバーの、そしてグーグルはグレート・ビッグ・ベアのスケールアップ版？

アメリカ企業の株式市場指数S&P五〇〇で最もよく知られている金融サービス企業スタンダード&プアーズは、一九五〇年まで遡る全公開企業の貴重なデータベースを、財務諸表とバランスシートの概要と共に提供している。これはコンピュスタットと呼ばれている。生命体や都市についての同様のデータベースとは異なり、このデータベースはタダでは手に入らない。S&Pはこれへのアクセスに五万ドルほど要求する。これは想定顧客である多くの投資家、企業、ビジネススクールにははした金かもしれないが、私たちのようなしがない学究の徒には大金で、ポスドク研究者の年収に相当する。残念ながらスケーリングの視点からの企業研究でISCOMプロジェクトを立ち上げたときには、そんなお金はなかったから、企業研究は後回しにして、データを無料で入手できる都市研究にプロジェクトを絞った。

都市研究は、私個人の予想よりもかなりおもしろく生産的で、結局、全米科学財団の研究資金でコンピュスタット・データベースにアクセスできるようになった後も、企業という対象にふさわしいだけの集中力を注ぐまでに、予定よりもかなり時間がかかってしまった。そのせいもあって、分析と理論的枠組みは都市ほど発展していない。それでも大きな前進を見せており、大ざっぱな企業科学の基礎となる明解な図式ができた。

現代の企業概念と、ほとんどの企業があまり長続きしないという急激な市場回転率は、せいぜいわずかここ二〇〇年ほどの現象だ。これは都市と都市システムの発達にかかった何百、何千年に比べれば非常に短い時間で、生物の繁栄にかかった数十億年とは対照的だ。つまり企業が都市や生命体の系統的スケーリング則を見せるメタ安定的形態に到達するまでに、市場の力が作用できる時間は、かなり短かった。

これまでの章で説明したように、スケーリング則は自然選択や「適者生存」に固有の持続的なフィードバック機構がもたらした、ネットワーク構造最適化の結果だ。都市の場合、表出するスケーリング則は生命体に比べると、理想的なべき乗則の周辺でずっとばらつきが大きいはずだ。進化力が機能する時間がかなり短いためだ。図１の動物の代謝率と図３の都市における特許生産という二つのケースのスケーリングへの適合の比較が、この予測を裏付けている。都市の適合の分散は常に生命体よりも大きい。「進化」の時間スケールがさらに短い企業にこれを外挿すると、もし実際それがスケールするなら、理想的なスケーリング曲線のまわりで、都市や生命体に比べより大きく分散するはずだ。

分析に使ったコンピュスタットのデータセットは、一九五〇年から二〇〇九年までの六〇年間にアメリカ市場に上場した全二万八八五三社のものだ。データベースには従業員数、総売上、資産、支出、負債といった標準的な会計指標が含まれ、それぞれが支払利息、投資額、棚卸資産、減価償却費など下位分類されている。次ページのフローチャートにこれらすべての相互関係を示した。

これを作ったのは、この試みの支援で雇った若きポスドク人類学者マーカス・ハミルトンだ。マーカスは学生時代から生命の研究に身を捧げていた。人類学と考古学をさらに定量的、コンピュータ化、機械論的にするためだ。これらの分野が社会科学のなかでもこういった視点を最も欠いていたのにはそれ相応の理由があったため、マーカスの歩んで来た道は厳しいものだった。しかし私たちにとって彼は完璧だった。博士号修得後、私がサンタフェ研に参加するまで、彼はジェームズ・ブラウンと共

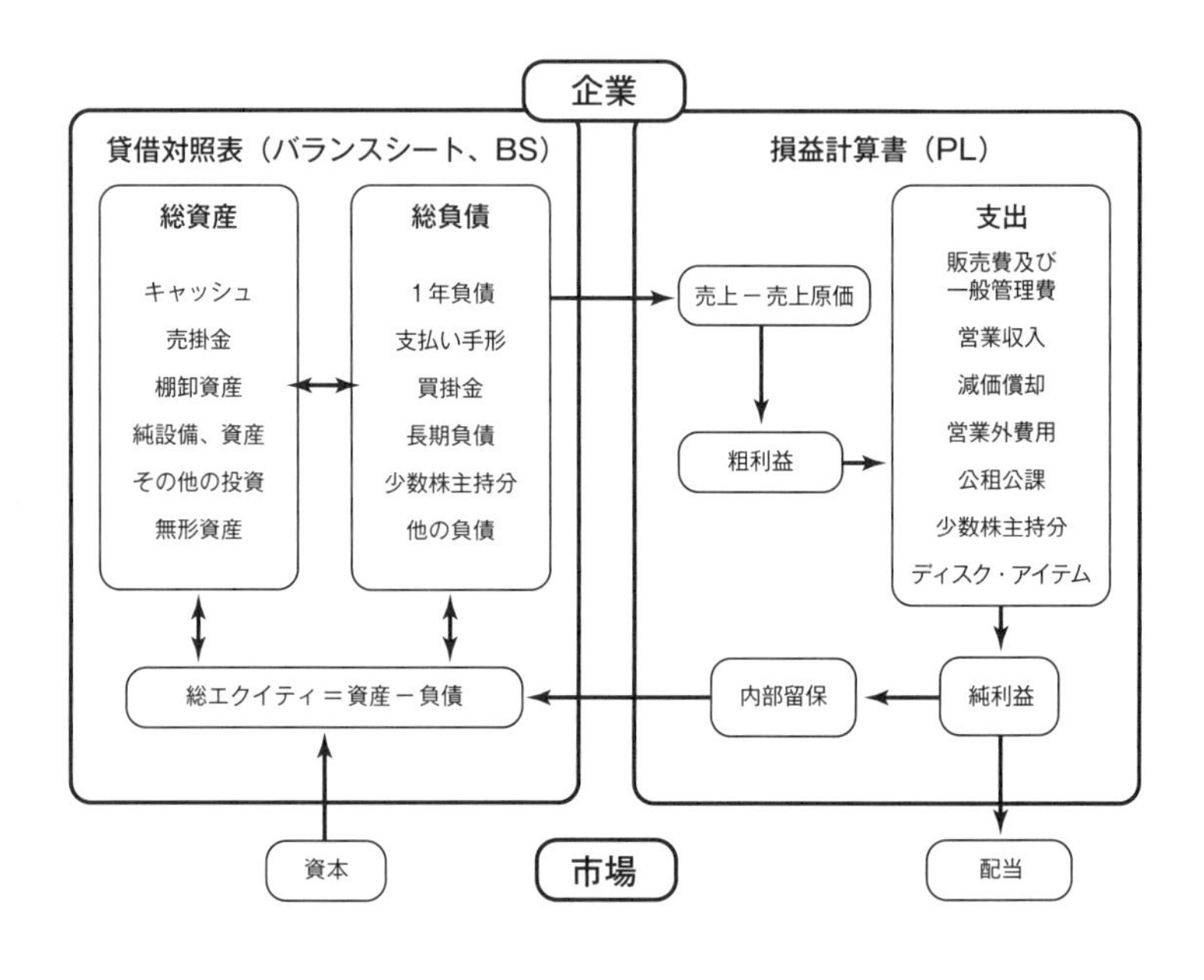

に地球の持続可能性問題に生態学的、人類学的視点から取り組んできた。彼は狩猟採集社会をスケーリング的視点から理解しようとする興味深い研究の先鞭をつけ、ホセ・ロボと私と共に、先祖である狩猟採集民は、最終的に都市形成へと至る重大な定住コミュニティへの移行をなぜ、どうやって行ったのかという理論を展開してきた。最近私はホセとマーカスと共に論文を共同執筆して、第一級の人類学誌で発表した――私のキャリアのなかでも最高の業績の一つだ！

企業のスケーリング研究の最初の結果と結論には、非常に説得力がある。それらは企業の一般構造と発達史の理解をつくり出す強力な基盤となる。図60～63は、アメリカの全二万八八五三企業の収入、利益、資産、売上を従業員数に対して対数目盛で示したものだ。これらは企業の主要財務特性であり、財務状況、力学を知るための標準的手段だ。これらのグラフにはっきり表れているように、企業は確かに単純なべき乗則に従ってスケールし、予想通り、都市や生命体よりも平均のまわりでかなり大きく分散している。だからこのような統計的意味において、企業はおおむね互いの自己相似版としてスケールする。ウォルマートはもっと小さな、控えめなサイズの企業を拡大したものだ。この分散の大きさを考慮しても、このスケーリング結果は企業のサイズと力学の目をみはる規則性を示す。様々な事業部門、場所、企業年齢のとてつもない多様性を考えると、まったく驚くべきことだ。

これについてさらに詳しく述べる前に、こうした分散の大きいビッグデータセットから、どうやってスケーリング規則性を引き出すか検証するのは有益だ。ヒストグラムに非常に似た形で、データを等間隔でグループ分けして各グループ内の平均をとるのが標準的手法だ。これは実質的に変動を平均して、膨大な数のデータ・ポイントを、比較的小さな数、つまり全体を分けたいグループ数にまで減らす。従業員数はたいてい主に従業員数人の若い企業から、一〇〇万人のウォルマートのような巨大企業まで、最小から最大まで一〇〇万倍以上の幅がある。この進展を表すために、図60〜63のデータは、等間隔で八グループに分けている。各間隔は一桁に相当する。よって最初のグループには従業員一〇人未満の全企業が含まれ、第二グループには一〇人から一〇〇人未満、第三グループには一〇〇人から一〇〇〇人未満というふうに続き、最終グループには一〇〇万人以上の企業すべてが入る。

各グループの平均値を表す九（訳注：原文6）のポイントを、グラフ上にグレーの点で示した。それらは、データをきわめて荒っぽく還元した結果で、ご覧の通り非常に良い直線になっている。だから

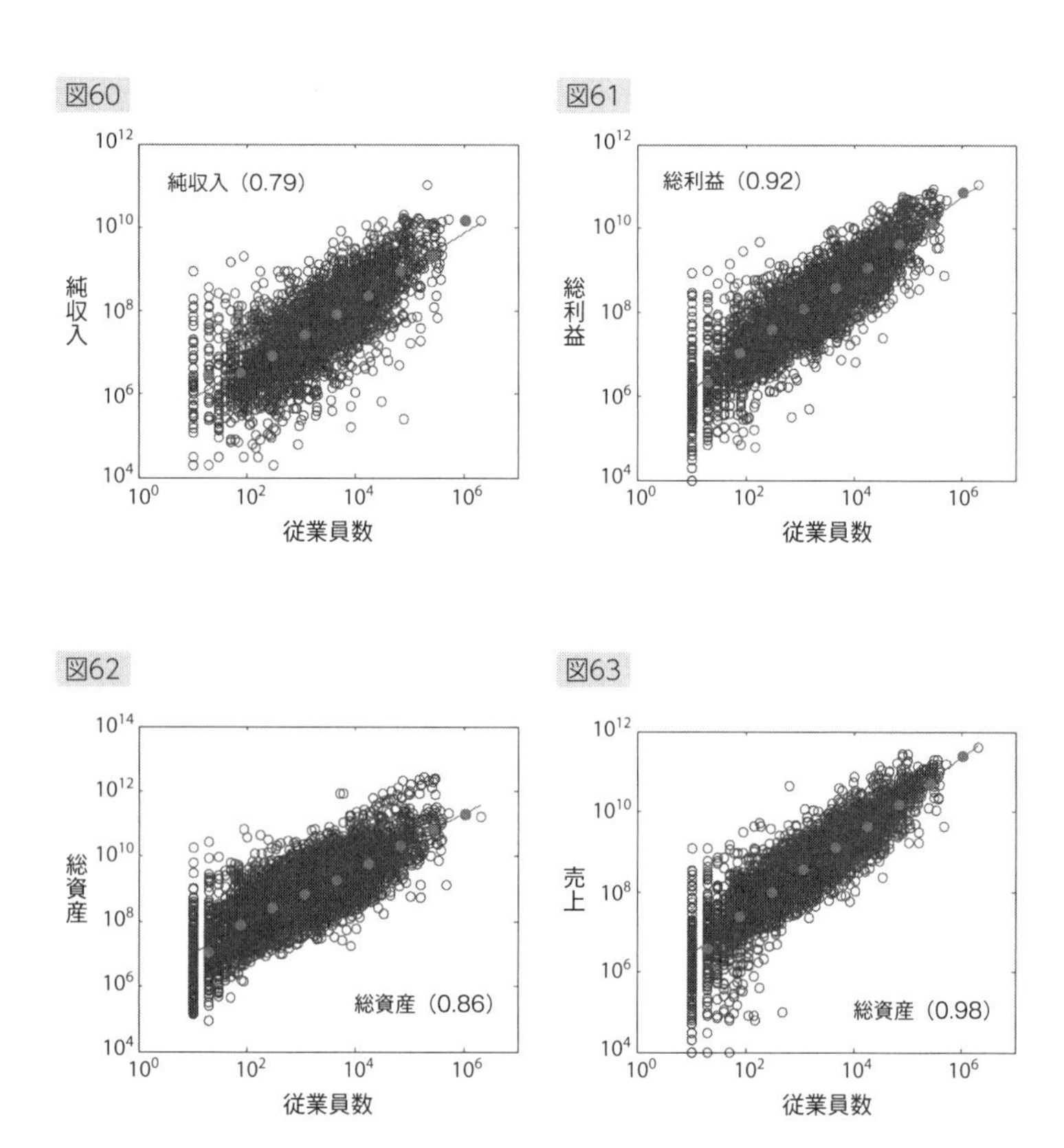

1950年から2009年までのアメリカ上場企業全28,853社の収入、利益、資産、そして売上を従業員数に対して対数的に描いたグラフは、はっきりと分散しながら線形未満スケーリングを見せる。グレーの線は本文で説明したグループ分けの結果を示している。

統計の分散の根底には理想的なべき乗則があるという考えが裏付けられる。使用するグループのサイズと数は任意で、同じように全範囲を八ではなく一〇、五〇、あるいは一〇〇のグループに分けて、データの解像度をどんどん上げても、直線がしっかりと維持されるか検証できる。実際、維持される。グループ分けは厳密な数学的手法ではないが、解像度を変えてもおおむね同じ直線と一致するという不変性は、平均的企業は自己相似的で、べき乗則スケーリングを満たすという仮定を強く裏付けている。本書冒頭の図4のグラフ（上巻）は、実はこのグループ分け手法の結果だ。アクステルの論文から持ってきた、企業がジップの法則に従うことを示した図41のグラフも同様だ。これらの結果は、企業が都市や生命体同様にある普遍的な力学に従っていることを示し、それが個別企業の個性と独自性を超えた、企業の大ざっぱな科学と見られることを、強く示唆している。

この発見を裏付けるさらなる証拠が、思いがけず中国株式市場から出てきた。二〇一二年、北京のシステム科学単科大学の若き教員ツアン・ジャンが私たちの共同研究に加わった。この通称ジェイクは二〇一〇年にサンタフェ研を訪れて企業研究プロジェクトに熱烈に参加したがった。彼は新興証券取引所に上場した全中国企業を網羅した、コンピュスタットに似たデータベースにアクセスできた。文化大革命崩壊と鄧小平の台頭に続いて、経済改革によって中国に証券市場が再設され、一九九一年末には上海証券取引所が取引を開始した。

ジェイクがデータを分析してみると、中国企業も図64〜67に示したようにアメリカ企業とよく似た形でスケールすることがわかり、みんな大いに満足した。しかしこれは中国市場の稼働が一五年以下であることを考えると、ちょっと意外でもあった。活発な後追いのなか、「自由」競争市場の力学は、

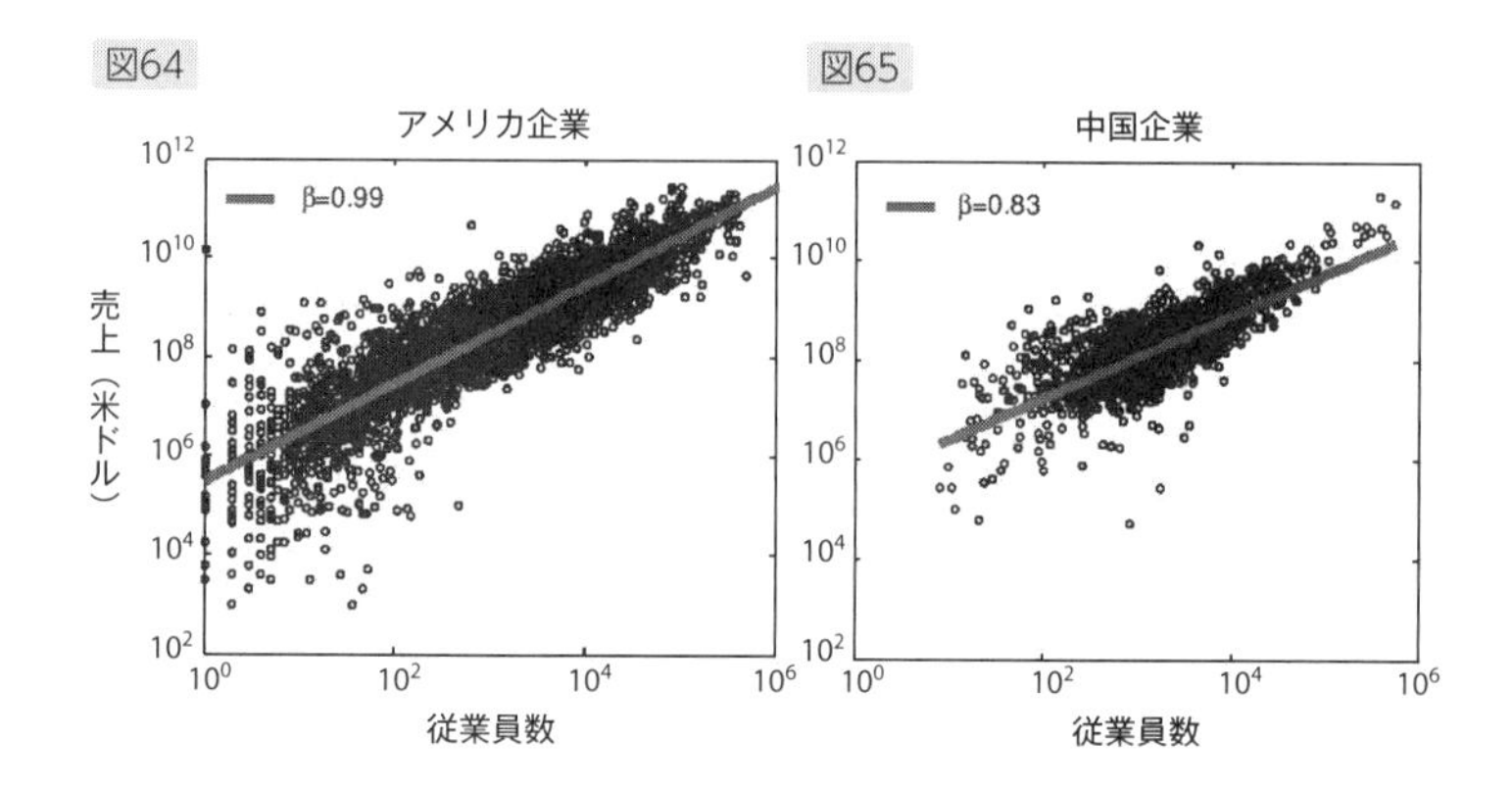

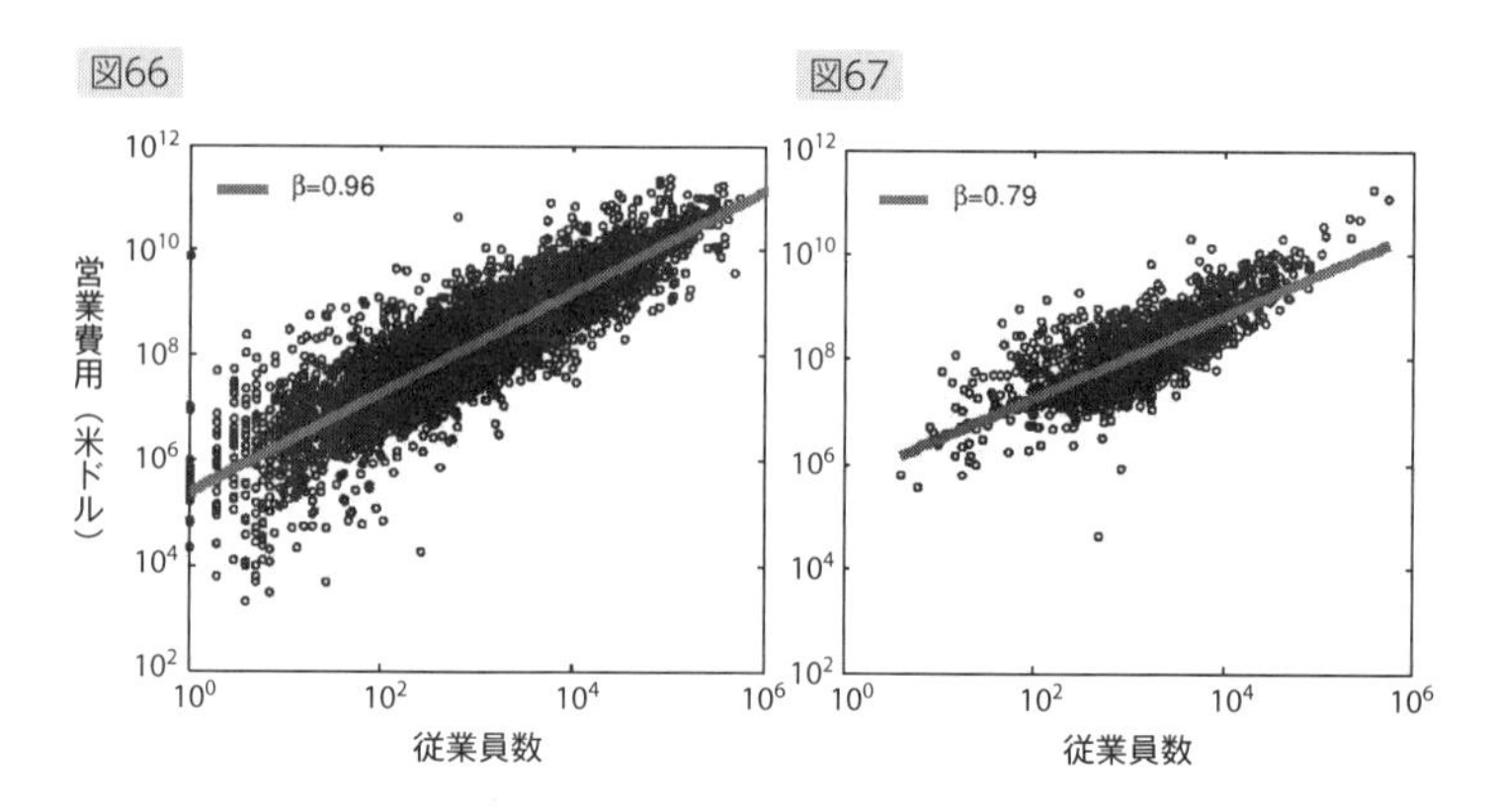

アメリカ企業と中国との企業スケーリングの比較は、似たパターンを示す。

系統的傾向が早めに登場するのに十分な強さを持っているのは明らかだ。これはまちがいなく、中国株式市場とその経済全般が短時間で成長を遂げてきた、その並外れて速いペースと関係している。上海証券取引所はすでに世界で五番目に大きく、アジアでは香港に次いで第二位だ。その総時価総額は、ニューヨーク証券取引所の二一兆ドル以上、香港の七兆ドルに対して、三兆五〇〇〇億ドルだ。

2. 無限成長神話

企業スケーリングの重要な特性の一つは、その主要指標の多くが、都市のように超線形ではなく、生命体のように線形未満でスケールすることだ。これは企業が都市よりも生命体に似ていて、収穫逓増とイノベーションではなく、ある種の規模の経済に支配されているということだ。これはその生命史、なかでもその成長と死に対して大きな意味を持つ。第4章で見たように、生物の線形未満スケーリングは成長の限界と有限寿命をもたらす。それに対して第8章で見たように、都市（そしてその経済）の超線形スケーリングは無限の成長をもたらす。

だから企業の線形未満スケーリングは、企業もまたいずれ成長を止めて死んでしまうことを示唆している。これは多くのCEOにとって穏やかならぬ企業像だ。現実はそれほど単純ではない。なぜなら企業の成長予測は、生物の話を単にそのまま持ってくるよりは複雑だからだ。これを説明するために、一般理論の企業への適用を単純化したものを提示しよう。企業の成長と死を決定する本質的特徴だけに焦点を絞った理論だ。

企業の持続的成長は最終的には利潤（または純収入）次第だが、これは売上（あるいは総収入）と総費用の差として定義される。費用には給与、経費、利払いなどが含まれる。成長を長く続けるために、企業はいずれ利潤が立たねばならず、その一部は株主への配当に使われることもある。その株主は他の投資者と共に、株や債券を買い足して、その企業の将来的な健全性と成長を支援するかもしれない。だが彼らの全般的行動を理解するには、配当や投資は無視して（これは主に小規模の若い企業にしか重要性がない）、もっと大きな企業の成長の原動力の中心となる利潤に的を絞ったほうがわかりやすい。

すでに見てきたように、生命体と都市の両方の成長を促すのは代謝と維持補修の差分だ。この表現だと、企業の総収入（または売上）はその「代謝」で、費用はその「維持」費となる。生物では代謝率はサイズに応じて線形未満でスケールしたので、大きくなるにつれてエネルギー供給が細胞の維持需要に追いつかず、最終的に成長が停止する。一方で、都市の社会代謝率は超線形的にスケールするので、都市が大きくなると、社会資本の創造はどんどん維持のための需要を追い越し、ますます加速する無限成長が起こる。

では、この力学は企業ではどう展開するか？　興味深いことに、企業はこの一般的主題の別の変種を示す。生命体と都市の中間にある山をたどるのだ。その実質的な代謝率は線形未満でも超線形的でもなく、まさにその中間の線形だ。これを図63、64に示したが、売上を従業員数に対して対数目盛で描くと、傾きは一に非常に近い。一方で費用はもっと複雑な形でスケールしている。最初は線形未満だが、企業が大きくなるとだんだん変化して線形に近づく。その結果、成長の原動力である売上と費用の差も、結局おおむね線形にスケールする。

これは良い知らせだ。なぜなら数学的に線形スケーリングは指数関数的成長をもたらすが、それこそあらゆる企業が求めるものだからだ。さらにこれは、経済が平均で指数関数的に拡大し続ける理由でもある。市場全体のパフォーマンスは、事実上その個々の企業すべての成長実績の平均だからだ。これは経済全体にとって良い知らせかもしれないが、個々の企業にしてみれば、指数関数的に拡大する市場に追いつく必要があり、大きな課題となる。だからたとえ企業が指数関数的に成長しても（良い知らせ）、その成長率が市場ひけを取らない水準でないと、生き残るには不十分かもしれない（悪い知らせ）。この企業にとっての「適者生存」の原始版が、自由市場経済の本質だ。

もっと良い知らせとして、若い企業は投資とそのサイズの割に大きな借り入れ能力を持ち、その維持費は非線形スケーリングなので、急速な成長を刺激する。その結果、理想化された企業の成長曲線は、最初は比較的速いが、企業が大きくなって維持費が線形になるとスローダウンするという、生物における古典的なS字成長と共通の特徴を持つ。だが維持費が線形にはならない生物とちがい、企業は、成長率は下がってもゼロにはならず、指数関数的に成長し続ける。

このシナリオとデータとの整合性を見てみよう。図68はコンピュスタット・データにおける、全二万八八五三企業のインフレ調整済み売上成長を、実際の暦年に対して示した素晴らしいグラフだ。一つのグラフに収めるため、売上を示す縦軸は対数表示になっている。「スパゲッティ」化してはいるが、驚くほど示唆的なグラフだ。全体的な傾向ははっきりしている。予想通り多くの若い企業は急成長を遂げて始動期を抜け出し、やがて減速するのに対し、既存の古い成熟企業は、成長を続けるがペ

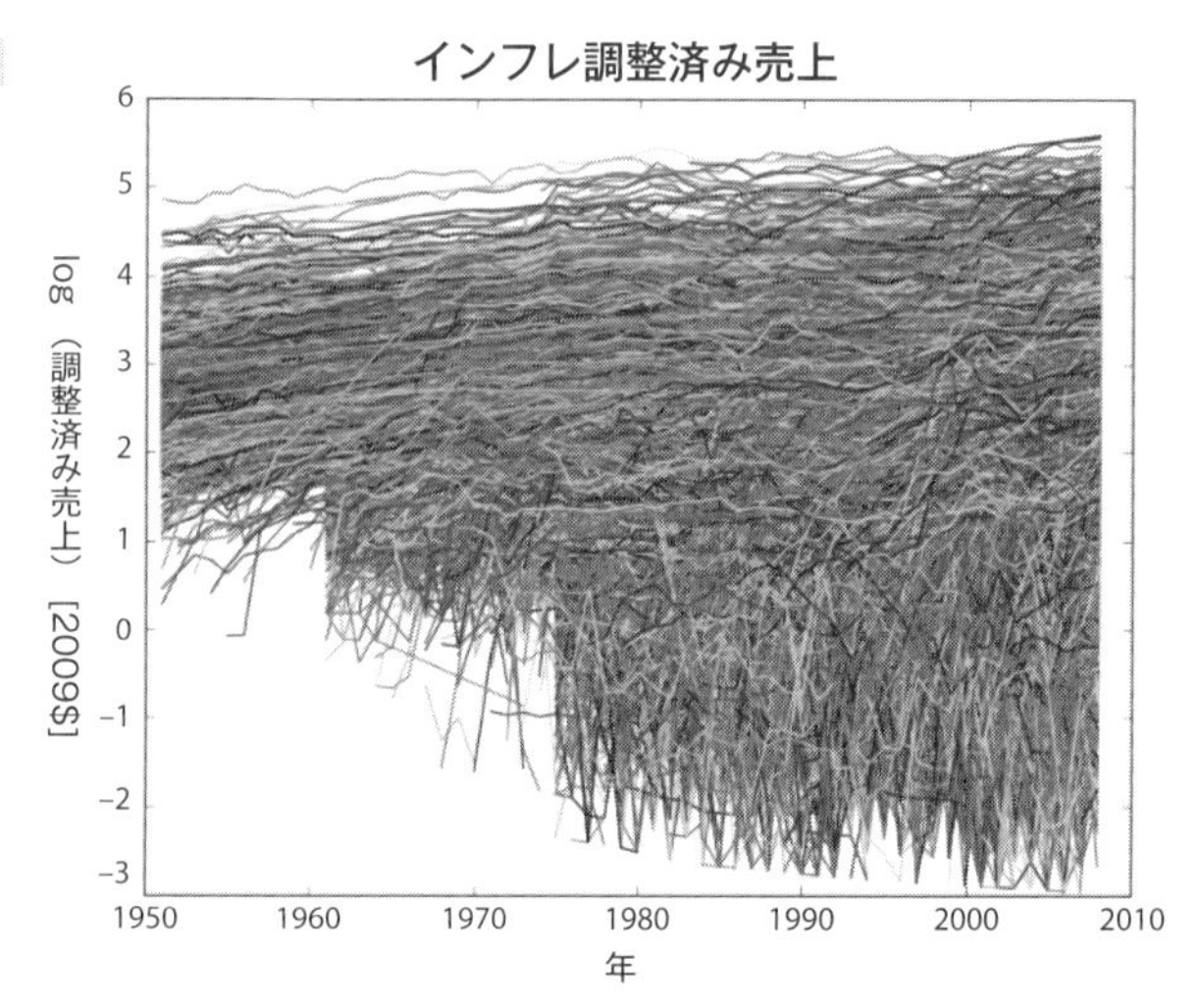

上場企業全28,853社の成長を実時間に対してインフレ調整して示した「スパゲッティ」グラフ。小さく若い企業の急激な「ホッケースティック」状の上昇と、大きな成熟企業の比較的ゆっくりとした成長に着目。

ースはずっと遅い。さらに古い低成長企業の上昇傾向は傾きがどれも小さく、おおむね直線だ。縦軸（売上）は対数でも横軸（時間）は線形となる、この片対数グラフでの直線は、数学的には売上が指数関数的に増えているということだ。だから平均で見れば、すべての既存企業が予想通り、最終的に安定はしていても遅い指数関数的成長に落ち着く。

これはとても明るい話だが潜在的な落とし穴があり、それは各企業の成長を市場全体の成長と比較すると明らかになる。この場合、市場全体の成長という要素が取り除かれた図70ではっきりわかるように、**すべての成熟した大企業の成長は止まっている**。それらの成長曲線をインフレと市場成長の両方

図69

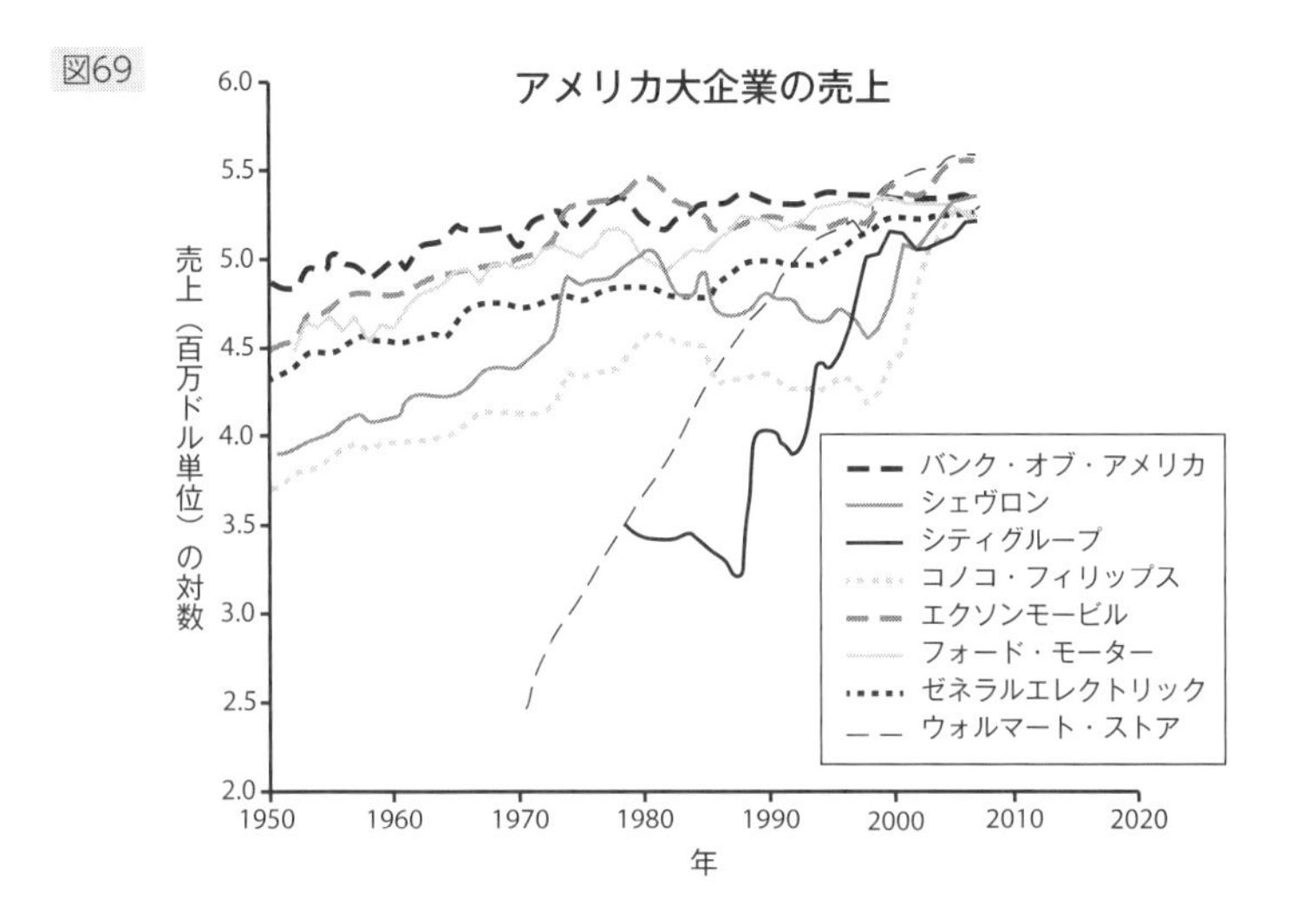

最も古い最大企業の代表的な成長カーブは、比較的ゆっくりとしている。併せて、かなり若いが急成長の後、売上が同程度まで上昇して安定したウォルマートも示した。

図70

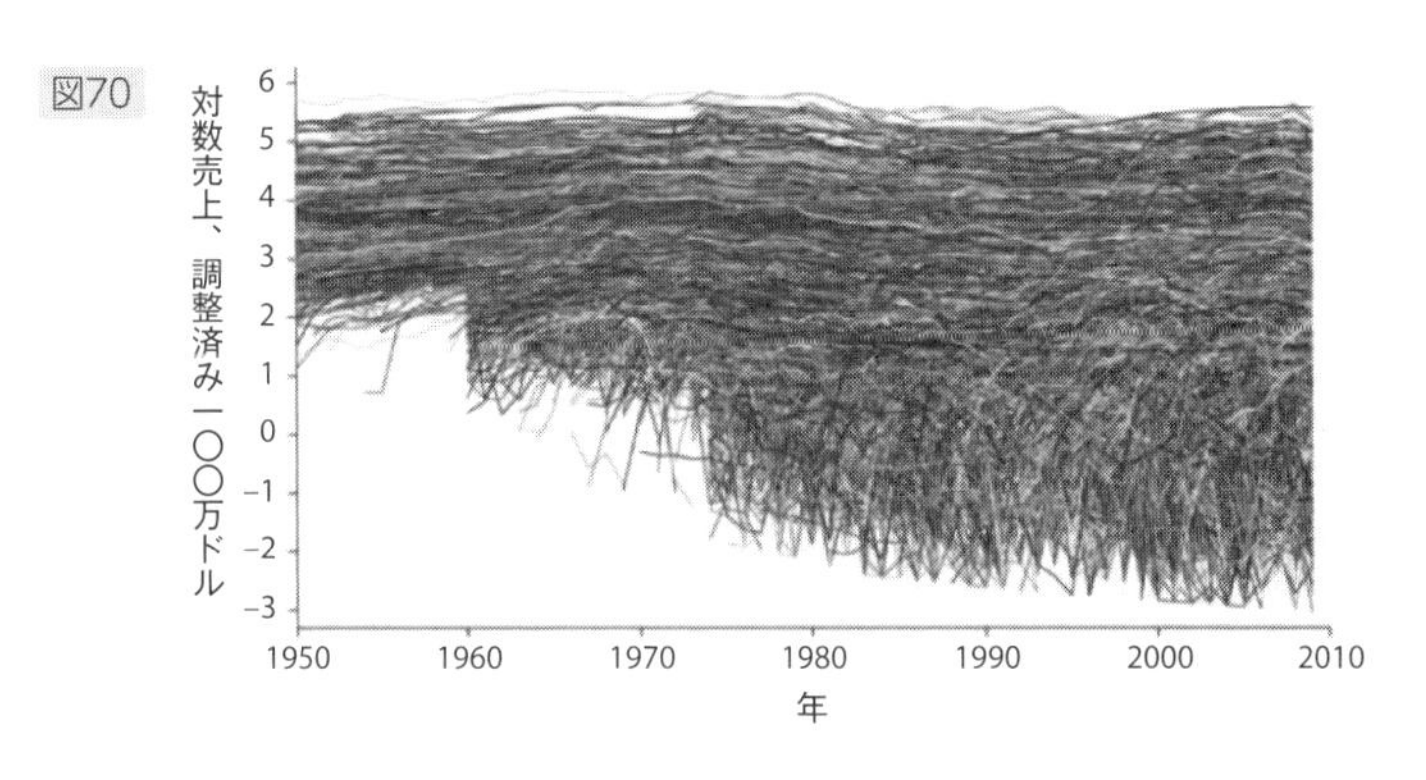

「スパゲッティ」状のグラフは上場企業全28,853社のインフレ調整済み売上成長を、市場全体の拡大と比較して示したもの。市場拡大を織り込むと、最大企業は成長しているとは言えない。

について調整すると、第4章の図15~18で示した、成熟すると成長が止まる生命体の典型的なS字形成長曲線とまるで同じになる。こうして生命体の成長との密接な類似性を見ると、企業の死もこのように生物と類似なのか、そして私たち同様に企業も死ぬ運命にあるのかという話が自然に出てくる。

3．企業の死は驚くほど単純

若い頃に急成長して、売上一〇〇〇万ドル以上になったほぼすべての企業が、最終的に株式市場の波の頂点に浮上する。これらの多くは鼻をギリギリ水面の上に出して営業しているような状態だ。これは不安定だ。大波が来れば、溺れてしまいかねないからだ。損失に苦しんでいるなら言うまでもなく、たとえ利益が指数関数的に増えても、市場の成長に追いつけなければ企業は危うい。市場だけでなく、自社の財務状況も持続的な浮沈を繰り返しているから、それに耐えるだけの体力が企業になければ、危うさは悪化する。市場の大きな変動や予期せぬ外部の動揺や衝撃は、売上と費用がギリギリの企業にとっては、タイミング次第で破滅的だ。縮小と衰退が引き起こされ、なんとか挽回できることもあるが、状況が厳しければ大惨事となり、破滅を迎えかねない。

この一連の出来事には、どこかで聞き覚えがあるだろう。私たち自身に死をもたらすものと大差ないからだ。人間もまた、生物学者が「恒常性」と呼ぶ、代謝と維持費用の均衡をギリギリで保っている。加齢とともに、生きる過程に固有の摩滅がもたらす修復できないダメージが積み重なって、変動や動揺に対する復元力を失い、どんどん脆弱になる。一度「老齢」に達すると、若い頃や中年の頃に

は対処できたようなインフルエンザ、肺炎、心臓発作、脳卒中が、しばしば致命的になる。やがて、ちょっとした風邪や不整脈ですら死をもたらしかねない段階に達する。

　こうしたイメージは、企業の死についての比喩としては有益だが、話の一部しか表していない。もう少し深く掘り下げるために、まずは企業の死というのが何を指すのか定義する必要がある。なぜなら企業の多くは破産や倒産よりも、合併や吸収で消えるからだ。有用な定義は、売上を企業の生存能力指標として利用するものだ。代謝しているなら、生きているという考えだ。すると誕生は企業が初めて売上を計上したときで、死は売上を計上しなくなったときということになる。この定義では、企業にもいろいろ死に方が出てくる。経済的、技術的状況の変化による分割、合併、あるいは倒産だ。倒産で死ぬ企業は多いが、もっと多いのが合併や吸収による消滅だ。

一九五〇年以来アメリカ市場での上場二万八八五三社のうち、二〇〇九年までに二万二四六九社（七八パーセント）が死んでいる。このうち四五パーセントが他企業による吸収、合併で、倒産、清算はわずか九パーセント、上場廃止が三パーセント、〇・五パーセントがレバレッジド・バイアウト、〇・五パーセントが逆さ合併、残りが「その他」による消滅だ。

データセットがカバーする期間内（一九五〇から二〇〇九年）に、生まれて死んだ企業の生存率曲線と死亡率曲線を、それらの生存期間の長さの関数として図71〜74に示した。[*6] 曲線は倒産と清算によるものと、吸収と合併によるものにまず分けて、そこからさらに売上規模別に分けた。はっきりわかるように、これらの曲線の全体的な構造は、データの切り分け方によらず、そして企業を個々の事業部門に分類しても、ほぼ同じだ。どの例でも、生存企業の数はＩＰＯ（新規株式公開）直後から急激に減り始め、三〇年後に残っているのは五パーセントに満たない。同様に死亡率曲線も、五〇年も経てば死んだ企業数がほぼ一〇〇パーセントに達し、そのほぼ半数が一〇年以内に死んでいることを示している。企業はつらいよ！　生存率曲線は図75のように、単純な指数関数にほぼ近い。図75は生存企業数を対数目盛で年齢に対して示したものなので、指数関数は直線になる。

こういう結果は、企業の死が倒産と清算によるものか、合併と吸収によるものかで敏感に変わるはずだと思うかもしれない。だがご覧の通り、どちらも非常によく似た指数関数的な生存率曲線を描き、死亡率曲線でも値が若干ちがうだけだ。企業が属する産業部門でも、結果が変わりそうなものだ。例えばエネルギー部門をＩＴ、輸送、あるいは金融部門と比べると、業界力学と競争市場原理はかなり

図71

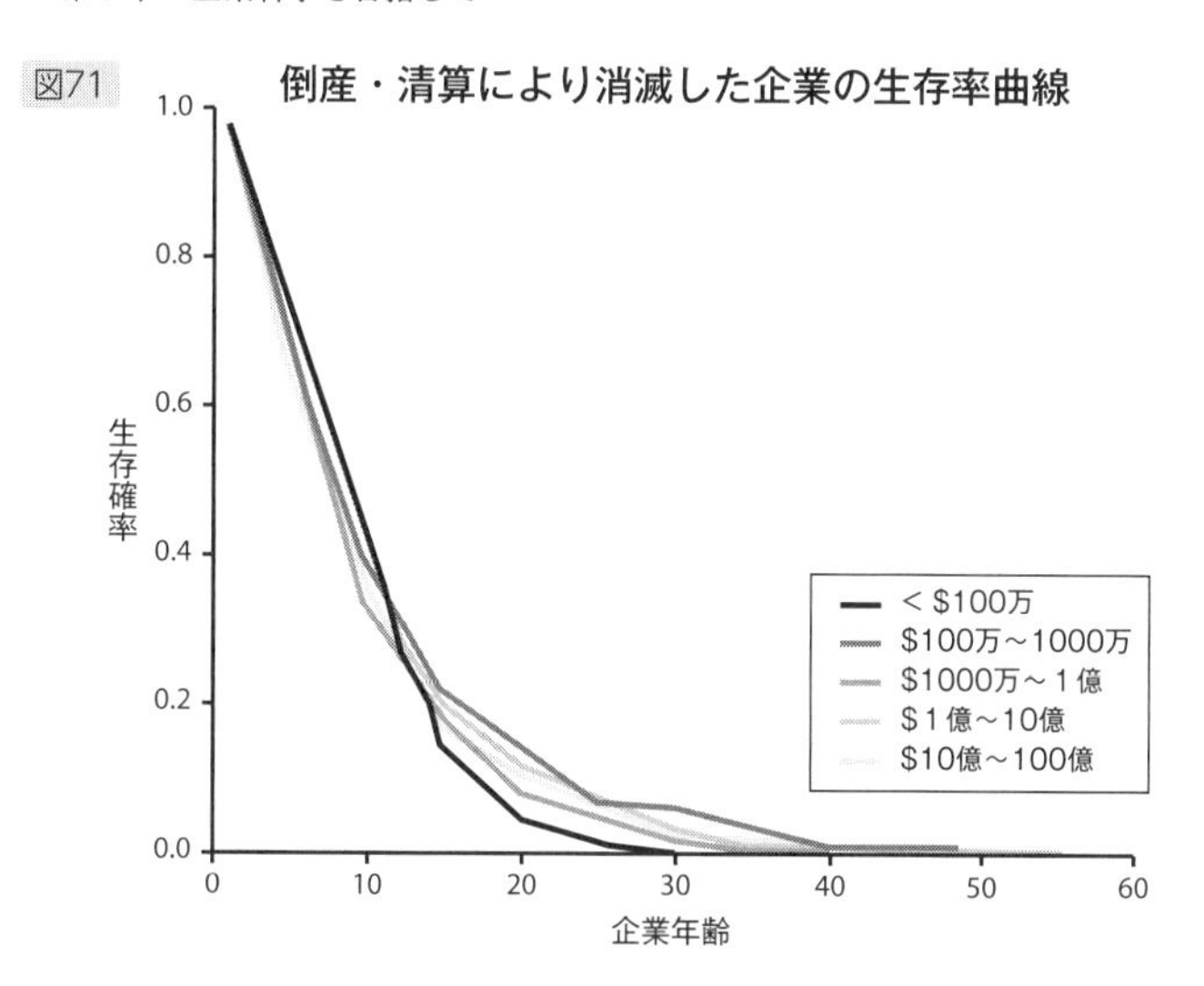
倒産・清算により消滅した企業の生存率曲線
生存確率
1.0
0.8
0.6
0.4
0.2
0.0
0
10
20
30
40
50
60
企業年齢
＜＄100万
＄100万～1000万
＄1000万～１億
＄１億～10億
＄10億～100億

図72

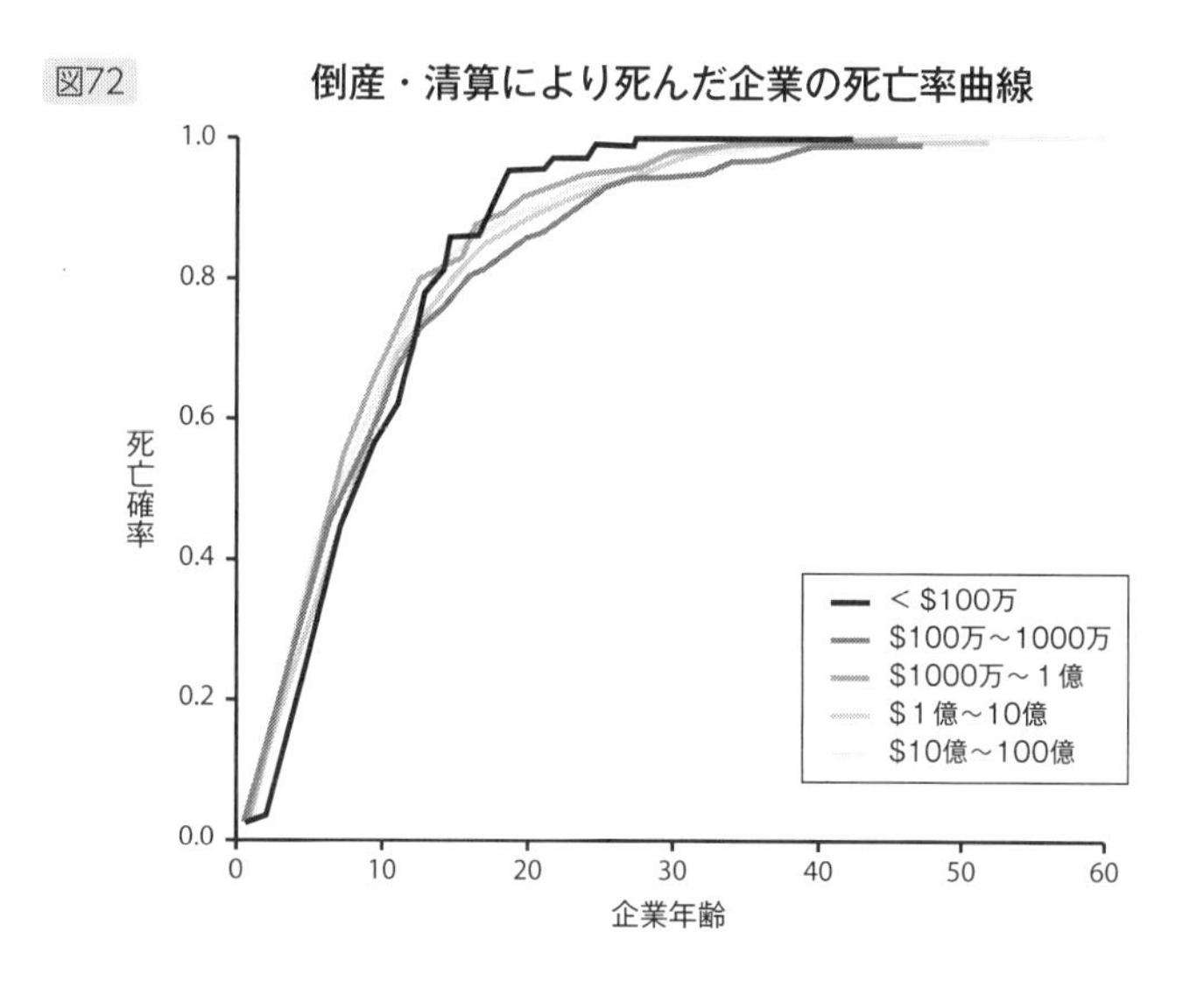
倒産・清算により死んだ企業の死亡率曲線
死亡確率
1.0
0.8
0.6
0.4
0.2
0.0
0
10
20
30
40
50
60
企業年齢
＜＄100万
＄100万～1000万
＄1000万～１億
＄１億～10億
＄10億～100億

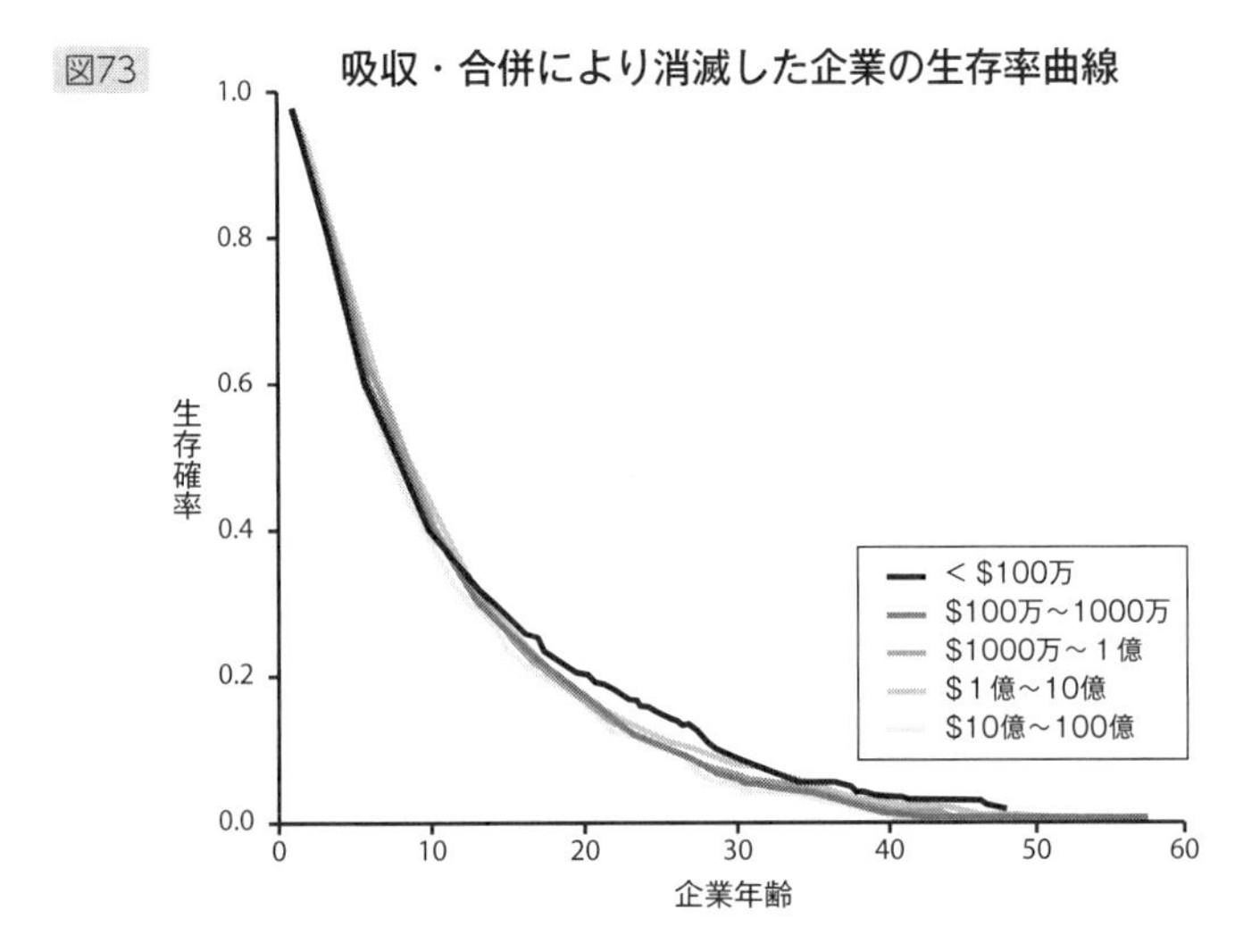

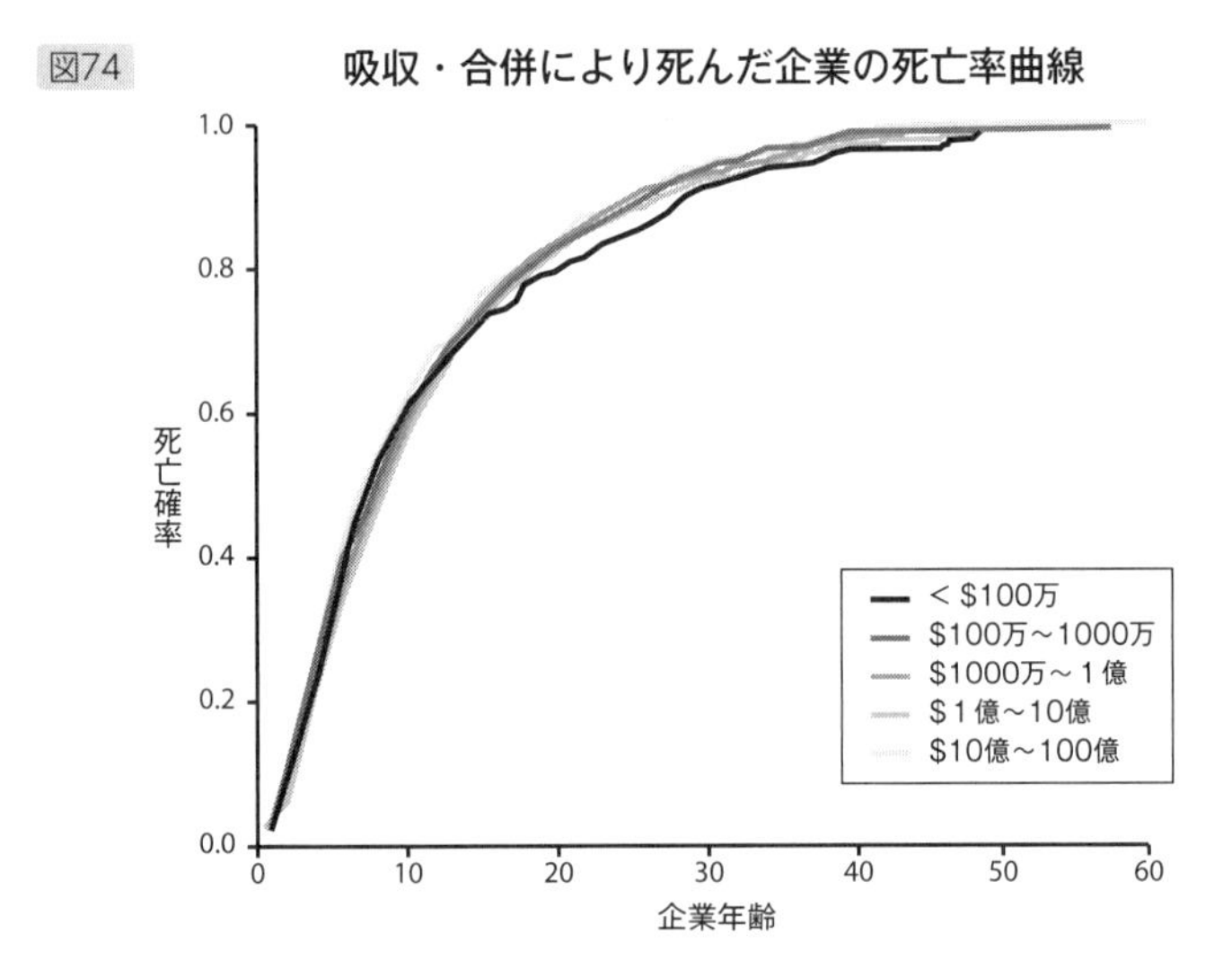

図71-74　1950年から2009年までのアメリカ上場企業の生存率と死亡率曲線を、倒産・清算と吸収・合併に分けて、さらに売上に基づくサイズ等級別に分けたもの。それらの間にほとんど差がないことに注目。

図75

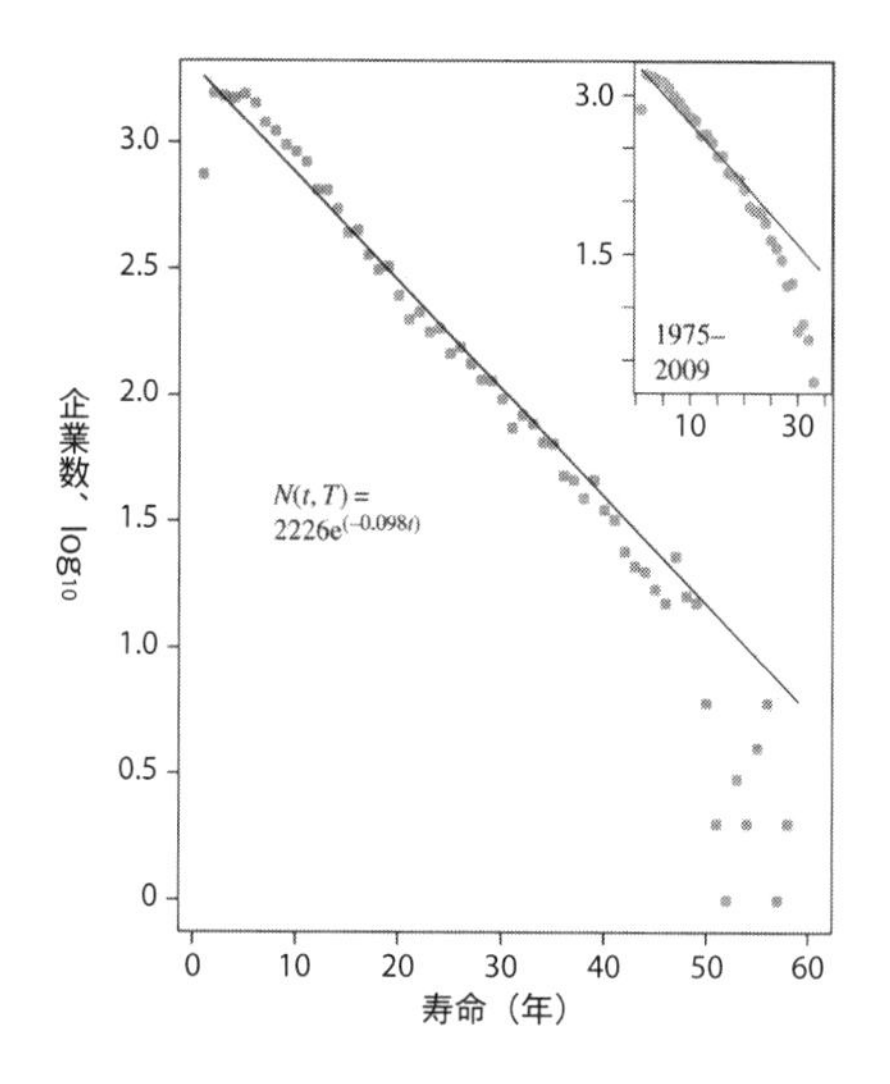

図75　存続してきた企業数をその年齢に対して対数的に示したものは古典的な指数関数的減少を示し、死亡率が一定であることを示している。

ちがいそうだ。だが驚いたことに、どの産業でも似たような指数関数的な時間スケールの生存率曲線が見られる。どんな産業でも、死亡原因が何であっても、一〇年以上続く企業は約半数しかない。

これは、企業を事業カテゴリーで分類しても、企業がおおむね同じようにスケールすることを示す分析と一致している。どの産業部門内でも、全企業コホートで見られる指数に近い指数のべき乗則が定着している――図75の通りだ。言い換えれば企業の一般動態と全般的な生命史は、実質的にそれらが属する事業部門の影響を受けない。これは実際にそれらの商業活動、あるいは最終的に破産するのか他社と合併するのか買収されるのかとは無関係に、それらの大ざっぱなパターンを決定する、普遍的な原動力が働いていることを強く示唆している。要するに、これは定量企業科学という考え方を、強力に裏付けているのだ。

これは本当にかなりすごいことだ。経済生活の変動、不確実性、予測不可能性と、成功と失敗を経て死に至るまでの無数の個別意思決定や事故に対処しつつ、市場のなかで自社を確立して活動を続ける企業の誕生、死、生活史全般を考えるとき、それが全体としてこんな単純な一般規則に従っているというのは、なかなか信じ難い。この驚くべき事実は生活史の明らかな独自性と個性にもかかわらず、生命体、生態系、都市が同じような一般的制約を受けていることへの驚きと呼応している。

企業が示すような指数関数的な生存率曲線は、バクテリア・コロニー、動物や植物といったその他の多くの共同体システムや、放射性物質の崩壊にさえ見られる。コミュニティ構造と社会組織の恩恵を受ける定住性の社会生物になる前の、有史以前の人類の死亡率も、これらの曲線に倣うはずだ。現代の人類の生存率曲線は、第4章の図25に示したように標準的な指数関数から五〇年にも及ぶ長い横ばい状態を発達させ、今や私たちは狩猟採集民時代の祖先に比べ、平均でかなり長生きするようになった。だが最長寿命については以前とほぼ変わらないままだ。

これほどバラバラのシステムの減衰を記述できる、指数関数の特異な性質とは？　それは単純に、どの時点の死亡数でも、その時点の生存個体数に比例しているため生じる。これは何歳だろうと一定期間の死亡率は変わらないということだ。簡単な例を挙げよう。期間を一年とした場合、創立五年目の企業が六年目に達する前に死ぬ割合は、創立五〇年目の企業が五一年目に達する前に死ぬ割合と同じということだ。言い換えれば、**企業が死ぬリスクは、その年齢やサイズとは無関係だ。**

問題となりそうなしつこい課題は、データはわずか六〇年しかカバーしていないため、これより古い企業が自動的に除外されていることだ。実はそれよりひどい。分析には一九五〇年から二〇〇九年までの時間枠で生まれて死んだ企業しか含まれておらず、二〇〇九年に操業中であっても、一九五〇年より前に生まれた企業は含まれていないのだ。これは明らかに、平均余命の予測に系統的歪みをもたらしかねない。だからもっと完璧な分析には、これらの検閲されたとも言うべき企業を含める必要がある。データセットに現れる期間と同じか、おそらくそれ以上の寿命を持つ企業のことだ。これは実はかなり多くの企業が含まれる。カバーされた六〇年間のなかでも、六八七三企業が時間枠の終わりである二〇〇九年に存続していた。幸い「生存時間解析」と呼ばれる、洗練され確立された方法論が存在する。これはまさにこの問題に取り組むために開発された方法だ。

生存時間分析は、薬学で、試験条件下で治療介入を受けた患者の生存率を予測するために開発された。これらの試験はどうしても限られた期間で行う必要があるため、ここで直面している問題、すなわち試験期間終了後に多くの被験者が死ぬということが起きる。通常使用されるカプラン＝メイヤー推定法と呼ばれる技法は、統計的にそれぞれの死はその他すべての死から独立だとみなし、全データセットを使って可能性を最適化する。*7

この技法を使った細かい分析が、以前は検閲されたものも含むコンピュスタット・データセットの完全な企業コホートに対して実行されたが、結果はそれまでの検閲評価とほとんど変わらなかった。アメリカの上場企業の半減期は一〇・五年に近いことが判明した。どの年に上場した企業でも、半数が一〇・五年で消えるということだ。

この分析で最も大変な作業の大半は、学部実習生のマデリーン・デップが行った。彼女は主にNSFが資金提供する「学部生向け研究体験」（REU）という素晴らしいプログラムの援助を受けて参加してくれたのだ。これは学部生が、各種分野の科学活動機関で実際の夏期研究を行う支援をしている。サンタフェ研でもそのような聡明な若者を一〇人ほど現場に受け入れ、研究所メンバーと同等に扱い、個々の研究者と密接に作業をした。これは双方にとって素晴らしい体験だ。マデリーンが参加して、マーカス・ハミルトンから直接指揮を受けて研究を行ったのは、セントルイスのワシントン大学数学科三年生の時だった。こんなプロジェクトをたった一〇週間ほどで一から完成させるのは難しかったため、マデリーンはその後の三年間、研究が最終的に完了して上首尾な論文を発表するまで何度か戻ってきた。最近、彼女はMIT都市計画科の博士課程に受け入れられたそうでめでたい。世界最良の学科の一つだ。今後、大いに活躍してくれるだろう。

こうした「不完全な観測」で使われる生存時間分析の技法は、一九五八年に二人の統計学者、エドワード・カプランとポール・メイヤーが発明した。その後、薬学以外の分野にも広がり、例えば労働者が失業してから再就職までの時間、あるいは機械部品が故障するまでの時間などの予測に使われてきた。おもしろいことにカプランとメイヤーは、似てはいるがまったく別個の論文を、高名な『アメリカ統計協会ジャーナル』に投稿したが、気をきかせた編集者が彼らを説得してそれらを一つの論文にまとめさせた。この論文はこれまで他の学術論文に三万四〇〇〇回以上参照されてきた。学術論文としては桁はずれの回数だ。例えば、スティーブン・ホーキングの最も有名な論文「ブラック・ホールによる粒子生成」ですら参照は五〇〇〇回に満たない。分野にもよるが、ほとんどの論文は二五回も参照されればいいほうだ。結構上出来と自負している私の論文でも参照は一〇回未満で、かなりがっかりだ。とはいえ、生態学で最も参照回数の多い二つの論文を私は共同執筆しており、これらはどちらも三〇〇〇回以上引用されている。

4．安らかに眠れ

大きなちがいがあるにもかかわらず、スケーリングのメガネ越しに見たとき、企業と生命体の成長と死が似ている――そして都市とは似ていない――ことに驚かずにはいられない。企業は驚くほど生物的で、進化論的視点から見るとその死は「創造的破壊」と「適者生存」がもたらす革新的活力を生み出すための重要な要素だ。すべての生命体が未知の新しいものが栄えるために死ななければならないのと同様に、すべての企業は新しい革新的な変化が花開くために消えるか変形しなければならない。高齢のＩＢＭやゼネラルモーターズの不振よりも、グーグルやテスラの興奮とイノベーションのほうが大切なのだ。

企業の大転換、特に絶え間ない合併吸収による攪拌は、市場プロセスに欠かせない。そしてもちろんこれは、今は無敵に見えるグーグルやテスラだっていずれ衰えて消えるということだ。このような見地から、どんな企業の消失も嘆くべきではない――それは経済的生活に欠かせない要素の一つだ。嘆いて懸念すべきは、労働者、管理職、経営者など、企業が消えたときに苦しみがちな人々の運命だけだ。規制、政府介入、野放図な狂乱資本主義との間の昔ながらの緊張関係を均衡させる、魔法のアルゴリズムを考案し、適者生存の潜在的な残忍さと貪欲さを鎮め、和らげられないものか？　この課題はおそらく二〇〇八年の金融危機の際、死ぬべくして死んだ企業の死の痛みと、職を守り労働者の生活を守りたいという欲求のために、ある種の無能どころかインチキな企業が「大きすぎて潰せない」とされた葛藤をみんなが目撃するなかで、発達してきた。

いつまでも同じものはないというのは、常套句かもしれないが事実だ。スタンダード・アンド・プアーズとビジネス誌『フォーチュン』はどちらも、最も成功を収めている現行企業五〇〇社の一覧を作成しており、この両方のリストに載るのはある種の名誉とされる。著名なビジネス・コンサルティング企業マッキンゼーで二二年間取締役とシニアパートナーを務めたリチャード・フォスターは、各企業がこれらのリストに載った期間を分析し、それがここ六〇年間で規則的に短くなっていることを発見した。例えば一九五八年ならS&P五〇〇の企業は平均で六一年間そのリストに留まったが、現在では一八年程度だ。一九五五年のフォーチュン五〇〇の企業のなかで、二〇一四年になっても残っていたのはわずか六一社だ。生存率わずか一二パーセントで、残りの八八パーセントは倒産、合併したか、業績不振によってランク外に落ちた。それどころか一九五五年にリストに載っていた企業の大半は、もはや聞いたこともなく、今日完全に忘れられているのだ。アームストロング・ラバーやパシフィック・ベジタブル・オイルといった企業を誰が覚えているだろう？

二〇〇〇年にフォスターは有力なベストセラー『創造的破壊――断絶の時代を乗り越える』という実に適切な題名のビジネス書を書いた[*8]。彼はサンタフェ研が開発した複雑系の概念に心酔するあまり、研究所の理事会に加わってマッキンゼーを説得し、ドイン・ファーマーが就いていたファイナンス教授職に出資させた。私が彼と知り合ったのは、サンタフェ研に関わり始めた一九九〇年代のことだった。彼は私たちが生物について開発してきたスケーリングとネットワーク思考が、企業の仕組みについての大きな洞察をもたらすと確信していた。企業についての定量的、機構的理論はないが、企業はしばしば生命体と比較されるので、このアプローチがそういった理論構築の新たな手段となるかもしれないと彼は指摘した。彼はマッキンゼー社の膨大な企業データベースに私をアクセスさせるよう申し出、この研究支援にポスドクを雇う支援もしようと提案してくれた。当時私はまだロスアラモスで高エネルギー物理学研究に携わっており、企業についての知識もなかった。さらに生物についての研究もまだかなり初期段階で、すぐに企業に発展できると確信できなかったため、この申し出を嬉しく思ったが承諾はしなかった。今考えても、当時としてはおそらく正しい判断だったが、スケーリングのアプローチが企業理解の有益な基礎となるかもしれないと見越していたリチャード・フォスターの慧眼ははっきりわかる。フォスターの課題に私たちが取り組めるまでに、一〇年以上にわたる生命体、生態系、都市についての大掛かりな研究が必要だった。

残念ながら、S&Pとフォーチュン五〇〇のリスト上での企業在位期間の観察を、そうした企業の実際の寿命と結びつけるのは、その企業の年齢と、それが消滅したのかどうかを考慮に入れないと、なかなか難しい。それでも調査結果は、一見強力に見える企業が実は脆弱だということを劇的に示し、社会経済生活の加速の際立った例にもなった。

生存時間解析から、高齢企業がごく少数しか存在し得ないことがわかる。理論とデータを当てはめると、企業が一〇〇年間続く可能性は一〇〇万に四五、二〇〇年間なら一〇億にたった一つと予測される。これらの数をあまり厳密に考える必要はないが、企業の長期生存が持つスケール感はわかるし、数百年間存続し続けてきた企業の特徴についても興味深い洞察を与えてくれる。世界には少なくとも一億の企業が存在するので、もしもそのすべてが同じ力学に従うなら、一〇〇年続く企業は約四五〇〇社で、二〇〇年続く企業はないはずだ。しかしとりわけ日本とヨーロッパには、数百年続く企業がたくさんあるのは有名だ。これらの注目すべき外れ値については、逸話ならたくさん存在するが、包括的なデータセットも系統的な統計分析も残念ながらない。それでもこれらの非常に長寿な外れ値企業の一般特性から、企業の老化について何らかの教訓を得ることができる。

そのほとんどはあまり大きくはない。古来の宿、ワイナリー、醸造所、菓子屋、レストランといった、高度に特化したニッチな市場で営業している。これらはコンピュスタットのデータセットとS&P五〇〇とフォーチュン五〇〇のリストで考察してきたような企業とはかなりちがう特徴を持っている。大半の企業とは対照的に、これらの外れ値企業は多角化やイノベーションではなく、高品質とされる製品を少数の熱烈な常連のために生産し続けることで生き残ってきた。その多くはその生存能力を評判と一貫性によって維持し、ほとんど成長していない。興味深いことに、その大半が日本企業だ。韓国銀行によると、二〇〇八年時点で二〇〇歳以上の企業五五八六社のうち、半数以上（正確には三一四六社）が日本企業、八三七社がドイツ、二二二社がオランダ、そして一九六社がフランス企業だ。さらに一〇〇歳以上企業の九〇パーセントが、従業員三〇〇人未満だ。

これら高齢の生き残り企業には、見事な例が幾つかある。例えば、ドイツ最古の製靴会社は、一五九六年にミュンヘンで創業したエドアルド・マイヤー・カンパニーで、これはバイエルン貴族の御用達になった。いまだに店舗は一つだけで、そこではもう製造はしていないが高級靴を販売している。ギネスブックによる世界最古のホテルは日本の山梨県早川にある西山温泉慶雲館で、七〇五年創業だ。それは五二代にわたって同族で営まれ、現代でさえ三七室しかない。その主な魅力はその温泉だ。世界最古とされている企業は、大阪の金剛組で五七八年創業だ。これもまた何世代も続いてきた同族経営企業だが、一五〇〇年以上経営を続けた後、二〇〇六年に破産して高松建設に買収された。金剛組が一四二九年間独占してきたニッチ市場とは？　美しい仏教寺院の建設だ。しかし悲しいことに第二次世界大戦後の日本文化の変化によって、寺の需要は干上がり、金剛組は素早く適応しきれなかった。

5．なぜ企業は死んでも、都市は死なないのか

スケーリングの威力は、高度な複雑系に支配的なふるまいを決める根本原則を明らかにできそうだということだ。生命体と都市では、これがその力学と構造の主要特性を定量的に理解するための、ネットワークに基づいた理論をうまくもたらし、それによって顕著な特性の多くを理解できた。どちらも循環系、道路網、社会システムなどのネットワーク構造についてかなり多くのことがわかった。一方で企業のネットワーク構造については、研究文献はやたらにあるのに、大部分が階層的という以外はあまりわかっていない。標準的な企業の組織図はたいていトップダウン型の樹形構造で、一見古典的な自己相似フラクタルを思わせる。これでなぜ企業がべき乗スケーリングを見せるのか説明できる。

しかし残念ながらこれらの組織的ネットワークについて、都市や生命体そのものに匹敵する広範囲

の定量データがない。例えば各レベルで何人が機能し、その人々の間で企業の資金や資源がどのくらい動いているのか、そしてどの程度情報交換しているのかといったことは通常はわからない。そしてその情報の一部が入手できても、あらゆるサイズの企業について入手できないとダメだ。さらに「公式」の企業組織図が実際の事業運営ネットワーク構造の実態を表しているかも不明だ。実際に誰が誰とコミュニケーションをとり、それがどのくらいの頻度で、その情報量はどのくらいでといったことだ。本当に必要なのは電話通話、Eメール、ミーティング等々、企業のすべてのコミュニケーション・チャンネルへのアクセスだ。それも都市科学の開発で使った携帯電話データ同様に、定量化されていなければならない。そのような総合的なデータはたぶん存在しないし、あっても簡単にアクセスできるとはなおさら考えにくい。企業は法外なコンサルタント料を支払っている場合を除いて、外部の調査員たちに自分をさらけ出すことにはかなり慎重だ。たぶんそれは支配権維持のためだろう。だが企業の本当の機能を理解したければ、あるいは本気で企業科学を開発したいなら、最終的にはそういったデータが必要になる。

その結果、企業の力学と構造を分析的に理解し、特にその指数の値を計算するためのしっかり発達した機械論的枠組みには、生命体や、規模は小さいが都市におけるネットワークに基づいた理論に匹敵するほどのものがない。それでもこれまで企業の成長軌道の理論を築けたのと同様に、企業の死という問題についても、これまで学んできたことを応用することで取り組める。

以前私はほとんどの企業が、売上と経費がギリギリ均衡する臨界点に近いところで経営され、変動や動揺に対して脆弱になりがちだと強調した。タイミング悪く大きな衝撃がくると、企業は終わりだ。

若手企業は、最初に調達した資金のバッファがあるのでこうした衝撃から守られているが、ひとたび最初の資金注入を使い果たすと、大きな利益を上げられなければ非常に脆弱になる。これが時には若気の至りと呼ばれる。

企業が都市のように超線形ではなく線形未満でスケールするという事実は、イノベーションとアイデア創造よりも規模の経済が勝る典型例だということを示唆している。企業は通常厳しい制限下で、利益を最大化するために生産効率性を上げ、営業費用を抑えようとする、トップダウン型組織として運営される。これとは対照的に都市は、規模の経済の覇権に対するイノベーションの勝利を具現化している。都市は当然ながら利益を動機に動いているわけではないし、増税によって収支を均衡させることもできる。都市は権力を市長や議会から会社や市民行動グループに至る、様々な組織構造に散在させることで、分散的に運営されている。単一のグループが完全な支配権を持つことはない。企業に比べ、都市はそれ自体が放任主義に近い自由奔放な雰囲気を放ち、善、悪、醜を問わず社会相互作用の革新的利益を生かしている。一見すると非効率性だらけに見えるが、よほど新興でなければ横ばいの印象を与える企業に比べ、都市は行動の場であり変化の主体である。

高い市場占有率と利益増大追求のための効率性を達成すべく、企業は通例として規則、規制、協定、手続きを組織のより細かいレベルにまでどんどん加え、それが企業運営の管理、経営、監督に必要な官僚的統制を強化している。これはたいていイノベーションと研究開発を犠牲にして達成される。だがイノベーションや研究開発のほうが、企業の長期的な将来性や生存力にとっての保険として重要なはずなのだ。企業における「イノベーション」の有意なデータを得るのは難しい。定量化が容易ではないからだ。イノベーションは必ずしも研究開発と同義ではない。関係ないものまで研究開発費用として仕分けすると、大きな節税効果が得られるからなおさらだ。だがコンピュスタットのデータセット分析から、研究開発費の割合は、企業サイズが大きくなると系統的に減少していることがわかった。つまりイノベーションの支援は、企業拡大に伴う官僚的な管理費の増大に追いついていないことを示唆している。

規則と制約の蓄積増大にはたいてい、消費者や供給業者との関係の停滞が伴い、それが企業の敏捷性を損なってさらに硬直させ、大きな変化に対応できなくなる。都市の重要な特質の一つとして、すでに見た通り成長するにつれ多様性は増す。都市のビジネスと経済活動の範囲は、新しい産業部門が発達し新しい機会が登場するにつれ、絶え間なく拡大し続ける。この意味で都市は原型として「多次元的」で、これは都市の超線形スケーリング、無限成長、拡大する社会ネットワーク――そしてそれらの復元力、持続可能性、一見した不死性の重要な要素――と強力に相関している。

都市の次元は絶え間なく広がるが、企業の次元は通常は生まれてから思春期を経てずっと縮小し続け、最終的に成長が止まるか、あるいはさらに成熟し老齢に達するまでさらに縮小を続ける。まだ若く市場での立場を競っているときは、新製品を開発し、アイデアが湧き出て、若々しい興奮と熱狂があって、熱中して現実を見失うこともあれば、尊大になったり空想にふけったりすることもある。だが市場原理が働いているため、そのなかで足掛かりとアイデンティティを得て成功する企業はごくわずかだ。成長するにつれ市場特有のフィードバック機構が、その製品領域を狭め、必然的に特化が進む。企業の大きな課題は、リスクとなりかねない、すぐには利益を生まない新しい分野や商品を開発するための長期的戦略の必要性と、「絶対確実」な製品を強力に促してくる市場原理の正のフィードバックとをどう均衡させるかということだ。

ほとんどの企業は近視眼的、保守的で、革新的でリスクの大きいアイデアをあまり支援せず、調子がいいときには大きな成功商品をひたすら維持し続けたがる。なぜならそれらが短期的利益を「保証」してくれるからだ。その結果、企業はますます「一面的」になる。すでに語った、企業は常に臨界点に近いという窮状と、この多様性の収縮とが合わさると、復元力低下の古典的な指標となり、いずれ大惨事をもたらす。企業が状況を理解する頃には、たいてい手遅れだ。事業再編と刷新はますます困難かつ高コストになる。だからある程度以上に大きな予期せぬ変動、動揺、衝撃が来ると、企業は深刻なリスクに陥って、買収、乗っ取り、あるいは単に倒産の機が熟する。これは一言で、マフィアの言う「死の接吻」だ。[*9]

第10章　持続可能性についての大統一理論の展望

この最終章では、これまで本書を通して紡(つむ)いできたいくつかの糸をまとめて、タペストリーを編みあげよう。それが人類の創り上げてきた、指数関数的に拡大する桁外れな社会経済宇宙の未来について、もっと深い思索や考察を刺激することを期待する。

私たちがこれから直面することになる二一世紀の大きな課題の一つは、経済から都市に至るまだ五〇〇〇年程度しか存在していない人工社会システムが、その出自であり数十億年続いてきた「自然」生物界と共存し続けられるのかという、根本的問題だ。一〇〇億人以上の人々が今と同等の生活水準と生活の質を維持し、生物圏と調和を保ちながら生きるには、社会と環境の結合の本質と根底にあるシステム力学に対する深い理解を発展させる必要がある。私はこの重要な要素の一つが、都市と都市化に対する深い理解を発展させることだと主張してきた。人類が直面する多くの問題を統合した枠組みを作り上げずに、限られた個別システムごとのアプローチを追求し続けると、莫大な金融、社会資本を浪費して、本当に重要な問題に取り組めなくなり、悲惨な結果を招く可能性がある。

既存の方策は大体において、複雑適応系というパラダイムに具現化された長期持続可能性という課題の基本的特質、すなわち**エネルギー**、**資源**、**そして環境**、**生態**、**経済**、**社会**、**政治的システムの相**

互関連性と相互依存性の強さに対処できなかった。第7章、第8章で論じた研究から生まれた最も重要な結果の一つは、イノベーションや富の創出から犯罪、疾病に至るすべての社会経済活動は——善かれ悪しかれ醜くかれ——定量的に相関しており、それがスケーリング則の普遍性に表れているということだ。グローバルな長期持続可能性という課題に対する既存のほぼすべてのアプローチは、将来のエネルギー資源の環境的結果、気候変動の経済的結果、そして将来のエネルギーと環境選択の社会的影響といったかなり個別の問題に焦点を絞っている。そういった的を絞った研究は当然重要で、研究努力のほとんどをそこに向けるべきではあるが、それだけでは不十分だ。それらは、主に木だけを見て森を見ない危険をはらむ。

もっと広く統合されたまとまった視点に導かれた幅広い、多分野、多組織、多国家的構想が、この問題への取り組みと政策支援において、私たちの科学的課題を主導していく中心的役割を果たすべきだとそろそろ認めるべきだ。人間が創り上げた社会的、物理的システムと自然「環境」の関係性を理解するには、定量的、予測的で機械論的な理論を取り入れた大掛かりで統合された科学的枠組みが必要だ——これを私は「持続可能性大統一理論」と呼ぶ。統合された総合的な意味で、地球持続可能性への取り組みに専念する、マンハッタン計画やアポロ計画のような大規模な国際計画に着手する時が来たのだ。[*1]

加速するルームランナー、イノベーション・サイクル、有限時間シンギュラリティ

生物学では、規模の経済と線形未満スケーリングの根底にあるネットワーク原理が、一つの大きな結果をもたらす。それらはライフ・ペースを制約し——大きな動物はすべて、長生きし、進化も遅く、心拍数は少ないし、その遅さの度合いは同じだ——成長を制限する。これとは対照的に、都市と経済はそれとは逆に作用するフィードバック機構を持った、社会相互作用に突き動かされている。ライフ・ペースは人口サイズに応じて系統的に増える。大都市では、疾病の拡大は速く、会社の浮沈も激しく、人々の歩き方さえ速いが、すべて同じ一五パーセント則におおむね従っている。さらに超線形スケーリングの根底にある社会ネットワーク力学が無限の成長をもたらし、それが現代の都市と経済の基本的な前提となっている。均衡ではなく絶え間ない適応が原則だ。

これは素晴らしく一貫性のある図式だ。同じ数学的構造を持った根本的なネットワーク力学と幾何学に基づく同じ概念的枠組みが、まったく異なる二つのケースでまったくちがう結果をもたらす。そのどちらも、大量の多様なデータと観察によって強力に裏付けられている。だがそこには、甚大な結果をもたらしかねない大きな落とし穴がある。生命体、都市、経済の成長は、基本的に同じ数式に従っているが、その結果である解には微妙ではあるが決定的なちがいが、線形未満スケーリングで動くもの（生命体における規模の経済）と、超線形スケーリングによる他のもの（都市と経済における収穫逓増）で生じている。超線形の場合の一般解は、専門的に「有限時間シンギュラリティ」として知られている予想外の興味深い特性を見せる。それは変化がまちがいなくやってくるという報せであり、この先に問題が待ち構えている可能性があるということでもある。

有限時間シンギュラリティ（特異点）とは単純に、任意の考察対象——人口、GDP、特許数等々

――を支配している成長方程式の数学的解が、図76に示すように、有限時間で無限に大きくなることを意味する。これは明らかに不可能なので、何かが変わらなければならない。

この現象がもたらす結果について言及する前に、まずはその際立った特質を詳述しよう。単純なべき乗則と指数関数は持続的に増大する関数で、これはいずれ無限大になるが、それには無限の時間がかかる。言い換えると、これらのケースでは「シンギュラリティ」が未来の無限時間まで延期されるから、有限時間シンギュラリティの潜在的な影響力に比べると「無害」だ。超線形スケーリングによる成長の場合、有限時間シンギュラリティへのアプローチは図76の実線のように指数関数よりも速い。これはしばしば「超指数関数」と称される。この用語は以前都市の成長について論じたときにも使った。

このような成長様式が持続不可能なのは明らかだ。持続するにはエネルギーと資源が無制限に増え続けねばならず、しかも将来の有限なある時点でそれが最終的に無限となるからだ。そのまま放置すれば、図77に示したような停滞と最終的な崩壊へと至る相転移が理論的に予測される。このシナリオはまるで、各時代の経済学者たちが即座に却下してきた標準的なマルサス主義的な主張の焼き直しに聞こえる。つまり私たちは需要に追いつけず、無限成長は最終的に破滅をもたらすという主張だ。

これで話は問題の核心へとやってくる。超線形スケーリングがもたらす有限時間シンギュラリティのため、このシナリオはマルサスの主張とは話がまったく別枠となる。成長がマルサス主義者やネオ・マルサス主義者、その追従者や批判者が想定するように完全な指数関数であれば、基本的にエネルギー、資源、食料の生産は少なくとも指数関数的拡大に遅れをとることはない。経済、あるいは都市

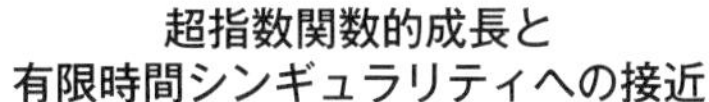

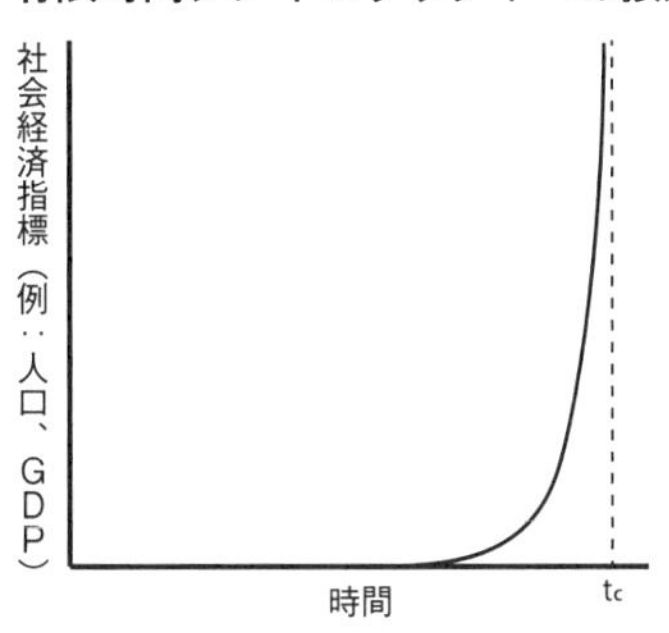

図77

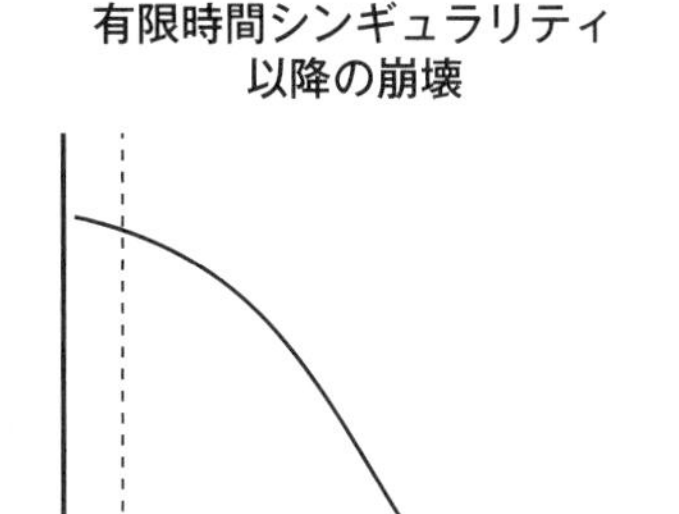

図76　有限時間シンギュラリティ：グラフ化した量は超指数関数的に増え、破線の垂線で示した有限時間 t_c で無限になる。
図77　シンギュラリティを超えた停滞と崩壊を示している。

に関連するすべての特性は、それらのサイズが大きくなり続け非常に大きくなっても、有限のままだからだ。

　これは超指数関数的成長を遂げていて有限時間シンギュラリティに近づくと、達成できない。このシナリオの場合、需要はますます大きくなって、やがて有限時間内に無限になる。無限のエネルギー、資源、食料を有限時間内に供給するのは、単純に不可能だ。よって他に何も変わらなければ、これは図77に示したように、不可避的に停滞と崩壊へと至る。二〇〇一年に当時UCLAに在籍していたディディエ・ソーネットとアンダーズ・ヨハンセンが行った大規模な分析は、私たちは超指数関数的に成長しており、実際にそのようなシンギュラリティに向かっているという理論予測を、人口成長、金融・経済成長指標のデータが強力に裏付けていることを示している。[*2]

この状況が、このようなシンギュラリティのない古典的なマルサス主義的力学と質的にかなり異なることを強調しておきたい。シンギュラリティがあるということは、システムのある位相からまったく異なる特性を持った別の位相への転移があることを意味する。同一システムの位相間の転移としては、水蒸気が凝結して水になり、その後凝固して氷になり、それぞれまったく異なる物理特性を持つのが典型だ。実際このような身近な相転移の根本は、時間ではなく温度（〇℃で氷結し、一〇〇℃で沸騰）がシステム（水）を特徴づける熱力学変数におけるシンギュラリティだ。残念ながら都市と社会経済のシステムでは、有限時間シンギュラリティによって促された相転移は超指数関数的成長から停滞と崩壊への転移で、これは潜在的に破壊的結果をもたらす。

ではそのような崩壊はどうすれば回避できるのか、そして無限成長を維持しつつそれを達成することは可能か？　まず認識すべきは、これらの予測では成長方程式のパラメーターは変化しないと仮定していることだ。よって潜在的な破滅を防ぐ一つの明確な戦略は、シンギュラリティ到達前にパラメーターの「リセット」によって介入することだ。さらに、これらの新たな設定で無限成長を維持するには、方程式を駆動させている項――「社会代謝」――が超線形のままである必要がある。すなわち、新たな力学もまたイノベーション、そして富と知識創造の源泉である、社会相互作用の正のフィードバック力によって動くものでなければならない。そのような「干渉」とは、通常「イノベーション」と呼ばれているものに他ならない。大きなイノベーションは、システムが稼働し成長が起こる状況を変えることで時計を効果的にリセットする。すなわち、**崩壊を回避するには、時計をリセットする新しいイノベーションを開始し、成長を持続させ、差し迫ったシンギュラリティを回避する必要がある。**

よって大きなイノベーションは、有限時間シンギュラリティというブラック・ホールに固有の破滅的断絶の可能性を回避させることで、新たな位相への円滑な転移を保証するメカニズムとみなすことができる。停滞と崩壊を回避するために、転移と「時計のリセット」を行うことで、超指数関数的成長を続けながらプロセスをもう一度最初からやり直して、最終的に新たな有限時間シンギュラリティに向かっても再度同じように回避する。一連の過程すべてを繰り返し反復することにより、潜在的な崩壊を人間の創造性、発明、そして機智が許す限り遠い未来に押しやるのだ。これは一種の定理として表現してもいい。図78に示したように、資源の限界のなかで無限の成長を維持するには、パラダイムシフトを促すイノベーションの絶え間ないサイクルが必要なのだ。

実際は連続する位相の断絶は図に描いたほど鮮明でも不連続でもなく、各転移前後の比較的短い時間にぼんやりと散らばっている。産業革命だって、ある特定の日に始まったわけでも、ある特定の年に始まったわけでもなく、一八〇〇年前後の数年間にわたり起こったが、それはそれが及ぼした影響のタイムスケールからすれば比較的小さい[*3]。

この結果は人口と社会経済活動の無限成長の維持そのものであるため、大きな驚きではないはずだ。大きなスケールで見ると鉄、蒸気、石炭、コンピュータ、そして最近のデジタル情報技術の発見は、どれも同じように私たちの持続的成長と拡大を刺激してきた大きなイノベーションの一部だ。事実、そういった発見の繰り返しこそ、私たちの類まれな創意工夫の証である。

マルサスによる最初の主張同様、ポール・エーリックに始まり一九七〇年代のローマ・クラブに至る近代、そして最近の主唱者たちの主張に欠けているのがこの本質的特性だ。彼らの忠告はほとんどの経済学者によって却下されたが、それは何より彼らがイノベーションの大きな役割を無視していたからだ。景気循環や経済循環、そしてそこで暗黙に示唆されるイノベーションのサイクルという概念は、昔からあるし、今や経済学とビジネス業界の標準的な言い草だ。とはいえそこには基本理論も機構的理解もほとんどなく、幅広い現象的演繹に基づいているだけだ。人間に創意工夫がある限り、絶え間ない独創的なイノベーションによって差し迫るいかなる脅威も出し抜けるということは、暗黙のうちに当たり前とされ、たいてい問答無用の定説とされた。

しかし残念なことに、事はそう単純ではない。もう一つ重要な落とし穴が残っていて、しかもこれがかなりでかい。理論によれば、持続的成長を維持するには、次々に登場するイノベーションの間隔をどんどん短くしなければならないとしている。よってパラダイムシフトを起こす発見、適応、イノベーションは、どんどんペースを上げる必要がある。全般的なライフ・ペースが不可避的に加速するだけでなく、どんどん速いペースでイノベーションを起こさなければならないのだ!

これを図78に示した。ここでは各イノベーション・サイクルの開始を示す黒点は、時間が経つにつれ次第に近接してくる。各成長曲線を上がるにつれ加速するライフ・ペースに加えて、私たちはますます速いペースで大きなイノベーションを起こし、新たな位相に転移しなければならない。以前、第1章と第8章で社会経済的時間の短縮と加速するライフ・ペースについて説明した際に使ったルームランナーの隠喩は、物語の一部しか語っていないので、それをここで展開させておこう。私たちは単にどんどん速くなり続ける加速するルームランナーの上で生きているだけなく、ある段階でもっと早く加速する別のルームランナーに跳び移らなければならないし、遅かれ早かれそこからまた別のさら

図78

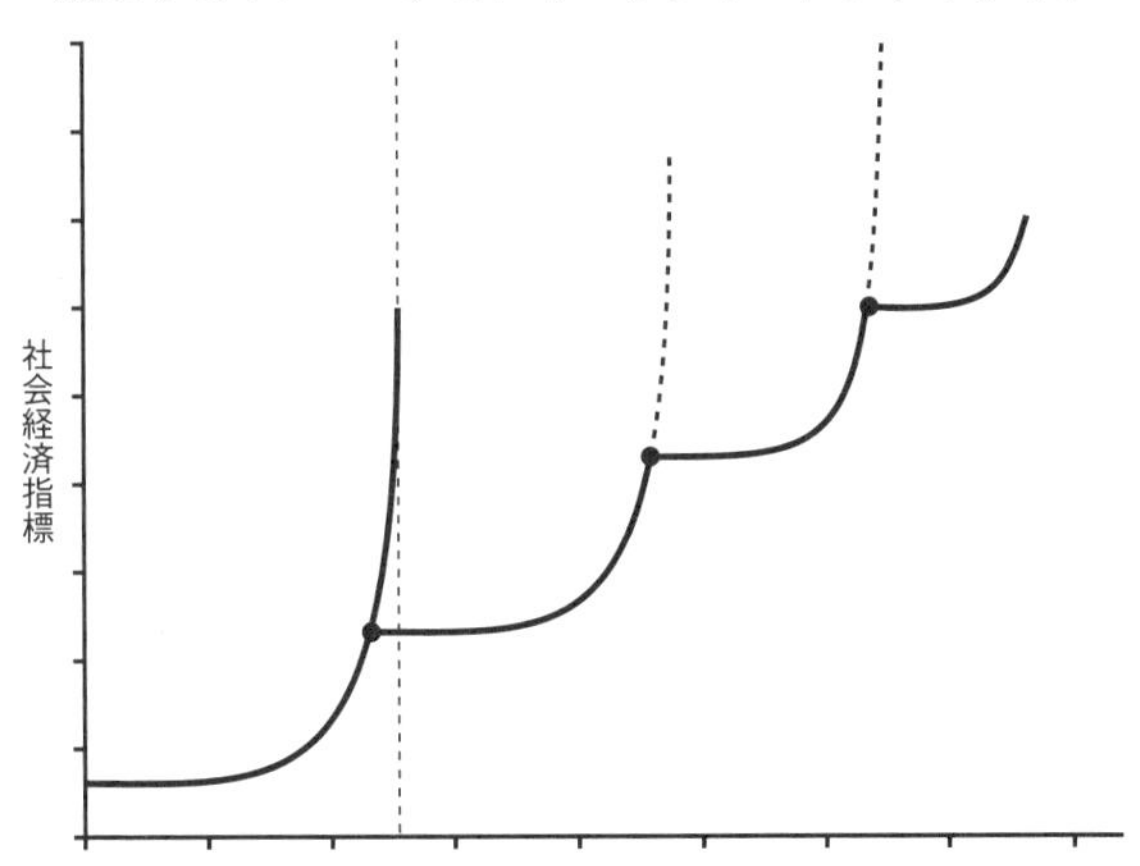

図78　連続する超指数関数的成長の軌跡。各軌跡は潜在的に有限時間シンギュラリティ（破線の垂線）に達して、その後崩壊する可能性があるが、シンギュラリティ（黒点で示した）に達する前に、時計をリセットしてすべてのサイクルを再開するイノベーションが起こるとそうはならない。プレゼンテーションを簡易化するために、その後の黒点に対応する有限時間シンギュラリティの点線は省略した。絵はシシューポスの神話を描いたもの。

に速いルームランナーに跳び移らなければならない。そしてこのプロセスを、絶えずスピードを上げつつ未来永劫繰り返さなければならない。

これは途方も無いことで、異常な常軌を逸した行動に思えるかもしれない。集合的な心臓発作を起こすことなくそんなことを続けられるはずがない！　シシューポスの苦行さえ生易しいものに思えてくるだろう。神はシシューポスに大きな岩を休むことなく山の頂上まで運ぶことを強制するが、その岩は自重ですぐにそこから落ちてしまうので、彼は下からそれをやり直さなければならないという話をご存じだろう。シシューポスがなぜそんなに厳しく罰せられるのかについては多くの理由が挙げられているが、シシューポスの苦行に関連して、私がいちばん気に入っている二つの説は、彼が神の秘密を盗んだことと、死の神を鎖につないだことだ。この話は、これ以上はどうでもいいが、私たちの苦行はシシューポスよりもっと過酷だ。なぜなら私たちは毎回、頂上まで岩を上げる時間を短縮しなければならないからだ。

これらの理論が予測する指数関数的成長よりも速い一連の加速サイクルは、都市、技術変化の波、そして世界人口の観察結果と一致している（ソーネットとヨハンセンによる研究にはすでに触れた）。具体例として、第8章の図58に示した一七九〇年から現在までのニューヨークの成長曲線について考えてみよう。連続する様々な成長の位相を、太い実線で示した。これらが背景のほぼなめらかな「純粋」な超指数関数的成長から、どの程度逸脱しているか見ることで、都市スケールの周期的動態を反映した一連の変化が明確になる。図79に見て取れるように、データは頻度が時間と共に系統的に増える周期性を示すという考えを裏付けている。挿入した図はこれらの連続する「イノベーション」の間

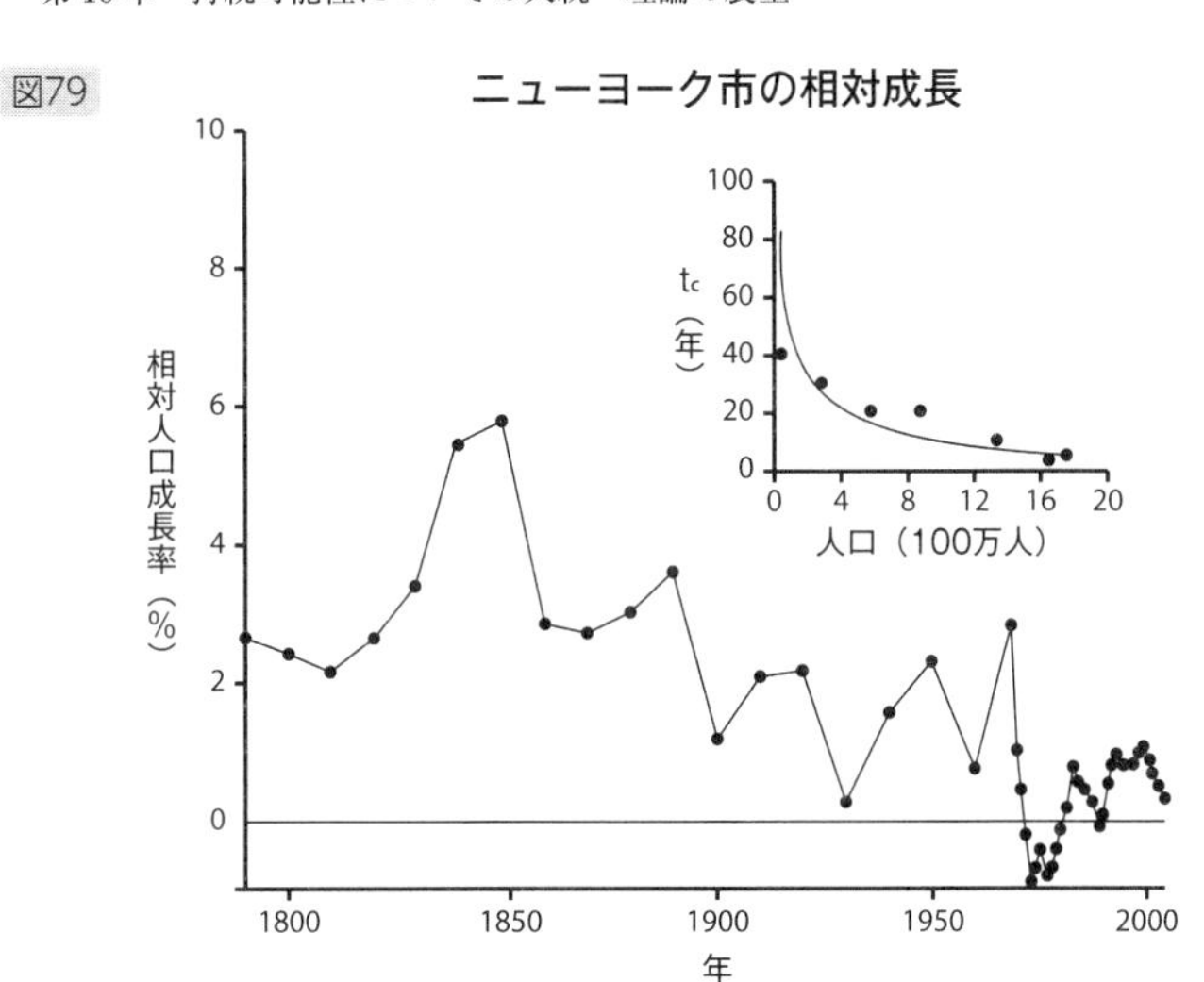

1790年以降のニューヨークの成長を円滑な超指数関数が優勢な背景と比較すると、頻度が体系的に短くなる連続するサイクルが表れ、それは理論予測（差し込んだ曲線）と定量的に一致している。

隔が、理論の定量的予測と一致して漸進的に短くなる様を示している。

より大きなスケールでは、大きなイノベーション周期の加速もまた、データによって強く裏付けられている。ここで問題になるのは、考え得る限り膨大な数のイノベーションのうちのどれが大きなパラダイムシフトに貢献しているかだ。これはある程度見る人によって変わってくる。大半の人が印刷、石炭、電話、コンピュータといった発見やイノベーションが、大きな「パラダイムシフト」に貢献したことには同意するだろうが、鉄道、携帯電話については議論の余地があるだろう。残念ながら定量的な「イノベーション科学」は確立されていないので、有限時間シンギュラリティはもちろんのこと、大きなイノベーションやパラダイムシフトに直接関係する普遍的に認められている基準やデータはない。よってデータと理論を突き合わせるには、非公式の研究とある程度の直観に頼らざるを得ない。イノベーションの研究領域がますます活発になって、研究者たちがイノベーションとは何か、それをどう測定するのか、どのように起こり、どうやって促進できるかといった問いに取り組み始めれば、おそらく状況は変わってくるだろう。[*4]

著名な発明家で未来学者でもあるレイ・カーツワイルは、主要イノベーションの候補リストを私たちの予測との比較に非常に適した形でまとめて分析している。[*5] 彼による結果を図80と図81に示したが、そこでは連続するイノベーションの間隔を、各イノベーションが何年前に起きたかに対してグラフ化した。二つのバージョンを示しておいた。一つは片対数（縦軸は対数的だが、横軸は線形という意味）で、もう一つは両対数でグラフ化した。説明しておくと、両グラフの左上の最初のデータ・ポイントは、生命が——横軸に従って——約4×10^9（40億）年前に生まれたことを意味し、次の大きなイノベーションが起こるまでに——縦軸に従って——二〇億年かかったということだ。線形時間スケール（図80）でみた場合、興味深いことにすべてが一〇〇万年ほど前の私たちの最初の祖先登場後に、同時に起こっているように見える。曲線は急激に下降して、時間の加速を劇的に示している。また図81は、そういったデータを対数グラフ化することで、非常に大きなタイムスケールで起こったイベントを分離するのにずっと有益だということを、改めて示している。例えばこうやってグラフ化することで、わずか一〇〇年前の電話出現を一万年前の農業出現と時間的に分離できる。

理論はこのイノベーションの間隔の継続的な短縮とそれがどのくらい前に起こったかが反比例関係

にあること、それが各グラフに描いた線と定量的に一致していることを説明、予測している。だがここで予測が、グラフの中でも人間の創意工夫を生み出す社会経済動態に起因する部分のイノベーションにしか適合していないことを、急いで付け加えておく。生物学イノベーションの速度については、この理論は何も予測をしない。同じようなシンギュラリティ力学が生物のイノベーション推進にも同様の役割を果たしているのか、あるいは人類出現前のこのごく初期にまで波及する一致と単純なべき乗則関係は単なる偶然なのか、カーツワイルによるパラダイムシフトの巧妙な選び方の結果なのかといった興味深い問題は未解決のままだ。いずれにしても適用した部分における理論との一致には説得力があり、ここ数百年に限定したより詳細な分析によって裏付けられている。

シンギュラリティという一般概念は、数学と理論物理学で大きな役割を果たしている。シンギュラリティとは、数学関数がある特定の形で「お行儀悪くなる」、つまりこれまで論じてきたような、無限に発散してしまうといった局面だ。そういったシンギュラリティをどう抑えるかはっきりさせるのは、一九世紀の数学の大きな進歩を刺激し、それが結果として理論物理学に大きな影響を与えた。その最もよく知られた結果がブラック・ホールの概念で、これはアインシュタインの一般相対性理論のシンギュラリティ構造を理解しようとする試みから生まれた。

カーツワイルが二〇〇五年の自著『シンギュラリティは近い――人類が生命を超越するとき』で世に広めるまで、シンギュラリティは、ほとんど人口に膾炙(かいしゃ)していない用語だった。SF作家、コンピュータ科学者のヴァーナー・ヴィンジが一九九三年に導入した「技術的シンギュラリティ」という考えに基づいて、カーツワイルは人類が肉体や脳が遺伝子操作、ナノテクノロジー、人工知能によって

図80

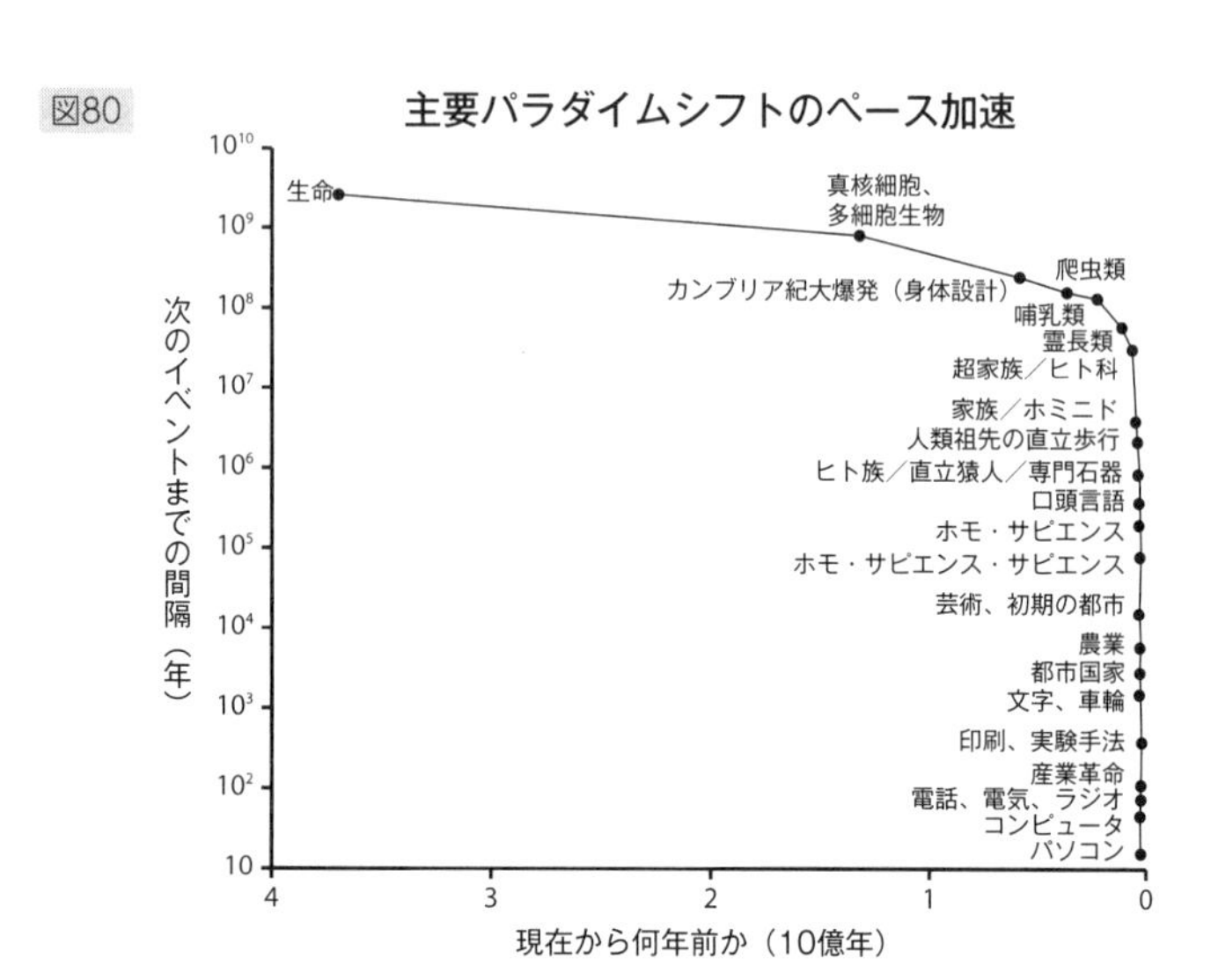

図81

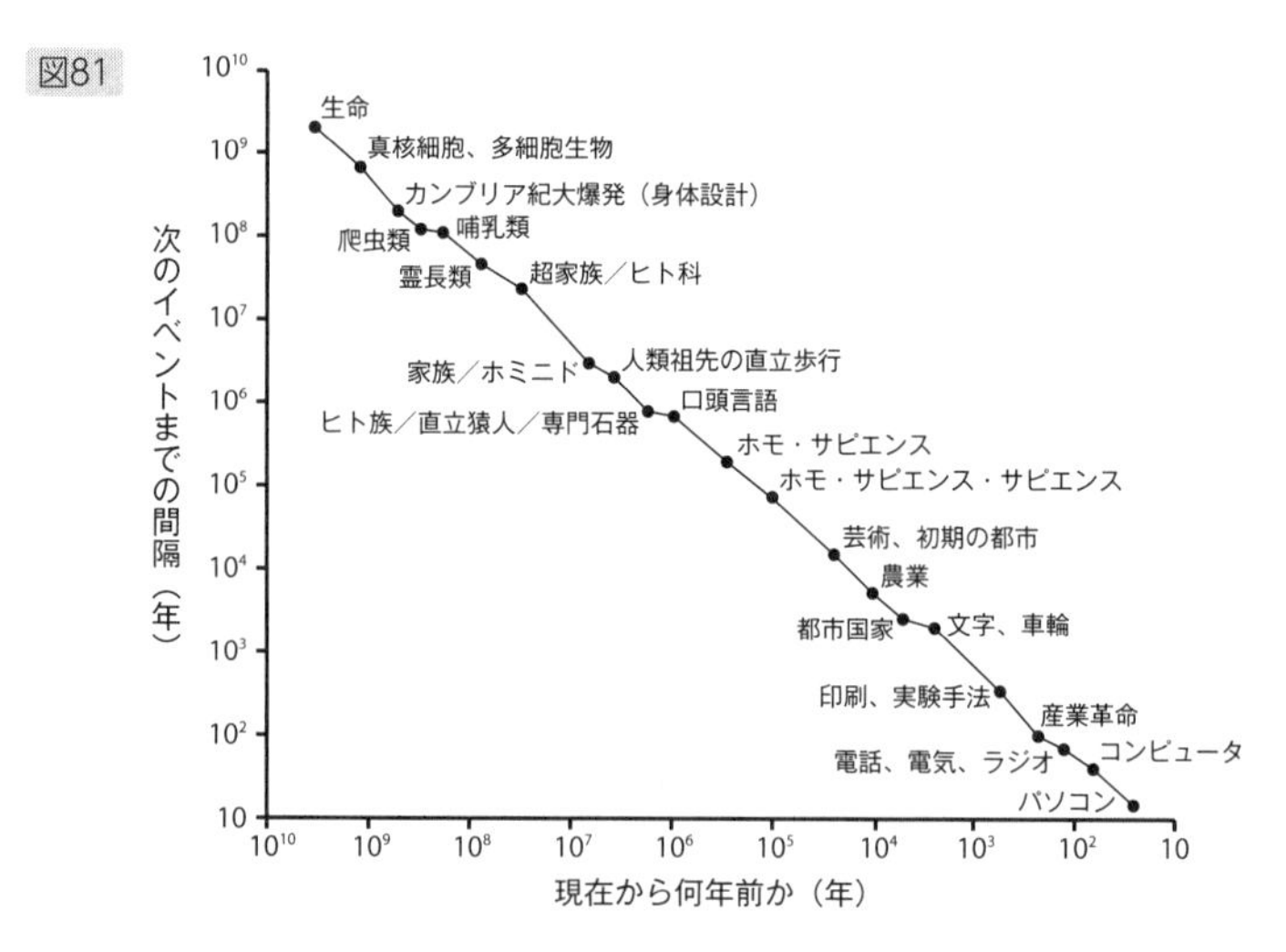

主要イノベーションの間隔とイノベーションがどのくらい前に起こったかの相関性を片対数（図80）と両対数（図81）でグラフ化した。

拡張され、生物としての制約に縛られないハイブリッドなサイボーグになるシンギュラリティへと近づいていると提唱した。これが現在の人類の知性を合わせたよりも、ずっと強力な集合知をもたらすことを示唆している。あるいはヴィンジはこれを簡潔に、「私たちは三〇年以内に、人間を超える知能を生み出す技術的手段を得るだろう。その後すぐに人間の時代は終わる」と言っている。[*6] これは一九九三年に書かれているので、予言では、これが今からわずか七年後（原文ママ）の二〇二三年に起こることになっている。私にはそうは思えない。

　これらは最終的に起こるかもしれない魅力的な推論だが、今のところSFの領域だ。超楽観的な未来の展望は、ネオ・マルサス主義者たちの悲観的予測とはほぼ正反対だが、そのいずれの場合も皮肉なことに、指数関数的な成長は今のままでは持続不可能で、何か劇的なことが絶対に起こるという想定に基づいている。マルサス主義者たちがイノベーションの重要な役割を無視したのとまったく同じように、シンギュラリティ信奉者たちは、地球の社会経済全体の力学が果たす重要な役割を無視している。実はそれこそが、差し迫るシンギュラリティの最も重要な原動力だ。いずれの側も定量的な機械的理論を含む大きな枠組みに根ざしていないので、どんな予測であろうとそれらを科学的に評価するのは非常に難しい。おそらく最も大きな概念的皮肉、とりわけシンギュラリティ信奉者のそれは、彼らの結論と推論が指数関数的成長に基づいていることだ。なぜなら実際にはそれは、少なくとも有限時間内ではシンギュラリティに至らないからだ。

　それにもかかわらず指数関数的成長は、まさに当初マルサスが展開した明確な理由によって確かに維持できないかもしれない。つまり十分な食料とエネルギーが生産できない、あるいはリン、石油、チタニウムといった基本的資源を使い果たしてしまい、それと同時にこれらの問題に対処する適切な技術の開発に失敗するだろうというものだ。加えて、あまりに多くのエントロピーを生み出し、その結果生じる公害、環境破壊などの誘発された変化、とりわけ気候変動が手に負えなくなり、予想もつかない意図せぬ破壊的な結果を招くかもしれない。だが、もしもこれが指数関数的成長のもたらす結果ならば、楽観主義者の主張を実現し、これら多数の問題と脅威のすべてからイノベーションにより脱出して成長し続けるのを妨げるものは、原理的には存在しない。ただし現実的には、これはずいぶんちがう話になるかもしれず、それが実現可能かどうか私はまるで楽観視していない。

だがこれはそういう話ではない。現実は定性的にかなりちがったものだ。以前強調したように、私たちは「単なる」指数関数ではなく超指数関数的に拡大してきたが、これは社会力学に特有の乗法的増大の結果として生じた、社会経済活動の超線形スケーリングによって突き動かされてきた。この典型的な現代の人間力学はライフ・ペース加速と、有限時間シンギュラリティが予兆する差し迫った脅威と戦うための、大イノベーション頻度の加速をもたらした。加速するシシューポスのイメージは、私たちにつきまとう。

「コンピュータ時代」と「情報デジタル時代」の間隔は約三〇年もなかった——石器、青銅器、鉄器時代の数千年と比べてみるといい。私たちが腕時計やデジタル機器で時間計測に使う時計は、誤解を招きやすい。それは地軸を中心とした日々の地球の自転と、太陽の周りの公転によって決まる。この天文時間は線形で一定だ。しかし、私たちが社会経済生活を送る実際の時計は、社会相互作用の集合的な力によって決まる創発現象だ。それは客観的な天文時間に比べて、絶えず系統的に加速している。

私たちは言わば加速し続ける社会経済のルームランナー上で生きているのだ。一〇〇〇年かそれ以上前は、発展に数百年かかった大イノベーションが、今ではわずか三〇年しかかからない。すぐにそれは二五年、二〇年、一七年となり、絶え間ない成長と拡張を求めるなら、シシュ―ポス同様に私たちはそれをやり続けるしかない。その結果起こる一連のシンギュラリティは、それぞれが停滞と崩壊の兆候として積み重なり続け、数学者が言うところの「真性シンギュラリティ」――すべてのシンギュラリティの親玉――に到達する。

偉大な数学者、物理学者、コンピュータ科学者、博学者で、その考えと業績により私たちの生活に非常に大きな影響を与えたジョン・フォン・ノイマンは、七〇年以上も前に次のような驚くほど予言的な所見を述べている。「常に加速し続ける技術進歩と人間の生活様式の変化は……人類史の何か本質的なシンギュラリティに近づいているような印象を受け、その先は、今知られているような形での人間的活動は続けられなくなりそうだ」[*7]。一九五七年に比較的若い五三歳で死亡するまでのフォン・ノイマンの数多くの業績には、量子力学の初期開発への多大な影響、経済のモデル化の主要ツールであるゲーム理論の発明、そして一般にフォン・ノイマン・アーキテクチャと呼ばれる現代コンピュータの概念設計がある。

ではインターネット発明と同じくらい強力で影響力を持ったイノベーションを、一五年、一〇年、いや五年ごとに起こすことが想像できるか？　これは古典的な極論で、いくら私たちが独創性に富んでいようとどんなに多くの素晴らしい装置や道具を発明しようと、これまで通りのやり方を続けている限り、究極のシンギュラリティの脅威は決して克服できないことを示している。

理論による推定だと、私たちは今後二〇年から三〇年でまた別のパラダイムシフトに向かうはずだ。これはヨハンセンとソーネットがデータ照合から得た予測よりも、少し短い。彼らは三五年前後の数字を示している。もちろん理論はそれがどんな変化なのか教えてくれないので、それがどんなものになるかについては、荒っぽい憶測しかできない。自動運転車などのスマート機器といった、かなり平凡なものかもしれないし、カーツワイルやシンギュラリティ信奉者たちのSFファンタジーのようにドラマチックなものかもしれない。おそらく上記のいずれでもなく、もしもパラダイムシフトが可能であれば、まったく予想外のものになるだろう。それどころか、シフトできずに無限成長の概念と何とか折り合いをつけ、「進歩」を定義する何か新しい方法を見つけるか、それまでに得たもので満足し、地球全体の生活水準を比較的高い生活の質に引き上げることにエネルギーを注ぐかの可能性のほうが高い。これぞ真の大パラダイムシフトだ！

絶え間ない成長とそれによるライフ・ペースの絶え間ない加速は、地球全体、そしてとりわけ都市、社会経済生活、世界規模の都市化に大きな影響をもたらす。つい最近まで大イノベーションの間隔は、人間の生産年齢期間を大きく上回っていた。私自身の生涯においてさえ、人は一生同じ専門技術を使って同じ仕事で働き続けるものと無意識のうちに考えていた。これはもう当てはまらない。今や人は、特に発展途上国と先進国では通常大きなイノベーションの間隔よりもずっと長く生きる。今日労働人口に加わった若者は、キャリアの持続性を中断させる可能性が非常に高い大きな変化を、生涯のうちに何度か経験すると予想される。

このますます加速する変化の頻度が、都市生活のあらゆる面で深刻なストレスを誘発する。これは持続可能性とは程遠く、もしも何も変わらないなら、私たちは重大な機能停止と社会経済網全体が崩壊する可能性へと向かう。問題ははっきりしている。私たちはそこから進化を遂げてきた、「エコロジカル」なフェーズまがいのものに戻って、何やら線形未満スケーリングとそれに付随する生来の制約、あるいは成長のない安定した構造に満足できるのか？　そもそもそんなことが実現できるのか？　私たちの世界最良の都市と社会組織が体現しているような、アイデアと富の創造が突き動かす活気に満ちた革新的で創造的な社会を持てるのか、それともコーマック・マッカーシーが小説『ザ・ロード』で描いたような、都市スラムと荒廃による究極の不安に満ちた惑星になる運命にあるのか？[*8]　現在の私たちの問題の多くを生み出した、都市の特別で比類ない役割と潜在的な大惨事へと超指数関数的に駆り立てるその止むことのない役割を考えると、それらの力学、成長、進化を科学的に予測可能な定量的枠組みのなかで理解することは、地球の長期的持続可能性の達成の命運を左右する。おそらく近い未来においてさらに重要なことは、そういった理論を持続可能性についての大統一理論の文脈のなかで発展させることだ。それには多様な研究、シミュレーション、データベース、モデル、理論、そして地球温暖化、環境、金融市場、リスク、経済、医療、社会紛争、そしてとりまく環境と相互作用しあう社会的存在としての人間のその他無数の特性に関する推論をまとめる必要がある。

あとがき

1. 二一世紀の科学

最初から私は本書で提示した多くの主張を導いてきた根本的な哲学的枠組みが、物理学的視点に触発されたパラダイムに基づくと強調してきた。よって大きな主題の一つは、どんな個別のシステムの詳細も超越した根本的な一般原理に基づいた定量的、予測的理解を、どこまで発展させられるかということだった。科学の基本的信条は、私たちをとりまく世界が結局は普遍原理に支配されているということで、生命体、都市、あるいは企業といった高度な複雑系のスケーリング則もそうした見地から見る必要がある。これまで私が示そうとしてきたように、スケーリング則は根本にある幾何学的、力学的な動きを明らかにする系統的規則性を反映しており、それはそういった系の定量科学実現の可能性を示唆している。少なくともそういったパラダイムがどこまで適用できるかは検討できる。

特定の問題の狭い領域、あるいは規律を超越した特性、規則性、考え方、概念の大統合の探求は、科学と科学者のひらめきを刺激する大きな力の一つだ。それはホモ・サピエンスの特質を定義づける特徴とさえ言えるかもしれない。それは人類が宇宙の神秘を受け入れる助けとなる多様な信条、宗教、神話に表れている。この統合、統一の探求は、それらですべてを作り上げている基本構成要素として、原子や四大元素といった概念を導入した初期ギリシャ思想の起源以来、科学の主要テーマになってきた。

近代科学の古典的大統合には、天界の法則は地球の法則と変わらないことを教えてくれたニュートンの運動法則、私たちの生にはかないエーテルをもたらし、電磁波を与えてくれたマクスウェルによる電気と磁気の統一、人類が単なる動植物にすぎないことを教えてくれたダーウィンの自然選択理論、私たちが永遠に続かないことを示した熱力学の法則などがある。これらはそれぞれ、世界に対する考え方の変化のみならず、多くの人が特権的に享受している生活水準をもたらした技術進歩の基礎となった。しかしそれらは程度のちがいはあるが不完全だ。それらの適用範囲の限界、予測能力の限界、例外、違反、失敗に関する現在進行中の研究が、さらに深い問題と課題を呼び起こし、科学の進歩と新しい考え、技術、そして概念の絶え間ない展開を刺激している。

現代物理学を支配してきた現在進行形の大きな科学的課題の一つは、素粒子とその相互作用に関する「大統一理論」の探求だ。それには宇宙と時空の起源そのものの理解への拡張も含まれる。このような野心的理論は、概念上数式化可能で、削ぎ落とされた根本的な一連の普遍理論に基づいている。それは重力や電磁力、弱い核力、強い核力という基本的な自然の力すべてを、ニュートンの運動法則、量子力学、アインシュタインの一般相対性理論を取り込みながら統合し説明する。光速、時空間の四次元、すべての素粒子の質量といった基本量がすべて説明され、星雲の形成から生命そのものを含む惑星レベルまでのすべての宇宙の起源と進化を支配する方程式が引き出される。それは真に注目すべき途方もなく野心的な探求として、ほぼ一〇〇年間のあいだ、何十億ドルも注ぎ込んで、何千人もの研究者たちが携わってきた。どんな尺度から見ても、この現在進行形の探求はその最終目標まではまだ遠いが、大きな成功を収めており、例えば物質の基本構成要素であるクォークの発見、宇宙における質量の起源であるヒッグス粒子、そしてブラック・ホール、ビッグバンの発見へと導き……多くのノーベル賞も獲得してきた。[*1]

その大きな成功に気をよくして、物理学者たちはこの夢のような構想に「万物理論」という壮大な称号を与えた。量子力学と相対性理論に数学的整合性を求めるなかで、この普遍理論の基本構成要素がニュートンとそれに続くすべての理論展開の基礎となった、従来の基本的な点粒子ではなく、微細に震えるひもであることを示唆していた。それによって、この洞察は単刀直入な「ひも理論」という別称で呼ばれることになった。神々や神の発明同様に、万物理論という概念はあらゆるもの、すべての霊感のなかの霊感、すなわち宇宙全体を、わずかな命令、この場合文字通りすべてのものが導き出される簡潔な数学方程式一式によって包含、理解できるという壮大な展望を匂わせる。しかしそれは神の概念同様に、誤解を招く恐れがあり知的に危険だ。

ある研究分野に万物理論などという幾分大げさな呼び名を与えるというのは、ある程度の知的傲慢さを示すものだ。宇宙に関するすべてを包含する方程式の存在を、本当に考えられるのか？ すべて？ 生命はどこに？ 動物と細胞、脳と意識、都市と企業、愛と憎しみ、ローンの支払い、今年の大統領選等々も含まれるのか？ 実際に私たちがこの地球上で加わっている、桁外れの多様性、複雑性、そして乱雑さはどのように生まれたのか？ 最も簡単な答えは、この壮大な万物理論に包含される相互作用と力学がもたらす避けがたい結果であるというものだ。時間そのものですら、こうした振動する弦の形状と力学から創発したものとされている。ビッグバンに続いて宇宙は拡大し、冷却され、これがクォークから核子、次に原子から分子、最終的に複雑な細胞、脳、感情、そして生命のその他のすべてと宇宙がそこから生まれる一連の階層をもたらした。いわばある種のデウス・エクス・マキナだ。このすべてが喩えて言うなら、少なくとも原則としてはどんな精度でも解けるはずの、ますます複雑になる数式と計算のクランクを廻し続けた結果だ。定性的にこの究極の還元主義は部分的には有効なのかもしれないが、私にはそれをみんながどこまで本気で信じているのかわからない——だが、いずれにせよ「何か」が欠けている。

その「何か」には、本書で考察した各種の問題や疑問に含まれる概念や考えの多くが含まれている。情報、発生、偶然、歴史的偶発性、適応、選択といった概念のすべてが、生命体、社会、生態系、経済など「複雑適応系」の特性だ。これらは個々の無数の構成要素、あるいは因子によって構成され、それらはたとえ相互作用の力学がわかっていても、基本要素からは詳しく予測できない集合的特性を持つのが通例だ。万物理論が依拠するニュートン的パラダイムとはちがって、複雑適応系の完全な力学と構造は、少数の数式では符号化できない。実際多くの場合、おそらく無限の数式があっても符号化は無理だ。さらに任意の精度で予測を行うのは、原理的にすら不可能だ。

一方で本書を通じて私が示そうと努めてきたように、スケーリング理論はそういったシステムの広範な様相の大ざっぱな作用を理解、予測するための、定量的枠組み開発の妥協点構築に使える強力なツールとなる。

そして大きなスケールで見た場合、空想的な万物理論の最も意外な重要性は、宇宙はおそらくその起源と進化を含めて非常にややこしいとはいえ複雑ではなく、実は驚くほど単純だということだ。なぜならそれは限られた数の数式、ひょっとするとたった一つのマスター方程式で記号化できるからだ。これはこの地球の状況とはまったく対照的だ。そこでは人類自身が宇宙の中で起きている、最も多様で複雑、混沌とした現象に不可欠な要素であり、それを理解するにはおそらく数式化できない追加の概念が必要だ。だから自然の基本的な力に関する大統一理論の探求を称賛、感嘆する一方で、それが文字通りすべてを説明、予測はできないことを認識しなければならない。

結果として万物理論の探求と並行して、複雑性の大統一理論の探求にも着手する必要がある。複雑適応系の定量、分析的で、原理に基づく予測的枠組みの開発という課題は、二一世紀科学の大きな課題の一つだ。この不可欠な帰結として緊急性が大きいのが、今私たちが直面している途方もない脅威と折り合いをつけるための、持続可能性の大統一理論開発の必要性だ。あらゆる大統合同様に、これらはほぼ確実にずっと未完成のままだし、おそらく実現不可能だろう。それでも人類がこれからどう進み、これまでの成果を続けられるかを決める重要で革新的な可能性を秘めた新しいアイデア、コンセプト、技術を刺激するはずだ。

2. 学際性、複雑系、サンタフェ研究所

こんな大仰な言葉ではっきり述べられてはいないが、これはサンタフェ研究所創設の目的の見事な

まとめになっている。サンタフェ研は並外れた場所だ。誰もが気に入るとは限らないが、「真実と美」を探求する学者たちの多様なコミュニティの一員でありたいという、純真で、ロマンティックとも言えるイメージを抱いている——そして、従来の大学環境にそれを見いだせないことに失望した——私たちの多くにとって、それを実現する可能性に最も近い場所がサンタフェ研だ。私はそんな素晴らしい場所で、考えうるあらゆる学術分野の同僚同志たちから刺激を受けながら、非常に生産的な数年間を過ごせたことをとても幸運で恵まれていたと感じている。

サンタフェ研の雰囲気と特徴については、イギリス人科学記者ジョン・ホイットフィールドが最もうまく捉えている。二〇〇七年、彼は次のように書いている。

　この研究所は真に学際的な環境を目指した——学部はなく、研究者がいるだけだ（中略）サンタフェと複雑性理論はほぼ同義になりつつある（中略）現在街外れの丘の上に位置するこの研究所は、科学者にとって実に楽しい場所だろう。研究室と、ランチや即興セミナーのために彼らがぞろぞろと出てくる共用部分には、大きな窓があって山々と砂漠が見える。ハイキング道が駐車場から延びている。研究所のキッチンでは考古生物学者、量子計算専門家、そして金融市場を研究する物理学者たちの会話を盗み聞きできる。犬や猫が廊下をぶらつき、研究室に出入りしている。**雰囲気はケンブリッジ大学の上級談話室と、グーグルやピクサーといった西海岸のおたく神殿の一つを、足して二で割ったような感じだ。**

文末を強調したのは私だ。ホイットフィールドがこの変わった特徴の組み合わせを、本当にしっかりと理解していると思ったからだ。一つは、オックスフォードやケンブリッジに匹敵する象牙の塔というイメージ、そして嗅覚の赴くままにどこへでも向かい、知と理解の探求に「それだけのために」専念する学者たちのコミュニティ。もう一つは、「現実」世界の問題に取り組んで、革新的な解決法と生の複雑性に取り組むための新たな方法を模索する、最先端を行くシリコンバレーのイメージ。サンタフェ研は、はっきりした目標や所与の課題で動いていないという意味では古典的な基礎研究機関だが、それが取り組む問題の本質そのものが、必然的に私たちを重要な社会問題に直面させている。その結果、学者間の学術的ネットワークに加えて、研究所は多様な企業を取り込んだ非常に活発な商業ネットワーク（応用複雑性ネットワークと呼ばれている）も持つ。まだ若い小企業もあるが、多くは様々な事業活動にまたがる有名大企業だ。

サンタフェ研は学術界のなかで独自の位置を占めている。その使命は、科学の最先端のあらゆるスケールの基本問題と大きな疑問に、定量、分析、数学的、計算的思考を偏重して取り組むことだ。そこには部局も正式なグループもないが、数学、物理学、バイオ医学から、社会、経済学まで、あらゆる分野の長期的で創造的、学際的な研究に没頭する文化がある。小規模な常勤スタッフ（ただし終身地位保証はない）、他に本業の勤務先を別に持つ約一〇〇名の外部研究員が一日、二日から数週間まで様々な期間滞在している。これに加えてポスドク研究員、学生、報道特別研究員、さらに作家までいた。多くの研究グループとワークショップ、セミナー、会議をサポートし、大挙してやってくる訪問者たち（年間数百人）を受け入れた。なんと素晴らしいるつぼだろう。ヒエラルキーなどほとんどなく、そのサイズはそこにいる全員が他のみんなと互いに楽に知りあえる程度に小さかった。考古学者、経済学者、社会学者、科学者、生態学者、物理学者たちが日常的に語りあい、熟考し、無駄話をし、大小の疑問に真剣に協力して取り組みながら、みんな自由に交流した。

研究所の哲学は、賢い人を自由に交流できる支援体制が整った促進的で活動的な環境に集めれば、必ず良い結果が生まれるという基本的前提から生まれている。サンタフェ研の文化は、開かれた触媒作用を持った雰囲気を創り上げることを目的にしていた。そこでは従来の大学の学部構造のなかではしばしば促進が難しい相互作用と共同研究が、強力に奨励された。ひどく複雑な現象の基本原則、共通性、単純性、そして秩序を探求する、中身のある徹底的な共同研究に従事する準備が整っている非常に多様な知性を集結させることが、サンタフェ研科学の証だった。おもしろいことに、この研究所はその研究対象そのもの、すなわち複雑適応系を体現するものだった。

研究所は「学際的複雑系研究の公式発祥地」として国際的に認知され、科学と社会が直面する最も困難かつ刺激的で核心をつく問題の多くが従来の学問領域の境界上にあることを認識する上で、中心的役割を果たした。そうした問題としては、生命の起源、生命体、生態系、パンデミック、社会などのイノベーション、成長、進化、回復力の包括原理、自然と社会のネットワーク力学、薬学と計算における生物学的に触発されたパラダイム、情報処理、エネルギー、生物と社会の力学の相互関係、社会組織の持続可能性と運命、金融市場と政治紛争の力学などがある。

サンタフェ研の所長を数年務めるという大きな恩恵に浴した私は、その哲学、名声、成功について、当然ながらついひいき目に見てしまう。だからまったくの大風呂敷と思われないように、その特徴に関する二つのコメントと意見を紹介したい。ロジャー・ホリングスワースは、ウィスコンシン大学の著名社会科学者、歴史学者で、研究グループを成功に導く必須要素は何かについて綿密な調査を行ったことでよく知られている。（全米科学財団を監督する）米国科学委員会の「転換」科学の評価を担当する小委員会に向けて、次のように述べている。

私の同僚たちと私は大西洋両岸の約一七五の研究機関を調査したが、サンタフェ研究所は多くの点で、創造的思考を促す理想的なタイプの機関である。

『ワイアード』誌からの引用も記しておく。

一九八四年の創設以来、この非営利研究センターは、細胞生物学、コンピュータ・ネットワーク、そして私たちの生の根底にあるその他のシステムを研究する多様な分野の最高の頭脳をまとめ上げてきた。彼らが発見したパターンは私たちの時代で最も急を要する問題のいくつかの理解を助け、その過程が現在複雑系科学と呼ばれているものの基盤となった。

研究所は最初、数人のノーベル受賞者を含む著名科学者たちの小さなグループによって着想された。彼らの多くはロスアラモス国立研究所と何らかのつながりがあった。彼らは学究状況が専門的な縦割り構造と特化に支配され、多くの大問題、特に分野を超えた問題や社会特性についての問題が無視されていることを憂慮していた。研究職に就く、昇進や終身教授職を得る、政府機関や民間基金から助成金を確保する、国立研究所に選ばれるといった報奨制度は、狭い下位分野のごく小さな領域でいっぱしの専門家だと示さないと得られない。大問題と広い争点について思考、思案し、危険を冒し、独立独歩である自由は、多くの人には手が届かない。単に「発表するか、消え去るか」ということでなく、次第に「研究資金を持ってくるか、消えるか」ということにさえなってきている。大学の企業化が始まっていた。トーマス・ヤングやダーシー・トムソンといった博学者や大思想家が活躍したおおらかな時代は、はるか昔のことだ。実際、自分の専門分野を超え他分野にまで及ぶ可能性のある考えや概念を気さくに語る者は、学際的な学者はもちろん、分野内の専門家にすら本当に少ない。サンタフェ研はこの顕著な傾向と戦うために創設された。

研究所の実際の科学的課題は何かという初期の議論では、急成長するコンピュータ科学、計算、そして非線形動態の分野が中心になった。それらはロスアラモスが影響力を持つ領域だった。そこに理論物理学者マレイ・ゲルマンが参入してきた。彼はこれらの提案は考えや概念というよりも技術に関するものでしかなく、もしもそういった機関が科学の進路に大きな影響を与えるとしたら、その課題はもっと広く大胆であるべきで、いくつかの大問題に取り組むべきだと認識していた。このため包括的テーマとして複雑系と複雑適応系という考えが生まれた。これは科学と社会が直面していたほぼすべての重要課題と大問題――そしてそれ以上の事――を包含していたので、必然的に従来の専門分野の境界を超えることになった。

現代の興味深い兆候としてサンタフェ研の影響を示す大きな指標だと私が思うのは、今日の多くの研究機関が、多分野、学際的、超分野的、分野関係性機関を自称することだ。こういった言いまわしは、今や分野を隔てる大きな分裂を大胆に跳び越えるという意味ではなく、従来の分野内で下位分野を超えた協力的な相互作用をなんでもいいから表す、単なる流行語に成り下がった面もあるが、心象と態度の大きな変化を表してはいる。これは学術界すべてに浸透し、大学が多かれ少なかれ以前同様縦割りであるという現実にもかかわらず、今やほとんど当然のこととされている。スタンフォード大学のウェブサイトから引用してみよう。これは自校をこのイメージに沿って再ブランディングし、今までずっとそうやってきたかのような主張さえしている。

創立以来、スタンフォード大学は分野を超えた共同研究の先駆者だった（中略）革新的な基礎を生み出して、研究をあらゆる領域に応用した（中略）これが自然に学際的共同研究を促しているのだ。

わずかここ二〇年間で起こった受容の大きな変化がどんなものか伝えるために、ここでサンタフェ研創設間もない頃の逸話を一つ紹介しておこう。

サンタフェ研の創設者の中には、他に共にノーベル賞受賞者である二〇世紀学術界の二人の偉人も含まれている。プリンストン大学出身の凝縮物質物理学者として超電導を研究し、何よりもヒッグス粒子予想の基礎となった、対称性の破れのメカニズムの発明者であるフィリップ・アンダーソン。そしてスタンフォード大学出身で、社会選択理論から内生成長理論まで、経済学の基礎への多くの貢献によって多大な影響を与えてきたケネス・アロー。彼はノーベル経済学賞の最年少受賞者であり、彼の教え子五人もこれを受賞している。アンダーソンとアローは、これまた著名な凝縮物資物理学者でサンタフェ研創始者であるデビッド・パインズと共に、サンタフェ研を有名にした最初の大きなプログラムに着手した。それは経済学の基礎となる問題に新たに複雑系の視点から取り組むことで、例えば非線形動態、統計物理学、カオス理論から得た考え方が、経済理論にどのように新たな洞察を与えるかを問うたものだ。一九八九年に行われた初期のある研究発表会の後に、『サイエンス』誌がこの発表会について「奇妙な同志たち」というタイトルの記事を書いている。[*2]

これら二人のノーベル受賞者である彼らは、奇妙な組み合わせだ（中略）ここ二年にわたり、アンダーソンとアローは科学史上最も奇妙な組み合わせの一つ――経済学と物理学の結婚、いや少なくとも真剣な交際――である冒険に乗り出して共同研究を行ってきた（中略）この画期的な企ては、サンタフェ研究所の庇護の下で行われている。

あれから時代は何と変わったことか！　今日では、物理学者と経済学者の共同研究は珍しくもなんともない――物理学者と数学者のウォール街への大きな流入をご覧あれ。ちなみにこれにより、彼らの多くはばかばかしいほど金持ちになった――だがわずか二五年前にはそんなことは、とりわけこんなに著名な二人の思想家による共同研究など前代未聞に近かった。それでもこれが「科学史上最も奇妙な組み合わせの一つ」などと言われるほど珍しく異様に思われていたとは信じ難い。地平線は本当に広がっているのかもしれない。

私がサンタフェ研の所長になったとき、この並外れた成功をおさめた研究所の創設と運営を五〇年以上も前に助けた、ある人物の残した幾つかの格言を目にして、強い感銘を受けた。その人物とは、ヘモグロビンの構造の発見によってノーベル化学賞を受賞した結晶学者マックス・ペルーツだ。ペルーツが使用したX線結晶構造解析は、二〇世紀初頭にウィリアムとローレンス・ブラッグのユニークな親子チームによって開発された。彼らは息子のローレンスがまだわずか二五歳だった一九一五年に、共にノーベル物理学賞を受賞している。彼はいまだに科学分野のノーベル賞の最年少受賞者だ。

ローレンス・ブラッグは、彼が通常物質の結晶構造研究用に開発を手助けしたこれらの技術が、ヘモグロビンやDNAといった生命体の構成要素である複合分子の構造を明らかにする強力なツールになると見抜く先見の明を持っていた。彼は教え子ペルーツに、生命の構造的神秘の解明に全力を注ぐ研究プログラムの開始を、強力に促した。こうして一九四七年、科学全域で最も成功をおさめた事業の一つ、メディカル・リサーチ・カウンシル・ユニット（MRCU）がケンブリッジの名高いキャヴェンディッシュ研究所のなかで生まれ、その責任者をローレンス・ブラッグが務めた。ペルーツ指導下でMRCUはわずか数年の短いあいだに九つものノーベル賞を勝ち獲ったが、その中の一つがジェームズ・ワトソンとフランシス・クリックによる有名なDNAの二重螺旋構造の発見だった。

ペルーツの類まれな成功の秘訣は何だったのか？　研究方法を最適化するための魔法のやり方でも考案したのか？　もしそうなら、サンタフェ研の将来の成功を確実にするために、それをどのように利用できるのか？　サンタフェ研のリーダーを引き受けたとき、私が自然に自分に問うたのはこんな問いだ。ペルーツが自身の研究プログラムを続けるあいだ、研究者たちに独立性を与えてみんなを平等に扱い、若い研究者と距離ができることを理由にナイトの位を辞退さえしているそうだ。すべての所員の研究に完璧に精通し続け、必ずそれぞれの同僚たちとコーヒーやランチやお茶に同席した。うん、行動はともかくとして、精神面では私もこれを心掛けていることだ――ただしナイトの位を与えられるなどというほぼあり得ない事態が起きたら、辞退はしないが。

しかしペルーツについて私が本当に心を動かされたのは、《ガーディアン》紙の彼の死亡記事を読んだときのことだ。[*3] それは次のようなものだった。

研究が非常に創造的なものになるよう計画するためのシンプルなガイドラインはあるかと聞かれるたびに、彼はいたずらっぽくこう言ったものだ。「派閥争い、委員会、報告書、査読、面接はすべてなし。ただ少数の的確な判断力を持った人々によって厳選された、才能とやる気のある人々がいればいい」。確かに研究は通常、もっさりした民主主義のようには運びはしないが、的確な判断力を持った人々から選ばれた大きな才能を持った人々という答えは、エリート主義ではない。単にそうなりそうだというだけだ。マックスが実践し実際に示したように、これは科学において、世界で一番になることで世界を揺るがそうと志す者が自分の元に押し寄せるようにするための、うってつけの方策だから。

すると、確かに彼は魔法のやり方を考案したわけだ――そしてそれは素晴らしくうまく機能した。

現在だと、本当にそれが実現できたというのは信じ難い。「派閥争い、委員会、報告書、査読、面接はすべてなし」で、優秀性に「だけ」焦点を絞って非常に「的確な判断を活用」する。そう、これは少なくとも基本的にはまさにサンタフェ研でやろうとしていたことで、実際今でもそれは続いている。最良の人々を見つけて、彼らを信頼、支援し、くだらないことで邪魔をしない……そうすれば良いことが起こるのだ。これがSFI創設の精神であり、先見の明があったジョージ・コーワンから現所長デビッド・クラカウワーまでのすべての所長が熱心に挑んできたことだ。簡単そうに見えるが、それならなぜみんながマックスの秘訣に従わないのか？　このレシピを、NSF（原子力科学基金）、DOE（エネルギー省）、NIH（国立衛生研究所）といった資金提供機関、慈善基金、あるいは大学の学長や学部長や地元下院議員に提案すれば、すぐに答えはわかるはずだ。このやり方は、あまりに単純すぎ、いささか非現実的で、言うは易く行うは難し、そのままの形ではおそらく実在したことがない科学支援や学術支援をイメージしているという感じだ。だがまさにそこにこそ、その活力源があるのだろう。高邁な理想を目指すこと、そして四半期ごとの報告書、絶え間ない提案書作成、監督委員会、政治的陰謀、せせこましい官僚制から着想の発展と知の探求を解放する精神と文化を創り上げようとする努力は、他のあらゆる考慮すべきことよりも優先されるべきだ。ペルーツは模範となって、これを成功の重要な要素として示した。私は毎年、評議委員会への年次報告の最後で、私たちの成功を自慢し財務状況と研究活動の資金調達の難しさを嘆いた後に、私たちの最優先事項をはっきりさせるために、この魔法の秘訣を信念、あるいは大志として大きな声で読み上げている。

3．ビッグデータ：パラダイム四・〇なのか、ただの三・一なのか？

一六世紀、デンマーク人天文学者ティコ・ブラーエによる天体運動の定量的観察によって始まった計量は、私たちをとりまく宇宙全体の理解の発展で中心的役割を果たしてきた。データは宇宙の起源、進化過程の本質、あるいは経済成長の解明のいずれの探求の場合も、理論とモデルの構築、検証、改善の基礎になる。

データは科学、技術、工学の活力源そのもので、最近では経済、金融、政治、ビジネスでもますます中心的役割を果たし始めてきた。本書で言及した問題のほとんどは、膨大なデータに頼らずに分析することなど不可能だ。さらに冒頭の章で私が依拠したようなデータへのアクセスがなければ、複雑適応系、あるいは都市科学、企業科学、持続可能性の理論に取り組むために何かを発展させるなど及びもつくまい。社会ネットワークの役割と都市における人々の動きの予測の検証に使った、数十億の携帯電話通話が良い例だ。

これら最近の発展において、単にデータの収集整理だけでなく洞察を獲得し、規則性を推定し、予測を立てて検証できるような扱いやすい形に膨大な量のデータを分析、体系化する際に、重要な役割を果たしたのがＩＴ革命だ。私がこの原稿を打ち込むのに使っている一三インチＭａｃｂｏｏｋ Ａｉｒでさえ、そのスピードと容量は素晴らしく、データ分析と検索、情報保存、複雑な計算の実行能力は、実に強大だ。私の小さなｉＰａｄは、わずか二〇年前の世界最強のスーパーコンピューターで購入に約一五〇〇万ドルもかかったＣｒａｙ－２よりも強力だ。私たちの肉体、社会的交流、移動、嗜好性から天候や交通状況まで、まわりのほぼすべてのものをモニターしている多くのデバイスを通じて収集されたデータの総量は、気が遠くなるほど大きい。

世界中でネットワーク化されたデバイス数は、今や世界全人口の二倍以上で、それら全デバイスのスクリーンの総面積は、一人あたり一平方フィート（九二九平方センチメートル）以上だ。現在保存、交換されている情報の総量は、指数関数的に増え続けている。そしてこれらすべてはわずかここ二〇年かそこらで起きており、ライフ・ペース加速のもう一つの表れとなっている。医療から都市化まで差し迫った課題をいくらでも解決する一方で、生活の質もさらに向上させる万能の手段となることを示したビッグデータの出現は、明るい見通しと大風呂敷と共に歓迎された。すべてを測定、モニターし、巨大コンピュータにデータをぶち込めば、魔法のように何でも答えと解決策が出てきて、私たちが抱える問題と課題は克服され、すべての人にとって生は良いものになるというわけだ。この発展中のパラダイムは、「スマート」なデバイスとますます私たちの生き方を支配する「スマート」な方法論の氾濫によく表れている。「スマート」は、スマートシティ、スマート医療、スマート温度調整、スマートフォン、スマートカード、そしてスマート宅配ボックスまで、ほぼすべての新製品に欠かせない称号となった。

データは良いもので、多ければなおさら良い――これが私たちの多くが当たり前に思っている信条で、科学者である私たちにとってはなおさらだ。しかしこの信条は暗黙のうちに、データが増えれば根底にあるメカニズムと基本原理の理解も深まるという考えに基づいている。それにより、信頼性の高い予測とモデルと理論構築のさらなる進歩を、絶え間ない検証と改善を必要とする確固たる基盤の上に築けるというわけだ。体系化と理解のための概念的枠組みを持たない、データのためのデータ、あるいは無意味なビッグデータ収集は、実のところ悪いどころか、危険でさえある。データだけへの依存、あるいはデータとの数学的なフィットでさえ、根底にあるメカニズムの何らかの深い理解がなければ、潜在的に欺(あざむ)いたり、まちがった結論と意図せぬ結果を招きかねない。

この警告は、「相互関係は因果関係を意味しない」という古典的警句と密接に結びついている。二つのデータセットに密接な相互関係があっても、一方が他方の原因というわけではない。これを示す多くの奇怪な例がある。[*4] 例えば一九九九年から二〇一〇年までの一一年間のアメリカにおける科学、宇宙、技術への総支出額の変動は、首吊り、絞首、そして窒息による自殺数の変動とほぼ一致している。これら二つの現象に何らかの因果関係がある可能性は非常に低い。科学支出の減少は、絶対に首吊り自殺者の減少の原因ではない。だが多くの場合、こんな明確な結論は出てこない。一般的には、相関性はしばしば因果関係の重要な兆候だったりするが、その確定はさらなる調査と機構モデルの開発後になされる。

これは薬学ではことさら重要だ。例えば血中の高比重リポ蛋白（ＨＤＬ）値――しばしば「善玉」コレステロールと言われている――は心臓発作発生率と反比例しているので、薬を服用してＨＤＬを増やすと、心臓発作発生率が下がりそうなものだ。だがこの方略を支持する証拠は、決定的ではない。心臓血管の健康は、人工的にＨＤＬレベルを上げても改善しないらしい。遺伝、食習慣、運動といった他の要素が同時に、直接の因果関係を持たないまま、ＨＤＬレベルと心臓発作発生率の両方に影響を与えているのかもしれない。因果関係はむしろ正反対で、よい心肺機能が高いＨＤＬ水準をもたらす可能性さえある。心臓発作の主たる原因が何かを決めるには、各要因――遺伝、生化学、食習慣、環境など――がどう関与しているかを知るための、機構モデルの開発と共に、膨大なデータ収集が必要なのは明らかだ。そして実際、この方略実行のために膨大な資金が医療関係機関全体に注ぎ込まれている。

いずれにしてもビッグデータは、以下のような流れのなかで捉える必要がある。綿密な分析を含む従来の科学的手法、そして予測が検証可能で、新たな治療法と方針の考案に利用可能なモデルと概念の開発は、今や新たに加わった「スマート」デバイスの膨大な相対的データ収集力によって拡張できる。このパラダイムの核心は、計測に最も重要なデータの種類、必要量、精度を絶え間ない改善によって導き出すことにある。私たちがデータ獲得のために、選出し焦点を絞って計測する変数は、無作為ではない――それらは概念的枠組みを発展させる過程での成功と失敗によって導かれたものだ。科学は、魚釣りのような当てずっぽうの作業ではないのだ。

ビッグデータの出現で、この古典的な考えが疑問視されている。「理論の終焉：データ氾濫が科学的手法を廃れさせる」という非常に挑発的な記事が二〇〇八年の『ワイアード』誌に掲載された。その中で当時の編集長クリス・アンダーソンは次のように書いている。

膨大なデータの新たな有用性は、これらの数値を処理する統計ツールと共に世界を理解するまったく新しい方法をもたらした。相関性が因果関係の座を奪い、科学は理論整然としたモデル、統一理論なしで、あるいは実のところ数学的説明がまったくなくても進展できる（中略）圧倒的データに直面して、科学へのこのアプローチ——仮説、モデル、検証——は廃れつつある（中略）言語学から社会学まで、あらゆる人間行動理論は無用だ。分類学、存在論、そして心理学なんか忘れてしまえ。人の行動理由なんて、誰が気にするだろう？　大切なのは彼らが行動をすることで、私たちはこれまでにない忠実度でそれらを追跡、測定できるのだ。その数が語っているように、十分なデータによって、今やグーグルのようなとんでもなく豊富なデータの時代に成長した企業は、まちがったモデルに甘んじる必要などない。実際、彼らはモデルなんかにはまったく依拠していない（中略）古いやり方にしがみつく理由などない。今はこう問う時だ。科学はグーグルから何が学べるのか？

私はその問いに答えるつもりはないが、この極端な考え方はシリコンバレー、IT産業、そして次第にビジネス界にもかなり行き渡りつつある。それほど極端ではないが、学術界でも急速に勢いを増している。ここ数年間で、ほとんどすべての大学が、十分な資金を投じてビッグデータに専念する研究所や機関を開設すると同時に、もう一つの流行の専門用語「学際」にも義務的な敬意を払ってきた。例えば、オックスフォード大学はそのビッグデータ研究所（ＢＤＩ）を、新しいセクシーな「最新ビル」に開設したばかりだ。「この学際研究センターは、疾病の原因と結果、予防と治療を研究するために、大きな複合的で異質なデータセットの分析に焦点を絞る」とのこと。誰が見ても非常に立派な大義だが、そこでは理論、あるいは概念の開発は強調されていない。

この傾向と正反対の考え方を、ノーベル賞を受賞した遺伝学者シドニー・ブレナーが強力に表明している。彼については第3章で引用したし、偶然にも彼は前出のマックス・ペルーツが創設したケンブリッジの名高い研究所の所長でもあった。「生物学研究が危機に瀕している（中略）テクノロジーは生命体をあらゆるスケールで分析するツールを与えるが、私たちはデータの海に溺れ、それを理解するための何らかの理論的枠組みを渇望している。多くの人が「多いほうがよい」と信じているが、歴史は「最少が最適」であると示している。私たちは、理論と研究対象の本質をしっかりと摑み、研究対象以外のものを予測する必要がある」。

クリス・アンダーソンによる記事の掲載後ほどなくして、マイクロソフトが興味深い一連のエッセイをまとめた『第四のパラダイム：データ集約型の科学的発見』という本を出版した。それは二〇〇七年に惜しまれつつ他界したコンピュータ科学者ジム・グレイに触発された著作だった。彼はデータ革命を二一世紀の科学進歩における大きなパラダイムシフトとして捉えて、それを第四のパラダイムと呼んだ。彼はそれまでの三つのパラダイムを、（1）経験的観測（ガリレオ以前）、（2）モデルと数学に基づいた理論（ニュートン以降）、（3）計算とシミュレーション、と同定した。私の印象ではクリス・アンダーソンと対照的に、グレイはこの第四のパラダイムをそれまでの三つを統合したもの、すなわち理論、実験、シミュレーションの一体化として捉えているように思えるが、データ収集と分析に追加で力点をおいている。そういった意味でこれはまさにここ二〇〇年間の科学進歩そのものであるがゆえに、彼に反論するのは難しい——ちがいは主に程度問題でしかない。「データ革命」は、長い間使ってきた戦略を活用し有効にするための、非常に大きな可能性を与えてくれた。この意味で、これはパラダイム四・〇というよりは、パラダイム三・一に近い。

しかし、多くの人が大きな希望を抱き、アンダーソン同様に、従来の科学的手法の必要性を破壊してしまう可能性を秘めた新しい存在がある。これは「機械学習」や「人工知能」、「データ分析」といった名前の技術や策略を持ち出すものだ。種類はいろいろあるが、どれも問題を解決し、洞察を明示し、予測をたてるために、データ入力に基づいてコンピュータやアルゴリズムを進化、適応させるよう設計、プログラムすることが可能だという考えに基づいている。どれもなぜそういった相互関係が存在するのかといったことを考慮しないまま、データの相関性を見いだし、それをもとに構築するための反復過程に頼って、暗黙のうちに「相関性が因果関係に取って代わる」とみなしている。このアプローチは非常に大きな関心を集め、すでに私たちの生き方に大きな影響を与えている。例えばグーグルのような検索エンジンがどのように作動し、投資戦略や組織運営をどう考案するかといったことの中核となり、自動車の自動運転の基本的な土台になっている。

それはまたこれらの機械はどの程度まで「思考」するのかという、古典的な哲学的問いも投げかける。そもそもこれはどういう意味なのか？　機械はすでに人間より賢いのか？　超高知能ロボットが最終的に私たちに取って代わるのか？　そういった類のSF物語がもたらす不安が、急速に私たちを侵食している。実際なぜレイ・カーツワイルのような人々が、次のパラダイムシフトには人間と機械の統合が含まれる、あるいは最終的に知能を持つロボットが支配する世界が到来すると信じているのかは、容易に理解できる。以前述べたように、私はそういった未来派的思考にはかなり懐疑的だが、提起された問題は魅力的で非常に興味深く、取り組む必要がある。しかし議論はライフ・ペースの加速と結びついた、差し迫った有限時間シンギュラリティが突き動かすもう一つの潜在的なパラダイムシフトとかみ合う必要があり、地球の持続可能性と、今後短いあいだにこの惑星に住む私たちに加わるであろう四〇億から五〇億人の人口増加という課題が含まれている。

ビッグデータが私たちの生にあらゆる面で大きな影響を及ぼし、加えて科学活動の非常に大きな助けになることには何の問題もない。大発見と私たちの新しい世界の見方について、それが成功するかどうかは、それがより深い概念的思考と従来の理論発展とどこまで一体化できるかにかかっている。アンダーソンが提示した展望と、そして少しおとなしいグレイによる展望は、コンピュータ科学者、そして統計学者版の万物理論だ。こちらにもやはり、これこそがすべてを理解するための唯一の方法であるという傲慢と自惚れ（うぬぼ）がつきまとう。実のところそれがどこまで新しい科学として通用するかは、まだ疑問の余地がある。しかし従来の科学手法と組み合わせることで、必ず新しい科学となるはずだ。

ヒッグス粒子発見は、ビッグデータが従来の科学的方法論と一体化して、重要な科学的発見を導き出した好例だ。まず最初に、ヒッグス粒子が物理学の基本法則の重要な根幹であることを言っておく。それは宇宙に充満して、電子からクォークに至る物質のすべての基本粒子の質量のもとになっている。その存在は素晴らしいことに六〇年以上も前に、六人の理論物理学者によって予想されていた。この予想は急ごしらえではなく、観察結果を最小限で説明し、それによって予想を検証するさらなる実験に取り組むために開発された数学理論と概念を繰り返し適用して、多くの年月をかけて行われた数千の実験の分析を含む、従来の科学プロセスの最終結果だった。

この自然の基本的な力の統一理論の、捉え難いが重要な要素の探求のための本格的研究を行うのに、十分なところまで技術が発展するまでに五〇年以上かかった。この中核を担ったのが巨大粒子加速器で、そこでは陽子が円形ビームの中で光速に近いスピードで反対方向に動いて、高度に管理された相互作用領域で互いに衝突しあう。この大型ハドロン衝突型加速器（ＬＨＣ）と名づけられた装置は、スイス、ジュネーブのＣＥＲＮに六〇億ドル以上をかけて建造された。この巨大科学装置のスケールは非常に大きい。その外周は二七キロメートルで、実際に衝突を観察計測する二つの大規模検出器はそれぞれ全長四五メートル、幅と高さ二三メートルだった。

　プロジェクト全体はこれまでにない工学的成果で、その出力はあらゆるビッグデータの親玉だ――これに並ぶものはない。一秒あたり六億回の衝突が各検出機の一億五〇〇〇個のセンサーによってモニターされる。これが一年あたり一億五〇〇〇万ペタバイト、一日あたりで一五〇エクサバイトのデータを生み出す（バイトは情報の基本単位）。このスケールが何を意味するか説明しておこう。本書全部のワード・ファイルは、イラストを含めても二〇メガバイト（二〇ＭＢは二〇〇〇万バイト）以下だ。このＭａｃｂｏｏｋ Ａｉｒは八ギガバイト（八ＧＢは八〇億バイト）のデータを保存できる。ネットフリックスが持つすべての映画データの総計でも、四ペタバイト――四〇〇万ＧＢ――以下で、このラップトップの約五〇万倍の容量（キャパシティ）だ。次に大きな例を挙げておこう。世界中のすべてのコンピュータや他のＩＴ機器をあわせると、一日に生み出すデータの総量は、約二・五エクサバイトだ。エクサバイトは10^{18}バイト、すなわち一〇億ギガバイト（ＧＢ）に相当する。

　これはすごいもので、しばしばビッグデータ革命の評価基準として称揚されている。だが本当にすごいものを教えてあげよう。そんなものはＬＨＣが生み出すデータ総量と比べると霞んでしまうのだ。もしも毎秒起きる六億の衝突のすべてを記録すると、その総量は一日一五〇エクサバイトになる。世界中のすべてのコンピュータ機器が生み出すデータ総量の約六〇倍も大きい。これはつまり、最終的にヒッグス粒子の発見につながったような相関を探るために、機械学習アルゴリズムを考案して、単純にデータだけに何かを言わせようとするやり方が無益だということだ。たとえこの機械が生み出すデータが一〇〇万倍少ないとしても、このやり方がうまくいくとはとても思えない。では物理学者は、喩えて言うなら、このマンモスほどの干し草の山のなかからどうやって針を見つけたのか？

重要なことは、どこに目を向けるべきか導いてくれる、入念に開発され、しっかり理解され、十分に検証された概念的枠組みと数学理論があったということだ。それによると、ほぼすべての衝突によって生み出された、ほぼすべての破片は、ヒッグス粒子研究に関する限り、実のところ興味深くも重要でもない。実際、毎秒起こる六億の衝突のうち、興味深いものは約一〇〇で、全データ流のなかのわずか約〇・〇〇〇〇一パーセントにすぎない。ヒッグス粒子は最終的に、このごくわずかの特別なサブセットデータに焦点をあてるための、洗練されたアルゴリズムを考え出すことによって発見された。

教訓ははっきりしている。科学もデータも民主的ではないということだ。科学は実力主義だし、すべてのデータは同等ではない。探し求めていることや研究対象次第で、従来の科学研究方法で得た理論は、基礎物理学の場合のように高度に発達した定量的理論だろうと、大半の社会科学の場合のように比較的未発達で定性的なものだろうと、基本的指針となる。それは探索領域の限定、問題の鮮明化、そして答えの理解をきわめて強力に制約する。とりわけ、相関性の適用と機構的因果関係との関係性の判断に利用可能な、大きな図式による概念的枠組みで制限できるなら、使えるビッグデータが増えれば増えるほど良い。「データの海に溺れる」ことがないように、私たちは「それを理解するための理論と研究対象の本質をしっかりと摑み、研究対象以外のものを予測する必要がある」。

最後にひとつ。IT革命は私たちの最近の大きなパラダイムシフトで、それまでのすべてと同様に、それは私たちを「有限時間シンギュラリティ」へと突き動かす。その特質については第9章で熟考した。それは、大量のデータを生み出す、飛び抜けて「スマート」なデバイスの驚くべき組み合わせの発明によって、可能になった。それまでの主要なパラダイムシフト同様に、それは予想通りライフ・ペースの増進をもたらした。加えて、それは比喩的な意味で、世界中でいつでも行われている瞬時のコミュニケーションによって、世界を互いにより近くした。まさに超線形スケーリングと無限成長の起源である、都市の社会ネットワークと凝集の動態に参加して、それがもたらす恩恵を受けるために、都市環境に住む必要はなくなった。私たちは、大都市の中心に住むのと同じくらい時代に即した、より小さな田園的コミュニティ開発へと、後退できる。これは、常に加速し続けるライフ・ペース、有限時間シンギュラリティ、そして崩壊の可能性をもたらす潜在的な落とし穴を回避できるということなのか？　私たちはともかく、過去二〇〇年間の社会経済的拡大をもたらしたシステム自体が、最終的な絶滅をもたらすという皮肉な苦境を回避し、いいとこ取りを実現する方法を見いだしたのか？

これは明らかにまだ解決されていない。実際、そういった動きが生まれ始めた兆候はあるが、これまでのところそのスケールは非常に小さい。実際、原則的に非都市化が可能で、問題の中心に関係している人々の大半が、そういう選択をしていない。基本的には郊外であるシリコンバレーでさえ、サンフランシスコの中心地を侵略して、従来の商業と過度なハイテク・ライフスタイルの緊張関係を生み出している。私の知る限り、カリフォルニアのシエラ山脈の高地で働いているハイテクおたくはいない。大多数は、従来の都市生活を好む。都市は人口が減るどころか、再興、成長しているが、その理由のひとつはリアルタイムの社会的接触の社会的吸引力にある。

さらに、私たちはｉＰｈｏｎｅ、Ｅメール、テキストメッセージ、フェイスブック、ツイッターなどのＩＴ革命による変化に比肩するものはないと考えがちだ。しかし、一九世紀に鉄道がもたらしたもの、あるいは二〇世紀に電話がもたらしたものについて考えてみてほしい。鉄道の到来以前、ほとんどの人々は生涯を通じて、自分の家から四〇キロメートル以上離れたところに行くことはなかった。突然、ブライトンはロンドンから比較的簡単に行けるようになり、シカゴもニューヨークから手が届く場所になった。電話の発明以前、数日、数週間、あるいは数ヵ月もかかっていたメッセージは、今では瞬時に伝達可能になった。変化は素晴らしいことだ。相対的に言って、これらは私たちの生き方、とりわけ生の加速と時空の直感的認知の変化に、現行のＩＴ革命よりも大きな影響を与えた。しかしこれらは非都市化現象も私たちの都市縮小ももたらさなかった。それどころか、それらは指数関数的拡大と、都市生活に不可欠な要素として郊外の発達をもたらした。現在のパラダイムがこの傾向を維持できるかどうかはわからない、しかし生は加速し続け、都市化は私たちを迫りくるシンギュラリティへと向かわせる主要な力であり続けると、私は思っている。これがどう展開するかが、地球持続可能性についての多くを決めるのだ。

あとがきと謝辞

本書はこのように広大で多様な領域を扱っているため、書くなかで生じた予期せぬ課題は、その主要メッセージを捉えたパンチの利いた数語、あるいはツイート半分ほどのタイトルをつけることだった。「サイズは本当に大事」、「生命の樹をスケールする」、そして「あらゆるものを測る」といったいくつかの相当イケてないタイトルで迷ったのち、いくらか謎めいた「スケール」というタイトルに決めた。それが本書の統一テーマだったからだ。だが「スケール」は、人によって解釈がちがう。人によってそれは縮尺の連想で地図と図を意味することもあれば、楽譜をスケールと呼ぶことから音楽が連想され、また秤を意味するスケールから野菜や肉の重さを計ることであったり、ウロコをスケールと呼ぶことから、ざらざらした被いを連想させたりする。これらは明らかに本書の要旨ではないので、それを「スケール」と名づけるのは、問題を先送りして意図する意味をはっきりさせるためのキャッチーな副題をつけざるを得なくさせただけだ。

「宇宙のスケール」といったような、スケールの大きなイメージを伝えるための、かなり気取った副題も頭に浮かんだ。「細胞から都市、企業から生態系、一〇〇〇分の一秒から一〇〇〇年まで、生命の複雑性における、単純性と統一性の探求」。これは少なくとも本書の趣旨、とりわけ大局的な「宇宙」的視点と、私の取り組んできたもっと狭い「現実世界」の問題の重要な相互作用をいくらか捉えている。この案は少しは的を射てはいたが、ペンギン・プレスの担当編集者スコット・モイヤーズが強調する必要があると感じていた、本書の主要な側面の多くを捉えていなかった。最終的にスコットが提示した幾つかの可能性と手を加えたバリエーションを考察したのち、イギリスのワイデンフェルドの担当編集者ポール・マーフィー、妻のジャクリーン、私のエージェント、ジョン・ブロックマンと私で、タイトルページであなたが目にした「生命体、都市、経済、そして企業における、成長、イノベーション、持続可能性、そしてライフ・ペースの普遍的法則」というタイトルに決めた。まちがいなく最も創造的な助言は、ロサンゼルスのサウスカリフォルニア大学で地球科学の教授を務める息子のジョシュアからのものだった。彼の案は頭字語を使った「SCALE：Size Controls All of Life's Existence」（スケール：サイズが生命の存在のすべてを支配する）というものだった。

これはとてもキャッチーで、とんでもなく大げさで、かなり気がきいていたので、自分にこれを採用する度胸があればよかったのにと思っている。しかし採用しても、スコットとポールに却下されるのは目に見えていた――それは正しい判断だろう。

私は本書で扱ったすべての問題に、数学用語を使う理論物理学の視点から主に取り組んできた。その結果、本書の根底に通底する一本の筋は、社会学、生物学、医学、そしてビジネスの文献を占めがちな、従来のもっと定性的で物語的な議論を補足する、基本原則に基づいた定量的で計算に基づいた予測的理解を進展させることだった。それにもかかわらず、本書には方程式が一つも登場しない。原子核発明者として著名なアーネスト・ラザフォード卿――「原子力時代の父」と呼ばれている――の次のような警告を真剣に受け止めていた。「バーテンダーに説明できないような理論は、おそらくまるっきりダメだ」。彼が正しいと完全に確信はしていないが、彼が言わんとしたことはわかる。よって、私は自分が論証と説明を非専門的レベルに適切に留めて、よく言うところの「知的門外漢」がそれらの理解にあまり手こずらないことに成功していることを願う。そうするために、私は複雑な技術的、数学的論証を単純な口語的説明に蒸留する過程で、ある程度文学的な手段を使ったが、科学界に身を置く同僚たちが、私の過度の単純化、不当な表現、あるいはそれに付随するあらゆる厳密さの欠如を大目に見てくれることを願う。

本書で提示した問題、疑問、説明には、恥ずかしながら私自身の個人的視点から取り組んだ。その結果、本書は取り組んできた多くの対象と問題を網羅する膨大な論文の、百科全書的、包括的総覧にはなっていない。大きな目的は、非常に複雑多様で、明らかに乱れている私たちの生きる世界の根底に、スケールというレンズを通して見たときに驚くべき統一性と単純性があるのを示すことだ。本書で考察したほぼあらゆる事に関する偉大な学術書は、深い洞察力を持った思想家たちによって記されており、私は多くの人々がすでに理解、分析したものを発展させただけなのは言うまでもない。適宜称賛しようと努めてきたが、私が探求した着想と概念の発展に貢献したすべての人々に分け隔てなく言及してきたわけでは決してない。それが多くの人々の気分を害していないことを切に願う。

論証の多くと使用したほぼすべての用例は、私がここ二〇年間非凡な才能を持つ同僚たちのグループと共に、熱烈に打ち込んできた広い研究実体に基づいている。取り組んだ壮大なテーマ、あるいは特定の問題のすべてに、同等に打ち込んできたわけではない。取捨選択する必要があり、なかにはなおざりにされたり、十分に言及できなかったりしたものもある。最終的に選ばれた特定のトピックとテーマ、その記述の度合いは、それらの概念的重要性、一般的興味がある重要なトピックと判断されたこと、そして私の独自の視点などによって決まる。本書を通じて、私はより大きな視点による概念的枠組みの強調と、詳細に拘泥することなく基本概念を説明することに方向を定めてきたが、必要と考えたときには、深く掘り下げて細部を示すことを怠らないよう努めた。その結果、科学活動自体と同様に、多くの未決事項と答えの出ていない疑問が残っている。しかし、研究熱心な読者ならば、私が切り開いた領域をさらに探求することに何の苦労もないはずだ。それは本書の最後にリスト化した資料を参照することで、とりわけおもしろいものになるかもしれない。

私は本書で重要な役割を果たす様々な重要概念の発達における中心的人物の逸話を時折はさみながら、科学物語を展開した。私は何よりも、より広い科学コミュニティの中で私たちの世界の捉え方を変えたにもかかわらず、それにふさわしい十分な評価を受けていない少数の広い知性を持った注目に値する人々の小さな集団に集中した。アドルフ・ケトレー、トーマス・ヤング、ウィリアム・フルードといった、あなたがこれまで耳にしたこともないような名前だ。またなぜこれらの問題について考えるようになったか、とりわけ素粒子、ひも理論、暗黒物質、そして宇宙の進化といったことで頭がいっぱいだった状態から、細胞とクジラ、生と死、都市と地球持続可能性、そしてなぜ企業は死ぬのかといったことを理解しようと努める状態までどう移行してきたのかを示すために、個人的な逸話もいくつか織り込んだ。

この移行の臨界点が、優れた生態学者で素晴らしい科学者であるジェームズ・ブラウンとの出会いだ。第3章で私はこの偶然の出会いの物語と、その後の私のサンタフェ研究所との長い関わりがどのように起こり、それが私、そしてまた彼の人生も変えることになる類まれな共同研究関係へとどのように発展したか関連づけた。私はまた当時ジムの教え子で、今や独立して際立った生態学者となったブライアン・エンクイストについても詳述した。ブライアンはその後の章で取り組んだ問題の多くに着手するために、私たちの小さな「スケーリング・グループ」に参加してきた優れた若者たちの小さな流れの最初の一人だった。生態学者のジェイミー・ギローリー、ドリュー・アレン、ウェンユン・ザオ、物理学者のヴァン・サベージ、チェン・ホウ、アレックス・ハーマン、クリス・ケンプス、コンピュータ学者のメラニー・モーゼスらがこれに含まれる。さらに共同研究の非常に重要なメンバーとして著名生化学者ウッディ・ウッドラフがおり、彼はその後引退して故郷テネシーの山々を楽しんでいる。

第7章では「都市グループ」がスケーリング・グループから自然に派生し、どのように発展してきたかを詳述した。実際それは、さらに大きなISCOM（Information Society as a Complex System：複雑系としての情報社会）と呼ばれる社会科学プロジェクトの一部として始まった。そのプロジェクトはEUから潤沢な資金提供を受けていた。これはイタリア人統計学者で経済学者でもあるデビッド・レーンとオランダの人類学者サンダー・ファン・デル・レーウ、そしてフランス人都市地理学者デニース・プマンとの共同研究で、彼らは全員その分野の最高指導者だった。彼らの最初の激励、熱意、そして支援がなければ、このようなことが起こることはなかっただろう。第7、8章で説明した都市研究に関するほぼすべての分析を行ったのは、若き研究者で物理学者のルイス・ベッテンコート、ハイジン・ユン、ダーク・ヘルビン、都市経済学者のホセ・ロボ、デビー・ストラムスキー、人類学者マーカス・ハミルトン、数学者マデリーン・デップ、エンジニアのマルクス・シュレイパーだ。参加は断続的だが重要な貢献をして私の考えに影響を与えた他の共同研究者として、生態学者リック・シャルノブ、システム生物学者アビブ・バーグマン、物理学者ヘンリク・ジェンセン、ミッシェル・ギルバン、クリスチャン・クーネル、投資アナリストのエドアルド・ビーガス、そして第8章で言及した建築家カルロ・ラッティらがいる。

これら各人と共同研究できたことを私は心から嬉しく思うし、彼ら全員には大きな恩義がある。私は、本書を構成しているようなトピックや問題に真剣に取り組むために必要な、共同研究の幅広い学際的本質を強調するために、彼ら個々の専門的な経歴を意図的に明記した。概念的理解と重要な問題への取り組みに対する彼ら個人と集団としての傾倒と情熱が、進行中のミーティングと交流の顕著な特徴だった。彼らの厳密な疑問と洞察、彼らの専門的、概念的貢献、そして真剣なグループ・ディスカッションに参加したいという意欲が、私たちの成功の重要な要素だった。彼らのなかには私による幾つかの研究結果の公開方法に疑念を抱いた者も必ずいたと思うが、ここであらかじめそれが引き起こした当惑や懸念について謝っておく。誤りや虚偽の責任はすべて私にある。

若き研究者たちがみんな、優れた大学で望み通りのキャリアに向かって進んでいるのは喜ばしいことだ。何よりもそこで彼らは、この種の独自の科学ブランドを確立している。私自身が交流したなかで格別重要な二人が、ヴァン・サベージとルイス・ベッテンコートだ。二人が共に理論物理学を学び、同じ専門用語を使うことがその理由であるのはほぼまちがいない。現在ルイスはサンタフェ研究所の同僚であり、都市研究の発展で中心的役割を果たしている。それについては第7章で少し詳しく述べた。ヴァンは当初ポスドク研究員としてSFIに雇われていたが、最終的にハーバード大学を経てUCLAに移り、そこで第一級の理論生態学者として地位を確立している。私たちが大いに楽しみながら共同で取り組んだ多くの問題のなかで、共に魅力的でやりがいがあり非常に重要であるにもかかわらず、本書で詳しく論じなかった二つの問題について述べておきたい。一つは睡眠の数量化理論で、例えばなぜクジラはわずか二時間ほど、ネズミは一五時間、私たちは八時間眠るのか説明するものだ。ヴァンの優秀で若い教え子のジュンユー・カオと共に、私たちは最近これを乳児や子供の睡眠パターンの理解にまで拡張して、この枠組みが初期の脳の発達に対する重要な洞察をもたらすことを示した。もう一つのアレックス・ハーマンとの共同研究課題は、成長、代謝率、そして癌を攻撃するための新しい治療方針につながってほしい、腫瘍の血管構造を理解するための初めての数量化理論の開発だった。

第3章、第4章で論じた生物学研究のいくつかに批判がなかったわけではないという事実を指摘しなかったのは、おそらく少し怠慢だった。無数の論文における引用と、《フィナンシャル・タイムズ》から《ニューヨーク・タイムズ》まで科学、一般向け報道全般から幅広く注目されていることが証しているように、それが与える重大な影響にもかかわらず、あるいはおそらくそれゆえにそうなってしまったのだ。それについての特集記事がナショナル・ジオグラフィックやBBCといったテレビチャンネルを含む、人目を惹こうとする世界中の報道局から発信された。『ネイチャー』誌では「すべてに当てはまる生物学理論」で「ニュートンの物理学への貢献と同じくらい、生物学には潜在的に重要である」と大げさに言及された——非常に嬉しくはあるが、これは明らかにひどく誇張された評価だ。『ネイチャー』誌の別の記事で、それは「この理論はあまりに多くのことをあまりに少ない理論で説明している。その野心と展望は驚異的だ。いかなる明らかに全知全能の新理論であっても、息をのむ称賛同様に多くの疑念に満ちた不満を集める（中略）避けられない限界はあるものの、比較可能なアイデアでこれに匹敵するものはない」とも語られている。

本書を記すにあたり、私は「疑念に満ちた不満」に直接取り組むのではなく、大きなメッセージを摑むことに専念するという戦略的決定を下した。この主な理由は、私たちの偏った視点から見るとどの批判にも説得力がなかったからだ。単純にまちがっているものもあれば、多くは何らかの特定のシステムのなかで通常単一の専門的問題に頼っていたが、それにはたいてい少なくとも同じくらい支持できる別の説明があった。さらにほぼすべての関心は哺乳類の代謝率だけに焦点を絞って、枠組みの卓越した幅広さと、それが経験主義的スケーリング関係の非常に大きな多様性の生物学、物理学、幾何学の基本原則に基づいた単一の切り詰めた説明になっていることを認識していない。言うまでもないが、そういった批判にはこれまで科学論文のなかで対応してきたし、注に引いた出典からもアクセス可能だ。

他にも多くの同僚と友人が、このような本の完成に必要な熱意に満ちた教訓と知的支援、そして特に私自身が熱意を失ったときに激励を与えてくれたことが、非常に重要だったのは言うまでもない。サンタフェ研究所は、これまでの章で述べてきた考えの大半を発展させるために必要な完全に適切な環境と同僚たちの文化交流を提供してくれた。サンタフェ研の幾つかの逸話について本書を通じて詳しく述べ、あとがきの一部をその美点を褒めそやし、なぜ私がその使命が二一世紀科学の重要な予兆を表していると信じるのか述べることに捧げた。とりわけ研究所に入るよう説得してくれた、素晴らしく快活な元サンタフェ研所長のエレン・ゴールドバーグに恩義がある——その移動は私の知的時計をリセットして、人生に新たな時間を与えてくれた。知的、文化的探求の驚くべき全領域の、学生からノーベル受賞者までキャリアの様々なステージにある非凡な人たちの果てしない流れに晒されるのは、子供を菓子屋に放置するようなものだ。

その意味で拡張されたSFIコミュニティにも、私の科学的地平を広げ、複雑適応システムの研究に固有の繊細さと課題を理解し始めるのを助けてくれたことに対して、個人にも集団にも謝辞を述べたい。なかでもパブロ・マルケット、ジョン・ミラー、マレイ・ゲルマン、ファン・ペレズ゠メルカデル、デビッド・クラカウワー、コーマック・マッカーシー、そして元、そして現会長でそれぞれサンタフェ研評議員であるビル・ミラーとマイケル・モーブッサンの名を挙げておきたい。彼らはみんな何年にもわたり私を断固たる熱意で支援し励ましてくれた。彼ら全員に深く感謝し、恩義を感じている。原稿をきわめて詳細に労を惜しむことなく読み込んで編集し、多くの意見を加えてくれたコーマックにはとりわけ感謝している。それによって最終的な完成度は大いに向上した。彼の文法や文章の組み立てに関するアドバイスの大半を受け入れたが、セミコロンや感嘆符に対する彼の全面的な反感を巡っては議論が続いている。彼のシリアルコンマへのこだわりについても同様だ。

親密な仲間たちに加えて、科学者ではない多岐にわたる人々のグループにも、少なからず感謝している。彼らは私が何か幅広い興味について語りたがっていることを感じ、一般読者向けの本を書くよう熱意を持って励ましてくれた。私に手法を変えて、科学者仲間向けではなく専門的ではない「一般」書を書くよう促したのは、彼らの意見だった。それは歴史学者のニーアル・ファーガソン、アートキュレーター、批評家のハンス・ウルリッヒ・オブリスト、作家、俳優のサム・シェパード、アマゾン創始者ジェフ・ベゾス、セールスフォース創設者マーク・ベニオフといった人々だ。マークが、その上で毎日瞑想するために、セフィロト――生命の精神統合を表すカバラの伝統的イメージ――の大きな絵を送ってきたときは、本当に感動した。彼の助言に宗教的に従うとは言えないが、それは辛い状況に置かれても、全体像とのつながりを維持するよう私を元気づけてくれた。これと同じような意味で、TEDの最初の創始者である傑出したリチャード・ワーマンにも特別に感謝している。彼は根気強く熱意を持って、私の著作を評価してくれた。

理論研究には――少なくとも隠喩としては――鉛筆と紙さえあればよいが、今やそれはしっかりとした資金援助なしでは成り立たない。私は幸運なことに、公的、民間両部門の幾つかの異なるところから、本書の基礎を形作る研究の多くを支援する資金を受けた。私がまだ研究所で高エネルギー物理学プログラムを主導していたときに、生物学研究への進出を支援してくれたロスアラモス国立研究所とエネルギー省には深く感謝している。その決定的な発端段階で、全米科学財団（NSF）の物理学部門が生物学でのスケーリング研究を進められるだけの慎ましい補助金を与えてくれた。当時はかなり流行から外れていたこの一連の研究を、危険を冒して支援してくれた部署指導者ボブ・アイゼンシュタインと、プログラム・マネージャーのロルフ・シンクレアには恩義がある。NSFは長年生物学研究の支援を続け、それを私たちの初期都市研究にまで広げてくれた。これは後に「生命システム物理学」と呼ばれる特化プログラムに着手し、今もそれを運営している制御不能のクラスタン・ブラゴエフに負うところが大きい。彼は従来の領域間の境界にある重要な問題に取り組むことを目指している。

大きな支援はヒューレット財団、ロックフェラー財団、ジューン・ズワン財団、そしてとりわけユージン・アンド・クレア・ソウ公益信託といった、非政府系からも受けた。ジーン・ソウは研究と同じくらい重要な本書執筆の両方に、寛大な支援を提供してくれた。先見の明を持つスーザン・ハーターに始まって、シェリー・トムソンを経てケイティ・フラナガンまで連なる信託の取締役たちは、非常に特別な関係を促進した。並外れた男ジーンはクラヴァットとツィードのジャケットを纏った古風な男で、世界を心から気に掛ける偉大な知的人物でもある。彼は名高い収集家、批評家、そしてディーラーとして、長年アートを活発に支援してきた。来年彼は九〇歳になり、ニューヨークのモーガン・ライブラリー・ミュージアムはピラネージやレンブラントからセザンヌやピカソにまで及ぶ彼の並外れた絵画コレクションを全作引き継いで展示し、メトロポリタン美術館では彼のネイティブ・アメリカンのアートと工芸品の無比のコレクションを展示することになっている。ジーンのオペラとアートに対する情熱に匹敵する唯一のものが、彼の環境と地球持続可能性の問題に対する熱情で、彼が私たちの研究を支援するのはそれゆえだ。彼は私の知る限り昔ながらのパトロンを最もよく具現化した存在だ――私の研究計画に対する彼の支援は、私が本書を書き始めるにあたり想像力と好奇心の赴くままに探求する自由を私に与えてくれた。その鷹揚さと辛抱強さについて感謝できるのは大いなる喜びだ。

ソウ信託による現在進行中の支援に加えて、情け容赦ない私のエージェント、ジョン・ブロックマンによる刺激と甘言がなければ、本書が書かれることはなかったというのが事実だ。私はいまだに、なぜよりによって彼が、私が本を書くことを確信したのか、まったくわからない。ジョン、そして今は彼の息子であるマックスが私と共にした時間は長く苦労に満ちたもので、私は彼らの支援に大いに感謝している。ジョンは優しさを持って私に本書の原案執筆に着手させ、それは最終的にイタリアのベッラージョにある風光明媚なロックフェラー財団養成所で完成した。それはまさに申し分のない環境で、私の妻ジャクリーンと私を一ヵ月間もてなしてくれた財団に最大限に感謝している——非常に実り多い時間だった。ロックフェラー財団は通常は基礎研究を支援していないにもかかわらず、寛大にも私たちの都市研究に大きな資金を提供してくれた。財団長のジュディス・ロディンは非常に協力的だったが、私たちのために最大限の努力をしてくれた、当時私たちのプログラムを担当したベンジャミン・デ・ラ・ペーナにも感謝を捧げておきたい。

この本はペンギン・プレスの素晴らしい編集者スコット・モイヤーズが担当しなければ完成することはなく、もっと難解なものになっていただろう。彼は私のために執拗に働き、常に励まし、常に思慮深く、そして批判的なときでさえ常に優しかった……そして常に驚くほど我慢強く理解力に富んでいた。この本が当初計画されていた慎ましいサイズから途方もないサイズの予想の二倍の長さになったことを知ったとき、彼は慄いたにちがいない。彼の慎重なきめ細かい原稿編集、厳密な問いかけ、そして賢明な助言はかけがえのないものだった。スコット、あなたには感謝してもしきれない。スコットだけでなく、ペンギン・プレスのチーム全員には「素晴らしい」の一言だ。『ニューヨーカー』

誌のテラ・トラフの後押しで、クリストファー・リチャーズとキアラ・バロウは、私の意味不明な挿絵のすべてをまともなものにする重要な役割を果たしてくれた。

最後にこの長い過程を通じての私の家族の大きな支援と寛容さに、大いなる喜びと共に感謝を捧げる。私たちの素晴らしい子供たち、ジョシュアとデボラはサイドラインから私を励まし、私がボールを落とすたびに激励し、たまにタッチダウンを決めると熱烈に褒め称えてくれた。本書が私の手を離れた今、彼らはホッとしているにちがいない。私の最も深い感謝の気持ちを、非凡な我が妻ジャクリーンに捧げる。彼女はいつも私の道徳的、精神的、知的仲間であり、それは本書執筆中だけでなく、今までほぼ五五年も続いてきた同志としての驚くべき旅程を通じてのことだ――なんという道のりだ！　彼女の公正さ、知性、深い愛は私たち二人の人生の頼みの綱として、知性の永遠の探求によってのみ補うことができる人生の意味に深みをもたらしてきた。

訳者解説

本書はGeoffrey West, *Scale: The Universal Laws of Life and Death in Organisms, Cities and Companies*（Weidenfeld & Nicolson, 2017）の全訳となる。翻訳にあたっては原著出版社からの最終稿pdfファイルを元にしている。

1. 本書の概要

本書の魅力は、随所に見られる「べき乗則」の原理をテコに、あらゆるものをなで斬りにしまくった大胆さにある。人はなぜ老いるのか、生物はなぜ死ぬのか、なぜ身体のでかい動物は長生きするのか、といった問題から都市という奇妙な有機体の謎、そして企業や経済活動まで、本書はすべてべき乗則で解明しようとする。

個別の部分についてなら、似たような本はある。生物に関しては本川達雄『ゾウの時間 ネズミの時間――サイズの生物学』（中公新書）などがその典型だし、都市や企業、株式市場などがべき乗則に従う話もすでにたくさんある。人の時間の使い方に関する話は、矢野和男『データの見えざる手』（草思社文庫）などが興味深い分析をしている。各種スケールから見た怪獣などの分析は、柳田理科雄の（いささか野暮にも思える）諸作などがある。

だが本書はそれを統合し、まったく同じ原理が上から下まで貫いている様子を実に楽しげに描き出す。それも、いろんなものがべき乗則に従う、というだけにとどまらない。なぜそうなるのだろうか？　それは生命体や都市、企業の中にある、血管や神経系などのネットワークが持つフラクタル的な分岐構造と、そこにリソースを送り出すためのエネルギー収支のせいだ。そしてそれが、人を含む多くの生命体の老化や寿命を決定づけるし、都市の発展もその物流やインフラ、さらに人的ネットワークの構造で説明がつく。企業が潰れてばかりいるのに、都市がなかなか死に絶えないのも、同じ原理で説明される。

まったく別物に見えるこれほど様々な現象が、ここまで統一的に説明できてしまうとは！　生物、機械構造、脳、インフラ、人間の時間利用、都市と物流、エネルギー収支に企業の発展と停滞、人間の情報ネットワークから果ては地球文明の未来……これほど野放図な話のすべてに読者が本当についてこられるのだろうか、と余計な心配をしたくなるほどだが、そのすべてが実に楽しいエピソードと小話で彩られ、読者をひきつけて放さない。そしてベルイマン映画の話や、ネタにマジレス的なゴジラの分析など、あまりに脱線しすぎでは、とすら思える各種の小ネタが、いつのまにかべき乗則とネットワーク構造（さらにはその研究の急先鋒たるサンタフェ研究所の業績）の話に回収される様子には、啞然とするしかない。

2. 著者について

著者ジョフリー・ウェストは一九四〇年生まれのイギリスの理論物理学者である。もともと素粒子物理学の研究者だったが、二〇〇三年に複雑系研究で名高いサンタフェ研究所にやってきてから、本書の主題となるネットワーク構造とべき乗則に基づく生命体などの研究に注力するようになり、二〇〇五年から二〇〇九年まで、同研究所の所長を務めている。

本書は著者の研究成果の解説であるとともに、その小話の相当部分は著者自身の伝記的エピソードとなっていて、わが研究人生一代記的な側面も持っている。彼がなぜそもそもこうした分野に深入りしたのか、それがサンタフェ研の発展とどう関係しあっているのか——そうした話もまた、本書のおもしろさになっている。

3. 本書の主要な議論

本書の中身はなにせ多岐にわたるので、その骨子をあらためて簡単に整理しておこう。

基本的な話は、スケールに基づく様々なものの次元に応じた増え方の差だ。立方体の辺の長さを倍にしたら、その断面積は四倍になり、体積（ひいては重さ）は八倍になる。人間の二五倍の身長を持つウルトラマンは、人間と同じ身体組成なら体重は一万六〇〇〇倍近い一五〇〇万トン強になるはずだ。脚が支えられる重さはその断面積に比例するから、本当なら脚の太さも一万六〇〇〇倍必要になるが、人間の体型のままならば六〇〇倍にしかならない。とうていこの体重は支えきれない、という話だ。

ちなみにウィキペディアによると、設定上はウルトラマンの体重は三万五〇〇〇トンなので、ずいぶんかろやかな身体組成らしい。人間の体重の四〇〇倍でしかないので、人間並の脚の太さで十分に支え切れて余りある。なかなかよく考えられた設定なのかもしれない。

このように、様々なモノは大きさのバランスがある。この原理が、各種動物のサイズに伴う身体構造を決めることになる。人間よりもはるかに大きなゾウやカバの太い脚は、体長の三乗で増える体重を支えるために必須だし、一方小さな昆虫は針金のような脚でもまったく問題ない。同じ人間ですら、赤ん坊から大人になるにつれて体型がかなり変わるのはこの大きさのスケール変化への対応だ。そして人間が身長三メートルになれないのも、こうした構造的な制約のせいとなる。

そして脚だけでなく、昆虫は固い殻などの外骨格で十分に身体を支えきれるけれど、ある程度大きな動物になったら、中心に骨を入れて内骨格にしないと、全身がひしゃげてしまう。

この原理は、二階建ての住宅建築なら、レンガやブロックを積んだ壁で重さを支えられるけれど、高層ビルだと鉄骨を入れて内骨格式にしないと建たないのと同じだ。それ以外の船や列車などあらゆる物理的な人工物はこの制約の下にある。

そして、その物理的制約は重さを支えるだけにとどまらない。生物の身体組織は、すべて栄養を供給して老廃物を運び去る代謝系を必要とする。でもそこで使われる物質は変わらないので、末端で必要な血管などの太さは変わらない。細かい毛細血管を全身に行き渡らせるためには、そのパイプをどんどん枝分かれさせる必要が生じる。血管という細い線＝一次元を、全身＝三次元に行き渡らせるための効率的な分岐方法が、フラクタル構造となる。そうした管路などのネットワーク構造が持つフラクタル次元のスケールと、体の大きさのスケールとのバランスもまた、可能な身体のサイズを決めることになる。

体重が増えると、必要な血管などの長さも増える。血液の量も、細いパイプにそれを押し込むために必要な力も増えるから、循環させるために必要なポンプ＝心臓もでかくなる。でもその増え方は、身体が大きくなるとむしろ相対的に小さくなる。その分だけ脈拍も下がり、血圧も低くなり、ネットワークがあまりがんばらなくていいので故障も減る。だから身体が大きい動物はそれだけ寿命も延びる。この管路ネットワークのフラクタル次元と身体の大きさのスケールバランスが、生物の寿命を決めるわけだ。人間が老いるのも死ぬのも、まさにこのスケールのバランスの賜物となる。

そして人間の作る各種の組織は、各個人を最小のエネルギーや情報輸送の単位とする有機体として理解できる。そしてそのなかの物質輸送や情報流通は、各種のインフラ・ネットワークが担う。まったく同じ制約が、家族や部族、都市や企業についても当てはまる。そして実際、都市の交通流や上下水道はまさにフラクタル構造となっているし、それが都市の規模を制約する。企業が存在するのは、ある程度以下の規模だと市場に任せるよりもトップダウンで話を決めたほうが効率がよいから、とされる。つまり企業の規模は、そのなかの情報流通に制約される。物流や情報技術の発達とともに、確かに企業は大規模化した。

つまり企業や都市も、さらには人間の経済活動全般も、スケールの拡大に合わせて様々な構成要素がどのように増えるか、という観点から理解できるし、そこで使うべき分析ツールや指標は、そのなかにある代謝ネットワークのフラクタル次元構造と規模のバランスとなる。こうして、極小の生命体から、都市や企業や経済全体にまで至るあらゆる活動が、各種構成要素の次元構造に伴うスケール拡大のバランス、という視点で捉えられるようになる！

だが、と著者は指摘する。産業革命以来急成長を遂げてきた人間の各種活動は、今やまさにスケール拡大の制約にぶち当たっているのではないか？ 資源や環境の制約は常についてまわるのだ。これ以上のスケール拡大を実現するためには、生命体が昆虫の外骨格から内骨格式に変わったりしたような、素材や基本構造レベルでの変化を人類とその活動も余儀なくされるのではないか……

4．ビジネス・経済への応用

すでに述べたように、本書の醍醐味はこれまでバラバラに論じられていた各種の分野でのべき乗やネットワーク則の議論を、すべてまとめあげて、一貫した視点のなかにおさめてしまったところにある。本書の議論では、ヒトはある意味ででかいネズミであり、ゾウやクジラもでかい人間となる。都市や企業や経済システムを、生態系と呼んだりＤＮＡを持ち出したりお金は経済の血液だと言ってみたりするのは、すべて喩え話でしかない。だが本書の議論では、まさに都市や企業は生物の拡大版だ。

物流や情報やお金はまさに、都市や企業や経済の血液であり神経系だ。

　そしてそこから本書は、それが都市や企業の健康や寿命について持つ意味まできちんと描き出す。企業も生物と同じように、死は避けられないらしい。あらゆる企業は半世紀ほどで死ぬ（潰れる）。そして、その原因も本書は描き出す。生物においては内部のネットワーク構造の発達が機能不全と死の原因となるように、企業内部の細かい規定やしがらみの発達、効率性のための特化が企業の硬直性を招いて死につながるらしい。数百年も続く不死の老舗企業は、生物と同じく小さなニッチで慎ましくまわし、変化を極力避けることで長寿を達成したようだ。

　これを元に、本格的なビジネス応用もできる……かもしれない。新しい技術や管理手法、組織構造の採用などで、この運命から逃れることができるだろうか？　分社化や外国展開、組織改革などで、こうした企業の硬直化から脱出できるのでは？　それとも、そういう悪あがきはやめて、企業の入れ替わりをどんどん奨励し、でかいところでも遠慮なく潰すべきなのか？　本書の知見をもとに、また怪しげな企業延命手法を標榜するコンサルやビジネス書もいろいろ暗躍できそうだ。その一方で、こうした企業研究を進めれば、そうしたインチキにだまされない、もっと確固たる企業存続の処方箋も得られる可能性もある。きわめて原理的で巨視的な話から、ビジネスや都市経済運営の実務にまで直結する話題が出てくるのが、本書の大きな魅力だ。

5．本書の多少の勇み足について

本書の魅力は、野放図なまで様々な分野について、曲がりなりにも統一的な観点から切り込んだ大胆さにあるというのは、すでに述べた通り。が、その大胆さがときには、いささか乱暴で強引な書きぶりにつながってしまっている点は否定できない。

例えば第5章では、産業革命以前の人間のエネルギー利用は開放系だったけれど、産業革命で化石燃料を使うようになったら地球のエネルギー循環は閉鎖系になった、と述べる。だが閉鎖系というのはそういう意味ではない。今だって地球は、太陽からほとんどあらゆるエネルギーを得て、その大半を宇宙に放出する開放系で、人間の化石燃料によるエネルギー利用はその総エネルギー収支の一％にも満たない。地球温暖化を何とか俎上に載せようとして、エントロピー概念を持ち出したいのはわかるが、いささか乱暴すぎる。

また同じく第5章で指数関数的な増加についての通俗的な解説のため、著者は有名なチェス盤に米粒を置く話を持ち出す。そして指数関数的な増加においては、過去の総和より現在の数のほうが常に大きくなるのが特徴だと述べる。

でもそんなことにはならない。例えば一〇％成長の指数関数的増大をやってみよう。1、1.1、1.21、1.331…　すると、1+1.1>1.21だし、1+1.1+1.21>1.331という具合に、過去の総和が常に現在の数字を上回る。実は上の命題が一般的に成立するのは、指数関数的な増加のなかでも増加率一〇〇％以上、倍々ゲーム以上での増加の場合に限られる。指数関数一般の性質として適切とは言えない。

また第10章では、地球の人口やGDPが超指数関数的に増加しているから有限時間で無限に達してしまう、だからイノベーションもますます加速が必要で、追いつけるかわからない、という主張をしている。

が、明らかな事実として、そもそも地球人口は超指数関数的になんか増加していない。超指数関数なら、どんどん成長率が上がっていかねばならない。でも一九六〇年代をピークに、地球人口増加率は激減している。国連の公式予測では二〇五〇年以降の人口はせいぜい微増、それすら高めのようで、地球人口は二〇五〇年あたりにピークを迎えて減り始めるという予測も説得力を持ち始めている。

GDPも同じだ。ここ数十年ほど、世界の経済成長率は、どんどん上がるどころか年率二%のショボい成長が維持できれば御の字、それどころかコロナで、今後数年はマイナス成長が続きそうだ。ちなみにこれらの論拠とされている論文は、この事実について「すでに有限時間シンギュラリティが起こったしるしであり、現在はすでにその後の新たなレジームに移行しつつある証拠だ」と弁明しているが、かなり苦しいのではないか。

したがって、本書第10章の議論の前提となる人口や経済の超指数関数的な成長はそもそも起きていると言えるのだろうか。ならばそこから出てくる、イノベーションも無限に加速せねば、という議論も別に必然的なものではないかもしれない。そもそもイノベーションとは独立に経済成長だけ無限に発散し、それを支えるためにイノベーションが後追いで必要という問題設定の仕方は変なのでは？経済成長はイノベーションの波及効果でしかないのだから。

6. 本書の希望

そうした妙に危機感をあおろうとする議論の一方で、本書は希望に満ちている。しばしば言われることだが、様々な分野が次第に高度化するにつれて、タコツボ化して分断が進んでいるという主張が方々でなされている。一方で、もはやビッグデータと人工知能がすべてを解明し、これまでの学問分野や研究分析手法は意味を失う、といった話もある。

だが本書はこうした通説を見事に蹴り飛ばしてくれる。きわめてざっくりした話とはいえ、複雑系やフラクタル構造などの知見は、様々なレベルにわたる、まったくちがうと思われていた分野に、ある種の統一的な視点をもたらしてくれている。それが本書の醍醐味となっているし、そしてそれは各種学問分野をつなぎ合わせるものとして、人類の総合的な知的営みの一体性、統一性を多少なりとも取り戻させてくれるものだ。ビッグデータも人工知能も、そうした人類の総合的な知的営為をくつがえすものにはなり得ない。本書はそれを力強く宣言してくれる。

そしてまた、本書は科学や学問が、人間の抱える本質的な悩みにもまだまだ切り込める余地があることを、改めて教えてくれる。人はなぜ老いるのか、人はなぜ死ぬのか——かつてお釈迦様をも悩ませた問題に、本書は正面から取り組んでくれるし、そして何と、それに曲がりなりにも答えを出してしまう。さらにはそれが単なる人類の定めというだけでなく、その他様々なものの盛衰とまったく同じ原理に基づくものであることを示唆する。不老不死は無理っぽい、とほぼ実証されてしまうのは、残念といえば残念。でも、その老いと死においてすら、ぼくたちがこの宇宙の一部として同じ力に支配されていることを、本書は見事に示してくれるのだ。

そしてそれが生物個体としての人間だけでなく、企業、都市といった集合的な活動にも当てはまる原理だと示すことで、本書は複雑系やフラクタル構造の考え方が、いずれ他の学問分野ともつながりそうな予感を示す。人間社会のもっと多くの現象、政治や市場、紛争なども、おそらくはこの原理を適用することで何かしら知見が得られるはずだ。すでに、アリの巣などが成長と老いと死を示すことは知られており、他のアリの巣に対する攻撃性もそれとともに変化するという。案外、ここから人間社会についても、アシモフの『銀河帝国』シリーズに登場する総合学問、歴史心理学のようなものを構築できるかもしれない！

7. グチと謝辞

とはいえ、こうした実に野心的で多岐にわたる本書の翻訳には、守備範囲がかなり広いつもりでいるこの訳者ですら、ずいぶん苦労させられたと言わざるを得ない。

苦労させられたのは、扱われている分野が多様だからというだけにとどまらない。著者の英語はいささか癖があり、文章は全体に異様に長く、関係代名詞と修飾節でどんどん引き伸ばす書き方になっているし、その関係節の中で直前の文章で言われていたことを改めて繰り返す場合が実に多かった。翻訳にあたっては、そのまま訳してはあまりに読みにくいため、かなりブツブツに切らざるを得なかったが、そうすると同じような文が何度も繰り返されることになりがちで、これまた変なことになってしまう。勝手にリライトするわけにもいかず、原文への忠実さと読みやすさを両立させるために、かなり悩むことにはなった。おかげで、通常よりも翻訳に時間がかかってしまったのは申し訳ない。

その一方で、これほど訳しつつわくわくさせられる本もなかなかなかったのも事実だ。翻訳の話を持ってきてくれた、早川書房の伊藤浩氏と、編集を担当してくれた山本純也氏には感謝する。ありがとうございました。

読者のみなさんも、訳者のように本書から大いに刺激を受けてくれることを期待したい。何か訳文についてお気づきの点があれば、訳者までご一報いただければ幸いだ。明らかになったまちがいや改訂については、以下のサポートページで随時公開する。https://cruel.org/books/scale/

二〇二〇年八月　コロナ戒厳令下の東京にて

訳者代表　山形浩生 hiyori13@alum.mit.edu

注

6. 都市科学への序曲

1. J. Moore, “Predators and Prey: A New Ecology of Competition,” *Harvard Business Review*71（3）（1993）: 75.
2. プログラムの結果は下記にまとめられている。Edited by D. Lane, et al., *Complexity Perspectives in Innovation and Social Change*（Berlin: Springer-Verlag, 2009）.
3. Jane Jacobs, *The Death and Life of Great American Cities*（New York: Random House, 1961）.〔邦訳 ジェイン・ジェイコブズ『アメリカ大都市の死と生』山形浩生訳，鹿島出版会，2010〕
4. Bill Steigerwald によるインタビュー。June 2001 issue of *Reason* magazine.
5. B. Barber, *If Mayors Ruled the World: Dysfunctional Nations, Rising Cities*（New Haven, CT: Yale University Press, 2013）.
6. B. Bryson, *Down Under*（New York: Doubleday, 2000）.
7. 例えば下記を参照。L. Mumford, *The City in History: Its Origins, Its Transformations, and Its Prospects*（New York: Harcourt, Brace & World, 1961）.〔邦訳 ルイス・マンフォード『歴史の都市 明日の都市』生田勉訳，新潮社，1969〕

7. 都市科学に向けて

1. C. Kuhnert, D. Helbing, and G. B. West, “Scaling Laws in Urban Supply Networks,” *Physica* A 363（1）2006: 96–103.
2. すべての都市論考を悩ませる重要な問題が、都市とはそもそも何かという定義だ。私たちはみな直観的に理解しているが、定量的理解を発展させるにはもっと正確なものが必要だ。一般的にここで私がいう都市とはその政治的、行政的定義と同一ではない。例えばサンフランシスコの人口を見るとそれはわずか850,000人だが、隣接する大都市圏では約4,600万人になる。その動態、成長、そして社会経済的構造については、この後者の集積がサンフランシスコ、あるいは他のいかなる都市でも定義づけている。それにはたいてい別の名を持った郊外と他のコミュニティが含まれるが、それは機能的には大きな都市ネットワークの一部だ。ほとんどの都市計画者、行政者、政府は、このより現実的な「都市」の説明に合わせた、より広いカテゴリーを導入することでこれを普遍的に認識してい

る。例えばこの機能的集積はアメリカでは大都市統計圏（MSA）、日本では大都市圏、そしてヨーロッパでは大都市ゾーン（LUZ）と呼ばれている。残念ながら統一された定義はなく、異なる国の間で比較を行う際には多少注意が必要だ。スケーリングのグラフ作成に使ったほぼすべてのデータが、これらの現実的な都市の定義に基づいている。

3. L.M.A. Bettencourt, et al., “Growth, Innovation, Scaling, and the Pace of Life in Cities,” *Proceedings of the National Academy of Science* 104 (2007): 7301–6.

4. L.M.A. Bettencourt, J. Lobo, and D. Strumsky, “Invention in the City: Increasing Returns to Patenting as a Scaling Function of Metropolitan Size,” *Research Policy* 36 (2007): 107–20.

5. 例えば下記を参照。B. Wellman and S. D. Berkowitz, *Social Structures: A Network Approach Sciences* (Cambridge, UK: Cambridge University Press, 1988); M. Granovetter, “The Strength of Weak Ties: A Network Theory Revisited,” *Sociological Theory* 1 (1983): 201–33, in P. V. Marsden and N. Lin, eds., *Social Structure and Network Analysis* (Thousand Oaks, CA: Sage, 1982); Claude Fischer, *To Dwell Among Friends: Personal Networks in Town and City* (Chicago: University of Chicago Press, 1982).〔邦訳 クロード・S. フィッシャー『友人のあいだで暮らす—北カリフォルニアのパーソナル・ネットワーク』松本康，前田尚子訳，未來社，2003〕; R. Sampson, “Local Friendship Ties and Community Attachment in Mass Society: A Multilevel Systemic Model,” *American Sociological Review* (1988).

6. M. Batty and P. Longley, *Fractal Cities: A Geometry of Form and Function* (Cambridge, MA: Academic Press, 1994); M. Batty, *Cities and Complexity* (Cambridge, MA: MIT Press, 2005).

7. M. Batty, *The New Science of Cities* (Cambridge, MA: MIT Press, 2014).

8. 例えば下記を参照のこと。A.-L. Barabási, *Linked: The New Science of Networks* (New York: Perseus Books Group, 2002);〔邦訳 バラバシ『新ネットワーク思考：世界のしくみを読み解く』青木薫訳，NHK出版，2002〕M.E.J. Newman, *Networks: An Introduction* (Oxford, UK: Oxford University Press, 2010).

9. Stanley Milgram, *The Individual in a Social World: Essays and Experiments* (London: Pinter & Martin, 1997).

10. D. J. Watts, *Six Degrees: The Science of a Connected Age* (New York: W. W. Norton, 2004).〔邦訳 ダンカン・ワッツ『スモールワールド・ネットワーク〔増補改訂版〕：世界をつなぐ「6次」の科学』辻竜平，友知政樹訳，ちくま学芸文庫，2016〕

11. S. H. Strogatz, et al., “Theoretical Mechanics: Crowd Synchrony on the Millennium Bridge,” *Nature* 438 (2005): 43–44.

12.　これはおもしろい。S. H. Strogatz, *The Joy of X: A Guided Tour of Mathematics, from One to Infinity*（New York: Houghton Mifflin Harcourt, 2013）.〔邦訳 スティーヴン・ストロガッツ『xはたの（も）しい: 魚から無限に至る、数学再発見の旅』冨永星訳,早川書房,2014/6/20〕
13. P. Zimbardo, *The Lucifer Effect: Understanding How Good People Turn Evil*（New York: Random House, 2007）.〔邦訳 ジンバルドー『ルシファー・エフェクト ふつうの人が悪魔に変わるとき』鬼澤忍，中山宥訳，海と月社，2015〕
14. S. Milgram, "The Experience of Living in Cities," *Science* 167（1970）: 1461–68.
15. R.I.M. Dunbar, *How Many Friends Does One Person Need?: Dunbar's Number and Other Evolutionary Quirks*（London: Faber & Faber, 2010）.〔邦訳 ロビン・ダンバー『友達の数は何人?―ダンバー数とつながりの進化心理学』藤井留美訳，インターシフト，2011〕
16. R.I.M. Dunbar and S. Shultz, "Evolution in the Social Brain," *Science* 317（5843）（2007）: 1344–47.
17. G. K. Zipf, *Human Behavior and the Principle of Least Effort*（Boston: Addison-Wesley, 1949）.
18. これらの論考を、第4章で論じたような生物の1/4乗スケーリングの根底にある生命の第4次元固有の概念と組み合わせることで、ルイス・ベッテンコートは都市現象に見られる0.15は実際には1/6の近似値であることを示唆している。L.M.A. Bettencourt, "The Origins of Scaling in Cities," *Science* 340（2013）: 1438–41.

8. 結論と予測

1. この引用はゲーテと作曲家カール・フリードリッヒ・ツェルターの素晴らしい書簡集より。A. D. Coleridge, trans., *Goethe's Letters to Zelter*（London: George Bell & Sons, 1887）. ツェルターは当時から有名だったが、今ではまずはゲーテとの友好によって記憶されている。私にこの引用について教えてくれたのは友人のゲーテ研究者 David Levine。
2. 最初1914年に出版され、現在復刻されている。J. G. Bartholomew, *An Atlas of Economic Geography*（London: Forgotten Books, 2015）.
3. C. Marchetti, "Anthropological Invariants in Travel Behavior," *Technological Forecasting and Social Change* 47（1）（1994）: 88.
4. G. B. West, "Big Data Needs a Big Theory to Go with It," *Scientific American*308（2013）: 14; 当初 "Wisdom in Numbers" というタイトルで出版。
5. M. Schläpfer, et al., "The Scaling of Human Interactions with City Size," *Journal*

*of the Royal Society Interface*11（2014）: 20130789.
6. そのようなランキングの一例として『エコノミスト』誌を下記で閲覧可。www.economist.com/blogs/graphicdetail/2016/08/daily-chart-14 『フォーブス』は下記で。www.forbes.com/sites/iese/2016/07/06/the-worlds-smartest-cities/#7f9bee254899.
7. L.M.A. Bettencourt, et al., "Urban Scaling and Its Deviations: Revealing the Structure of Wealth, Innovation and Crime Across Cities," *PLoS ONE* 5（11）2010: e13541.
8. サンノゼは早くも1956年にアメリカ西海岸のIBM研究施設が置かれて以来、収益を上げていた。
9. NAICSのアメリカ国勢調査へのリンク。www.census.gov/eos/www/naics/.
10. H. Youn, et al., "Scaling and Universality in Urban Economic Diversification," *Journal of the Royal Society Interface* 13（2016）: 20150937.
11. G. U. Yule, "A Mathematical Theory of Evolution, Based on the Conclusions of Dr. J. C. Willis, F.R.S.," *Philosophical Transactions of the Royal Society B* 213（402–10）（1925）: 21–87; H. A. Simon,"On a Class of Skew Distribution Functions," *Biometrika* 42（3–4）（1955）: 425–40. 優先アタッチメントは次の論文で現代的ネットワークの文脈で一般化した。A.-L. Barabási and R. Albert, "Emergence of Scaling in Random Networks," *Science* 286（5439）（1999）: 509–12.
12. 実際の0.4という数は、弁護士数の都市サイズに対するスケーリング指数（約1.15）と、図52、53に示した業種多様性のジップ・スケーリングとの微妙な相互作用から生まれる。
13. L. Mumford, *The City in History*（New York: Harcourt, Brace & World, 1961）.〔邦訳 ルイス・マンフォード『歴史の都市 明日の都市』生田勉訳，新潮社，1969〕
14. より厳密な工学熱力学的認識における、都市代謝率の推定として下記を。A. Wolman, "The Metabolism of Cities," *Scientific American* 213（3）（1965）: 179–90, より新しいものとしては C. Kennedy, S. Pincetl, and P. Bunje, "The Study of Urban Metabolism and Its Applications to Urban Planning and Design," *Environmental Pollution*159（2011）:1965–73.

9. 企業科学を目指して

1. R. L. Axtell, "Zipf Distribution of U.S. Firm Sizes," *Science*293（5536）（2001）: 1818–20.
2. 従来の企業観の良質な概論として下記を。G. R. Carroll and M. T. Hannan, *The*

Demography of Corporations and Industries (Princeton, NJ: Princeton University Press, 2000) そして R. H. Coase, *The Firm, the Market, and the Law* (Chicago: University of Chicago Press, 1988).〔邦訳 ロナルド・H. コース『企業・市場・法』宮沢 健一, 藤垣芳文, 後藤晃訳, 東洋経済新報社, 1992〕
3. 例えば下記を参照。 J. H. Miller and S. E. Page, *Complex Adaptive Systems: An Introduction to Computational Models of Social Life* (Princeton, NJ: Princeton University Press, 2007).
4. J. D. Farmer and D. Foley, "The Economy Needs Agent-Based Modeling," *Nature* 460 (2009): 685–86.
5. N. N. Taleb, *The Black Swan: The Impact of the Highly Improbable* (New York: Random House, 2007).〔邦訳 ナシーム・ニコラス・タレブ『ブラック・スワン—不確実性とリスクの本質 (上、下)』望月衛訳,ダイヤモンド社, 2009〕.
6. M.I.G. Daepp, et al., "The Mortality of Companies," *Journal of the Royal Society Interface*, 12:20150120.
7. E. L. Kaplan and P. Meier, "Nonparametric Estimation from Incomplete Observations," *Journal of American Statistical Association* 53 (1958): 457–81; R. Elandt-Johnson and N. Johnson, *Survival Models and Data Analysis* (New York: John Wiley & Sons, 1999).
8. R. Foster and S. Kaplan, *Creative Destruction: Why Companies That Are Built to Last Underperform the Market—and How to Successfully Transform Them* (New York: Doubleday, 2001).〔邦訳 リチャード・フォスター, サラ・カプラン『創造的破壊—断絶の時代を乗り越える』柏木亮二訳, 翔泳社, 2002〕
9. 合併吸収とそれらが遺伝という枠組みのなかでどのように理解されるかについての論考が下記。E. Viegas, et al., "The Dynamics of Mergers and Acquisitions: Ancestry as the Seminal Determinant," *Proceedings of the Royal Society* A 470 (2014): 20140370.

10. 持続可能性についての大統一理論の展望

1. これは下記で示唆されている。G. B. West, "Integrated Sustainability and the Underlying Threat of Urbanization," in *Global Sustainability: A Nobel Cause*, ed. H. J. Schellnhuber (Cambridge, UK: Cambridge University Press, 2010).
2. A. Johansen and D. Sornette, "Finite-Time Singularity in the Dynamics of the World Population, Economic and Financial Indices," *Physica* A 294 (3–4) (2001): 465–502.
3. いずれにしても大きなイノベーションの間の状況が固定されているわけではない。しかしこれらの変化は、大きなイノベーションが起こったときに生じる移

行期、転機に起きる劇的でほぼ不連続な変化に比べれば比較的小さい。

4. 例えば下記を参照。W. B. Arthur, *The Nature of Technology: What It Is and How It Evolves* (New York: Free Press, 2009).〔邦訳 W・ブライアン・アーサー『テクノロジーとイノベーション― 進化/生成の理論 』有賀裕二監修, 日暮雅通訳, みすず書房, 2011〕H. Youn, et al., "Invention as a Combinatorial Process: Evidence from U.S. Patents," *Journal of the Royal Society Interface* 12 (2015): 20150272.

5. R. Kurzweil, *The Singularity Is Near: When Humans Transcend Biology* (New York: Viking, 2005).〔邦訳 レイ・カーツワイル『シンギュラリティは近い[エッセンス版] 人類が生命を超越するとき』井上健監訳, 小野木明恵, 野中香方子, 福田実訳, NHK出版, 2016〕

6. V. Vinge, "The Coming Technological Singularity: How to Survive in the Post-Human Era," *Whole Earth Review* (1993).

7. これは偉大な数学者Stanislaw Ulamが1957年にフォン・ノイマンが亡くなった際に彼への追悼文の中で引用している。"Tribute to John von Neumann," *Bulletin of the American Mathematical Society* 5 (3), part 2 (1958): 64.

8. C. McCarthy, *The Road* (New York: Alfred A. Knopf, 2006).〔邦訳 コーマック・マッカーシー『ザ・ロード』黒原敏行訳, 早川書房, 2008〕

あとがき

1. 宇宙の進化と時空そのものの期限を含む、物質の基本構成要素とそれらの相互関係を理解するための大統一理論の、興奮に満ちた探求の概論を提示した一般的で非専門的な2冊が、S. Carroll, *The Particle at the End of the Universe* (New York: Dutton, 2012).〔邦訳 ショーン・キャロル『ヒッグス 宇宙の最果ての粒子』 谷本真幸訳,講談社,2013〕and L. Randall, *Warped Passages* (New York: Harper Perennial, 2006).〔邦訳 リサ・ランドール『ワープする宇宙 5次元時空の謎を解く』向山信治監訳, 塩原通緒訳, NHK出版, 2007〕

2. "Strange Bedfellows," *Science* 245 (1989): 700–703.

3. A. Tucker, "Max Perutz," *Guardian*, Feb. 7, 2002; www.theguardian.com/news/2002/feb/07/guardianobituaries.obituaries.

4. 例えば下記など。www.fastcodesign.com/3030529/infographic-of-the-day/hilarious-graphs-prove-that-correlation-isnt-causation.

図版リスト

Page 246:（サンパウロ）: Francisco Anzola/Wikimedia Commons;（サンア）: Rod Waddington/Wikimedia Commons;（シアトル）: Tiffany Von Arnim/CC BY 2.0;（メルボルン）: Francisco Anzola/CC BY 2.0
Page 250:（ロサンゼルス）: 提供 Aerial Archives/Alamy;（ニューヨーク地下鉄地図）: CountZ/English Wikipedia/CC BY-SA 3.0
Page 254:（マスダール都心）: 提供 Laboratory for Visionary Architecture（LAVA）;（ル・コルビュジエの設計）: © FLC/ARS, 2016
Page 287:（メキシコ、中心地理論）: 提供 Tony Burton/Geo-Mexico
Page 289:（パリ）: 提供 Lincoln Institute of Land Policy;（バクテリアのコロニー）: 提供 Microbeworlduser Tasha Sturm/Cabrillo College
Page 291:（テキサスに出入りするトラックの流れ）: U.S. Department of Transportation, Federal Highway Administration, Office of Freight Management and Operations
Page 296:（左、ソーシャル・ネットワーク）: Martin Grandjean/CC BY-SA 3.0;（右、ソーシャル・ネットワーク）: 提供 Maxim Basinski/Alamy
Page 334:（リバプール追い越し歩行者レーン）: 提供 PA Images/Alamy
Page 394:（GM）: Carol M. Highsmith's America/Library of Congress, Prints and Photographs Division;（「閉店セール」）: timetrax23/CC BY 2.0;（リーマンブラザース）: 提供 Yuriko Nakao/Reuters/Alamy;（TWA）: Ted Quackenbush/Wikimedia Commons

スケール〔下〕
生命、都市、経済をめぐる普遍的法則
2020年10月20日　初版印刷
2020年10月25日　初版発行

＊

著　者　ジョフリー・ウェスト
訳　者　山形浩生（やまがた ひろお）
　　　　森本正史（もりもと まさふみ）
発行者　早川　浩

＊

印刷所　三松堂株式会社
製本所　大口製本印刷株式会社

＊

発行所　株式会社　早川書房
東京都千代田区神田多町2−2
電話　03-3252-3111
振替　00160-3-47799
https://www.hayakawa-online.co.jp
定価はカバーに表示してあります
ISBN978-4-15-209975-4　C0040
Printed and bound in Japan
乱丁・落丁本は小社制作部宛お送り下さい。
送料小社負担にてお取りかえいたします。

ハヤカワ・ノンフィクション

3つのゼロの世界

――貧困0・失業0・CO_2排出0の新たな経済

A World of Three Zeros

ムハマド・ユヌス

山田 文訳

46判上製

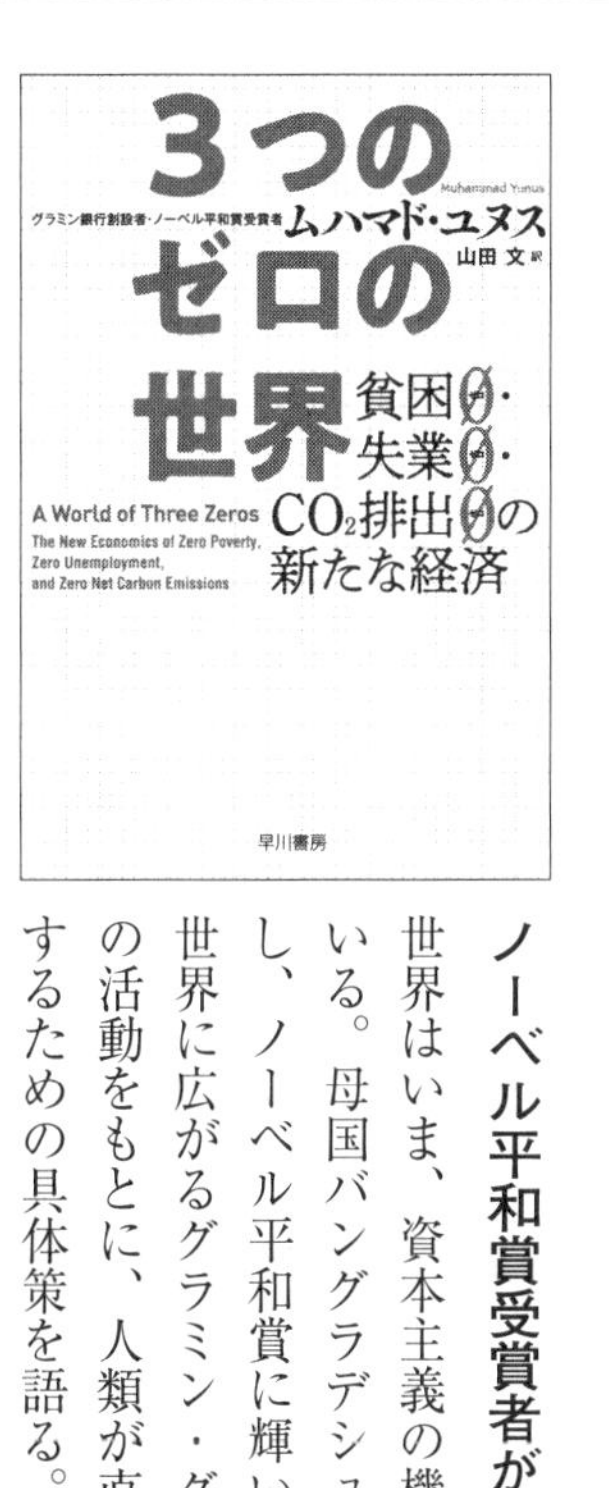

ノーベル平和賞受賞者が語る処方箋とは？

世界はいま、資本主義の機能不全にあえいでいる。母国バングラデシュの貧困軽減に貢献し、ノーベル平和賞に輝いたユヌス博士が、世界に広がるグラミン・グループと関連団体の活動をもとに、人類が直面する課題を解決するための具体策を語る。　解説／安浦寛人